Mais Segredos da Encantadora de Bebês

Também de Tracy Hogg com Melinda Blau:

Os Segredos de uma Encantadora de Bebês:
Como Ter uma Relação Tranquila e Saudável com seu Bebê

A Encantadora de Bebês Resolve Todos os seus Problemas

TRACY HOGG
COM MELINDA BLAU

Mais Segredos da Encantadora de Bebês

PARA CRIANÇAS DE 1 A 3 ANOS

Manole

Título do original em inglês: *Secrets of the Baby Whisperer for Toddlers*
Copyright © 2002 by Tracy Hogg Enterprises, Inc.
Publicado mediante acordo com a Ballantine Books, um selo da The Random House Publishing Group, uma divisão da Random House, Inc.

Este livro contempla as regras do Acordo Ortográfico da Língua Portuguesa de 1990, que entrou em vigor no Brasil.

Tradução: Dayse Batista
Preparação e revisão da tradução: Depto. editorial da Editora Manole
Diagramação: Raquel Siqueira Ramos
Adaptação da capa para a edição brasileira: Depto. de arte da Editora Manole
Imagem da capa: © Tony Bakhtiar/Mere Images Photography

Dados Internacionais de Catalogação na Publicação (CIP)
(Câmara Brasileira do Livro, SP, Brasil)

Hogg, Tracy
Mais segredos da encantadora de bebês / Tracy Hogg e Melinda Blau ; [tradução Dayse Batista] . -- Barueri, SP : Manole, 2011.

Título original: Secrets of the baby whisperer for toddlers.
ISBN 978-85-204-3202-0

1. Criação de crianças 2. Crianças 3. Pais e filhos 4. Psicologia infantil I. Blau, Melinda. II. Título.

11-07004   CDD-155.4

Índices para catálogo sistemático:
1. Criação de crianças : Psicologia infantil
155.4

Todos os direitos reservados.
Nenhuma parte deste livro poderá ser reproduzida, por qualquer processo, sem a permissão expressa dos editores.
É proibida a reprodução por xerox.
A Editora Manole é filiada à ABDR – Associação Brasileira de Direitos Reprográficos.

É recomendável consultar um médico pediatra antes de seguir quaisquer orientações relativas à alimentação infantil. A editora não se responsabiliza por erros, omissões ou quaisquer consequências decorrentes da aplicação das informações contidas nesta obra.

Edição brasileira – 2011

Direitos em língua portuguesa adquiridos pela:
Editora Manole Ltda.
Av. Ceci, 672 – Tamboré
06460-120 – Barueri – SP – Brasil
Fone: (11) 4196-6000
Fax: (11) 4196-6021
www.manole.com.br
info@manole.com.br

Impresso no Brasil
Printed in Brazil

Para Sara e Sophie

Sumário

AGRADECIMENTOS   IX

INTRODUÇÃO   1

Como encantar bebês
O desafio dos primeiros anos
e como a minha filosofia é aplicada

CAPÍTULO UM   15

Ame o filho que você tem
Conheça o temperamento do seu filho;
como a natureza e a educação operam juntas

CAPÍTULO DOIS   47

H.E.L.P. para a intervenção: um mantra para momentos do dia a dia
Uma estratégia para determinar quando intervir
e quando incentivar a independência

CAPÍTULO TRÊS   74

R&R (rotinas e rituais): em busca do equilíbrio
A importância de uma rotina estruturada

CAPÍTULO QUATRO   102

Chega de fraldas: a luta pela independência
Questões relacionadas à mobilidade, brincadeiras,
alimentação, vestir-se e usar o penico

Mais Segredos da Encantadora de Bebês

CAPÍTULO CINCO — 155

Conversa de bebês: mantendo um diálogo com o T.L.C.
*Converse com o seu filho enquanto ele progride
do "infantilês" para a verdadeira linguagem*

CAPÍTULO SEIS — 184

O mundo real: ajudando o seu filho a ensaiar as habilidades para a vida
*Aproveite os momentos do dia a dia para melhorar
a aptidão social e emocional*

CAPÍTULO SETE — 233

Disciplina consciente: ensinando o seu filho a ter autocontrole
Defina limites e ajude seu filho a lidar com as emoções

CAPÍTULO OITO — 270

Os devoradores do tempo: privação do sono, dificuldades de separação e outros problemas que roubam horas do seu dia
Resolvendo problemas crônicos de comportamento

CAPÍTULO NOVE — 311

Quando três se tornam quatro: o aumento da família
*Preparando-se para um segundo filho; lidando
com os irmãos; cuidando do seu relacionamento
e reservando um tempo só seu*

EPÍLOGO — 358

Algumas considerações finais

Agradecimentos

Quero agradecer a Melinda Blau, minha coautora, por todo o seu trabalho árduo e pela amizade que criamos nos últimos dois anos. Sua capacidade para capturar o meu tom nessas páginas é impressionante, convencendo-me definitivamente de que ela é, de fato, uma escritora muito talentosa.

Sou grata ao meu marido e à minha família por todo o amor e apoio e, em especial, às minhas duas filhas, Sara e Sophie, que são o meu orgulho e a minha alegria.

Obrigada também a Gina Centrello, por sua lealdade e honestidade; a Maureen O'Neal, maravilhosa como editora e mãe; a Kim Hovey, por seu excelente trabalho e amizade; a Marie Coolman, por coordenar a minha turnê pela costa oeste; e um grande obrigada a Rachel Kind, por compartilhar suas experiências como mãe de primeira viagem e por seus esforços para licenciar os direitos deste livro no exterior.

Por último, mas não menos importante, devo minha imensa gratidão às minhas famílias, que abriram seus corações e suas casas para mim. Vocês sabem quem são. Quero agradecer, em especial, a Dana Walden, que não é apenas uma mãe maravilhosa, mas também uma mulher que tenho orgulho de chamar de amiga; e a Noni White e Bob Tzudiker, que têm sido parte integral da minha vida nos últimos três anos e cujos conselhos, como dizemos em Yorkshire, sempre acertam bem no alvo.

— Tracy Hogg
Encino, Califórnia

Agradeço a Tracy Hogg por seu tempo, paciência e por seu maravilhoso senso de humor. Ela consegue tecer verdadeiras sagas das vidas das crianças com um olhar incrível para detalhes e um senso extraordinário de como é a vida sob a perspectiva de um pingo de gente.

Durante as pesquisas e a redação desses livros da série *Encantadora de Bebês*, eu conheci muitos pais maravilhosos, por telefone, pessoalmente e por e-mail. Em todos os casos, preservamos em sigilo suas identidades e histórias. Ainda assim, aprecio sua generosidade e agradeço por nos permitirem entrar em suas vidas. Agradeço especialmente a Noni White e Bob Tzudiker, Susanna Grant e Christopher Henrikson, Barbara Travis e Dan Rase, Libby e Jim Hawkes, Owen e Jack Kugell; e presto um tributo especial às minhas sobrinhas, Karen Sonn e Heidi Sonn, que, com a ajuda de seus maridos, Bruce Koken e Louis Tancredi, oportunamente (para mim, pelo menos) deram à luz Reid e Sander enquanto esses livros eram escritos, e ao meu sobrinho Jack Tantleff e sua esposa, Jennifer, que trouxeram Jacob ao mundo bem a tempo de serem incluídos nos nossos agradecimentos.

Ver grupos de crianças em ação foi imensamente útil para retratar as sessões de brincadeiras descritas neste livro. Elas são fictícias, mas se baseiam nas ações de crianças reais e nas interações entre elas. Sou grata a Dana Walden e a Christa Miller, que permitiram que Tracy e eu observássemos enquanto suas filhas brincavam; às mães (Natalie Matthews, Suzie Zaki, Kaydee Wilkerson, Jamie Garcia e Dana Childers) e avós (Karen Verosko e Beverly Childers) que nos convidaram para comparecer ao seu grupo de brincadeiras; e a Darcy Amiel, Mandi Richardson, Shelly Grubman, Jill Halper e Sara Siegel, que participaram de uma "reunião" de crianças que eu conheci quando ainda eram bebês.

Sinto-me profundamente grata à equipe de criação da Ballantine, fundamental na criação e promoção dos livros da série *Encantadora de Bebês:* Maureen O'Neal, nossa talentosa editora; Allison Dickens, sua competente e sempre útil assistente; Kim Hovey, a incansável diretora de publicidade; Rachel Kind, gerente de direitos estrangeiros, que também dividiu conosco suas experiências como mãe de um recém-nascido; e Gina Centrello, presidente, que esteve à frente desses projetos a cada instante. Vocês são exemplo do que há de melhor no mercado editorial – o que é um raro elogio, vindo de uma escritora. Nos bastidores, Alix Krijgsman e Nancy Delia transformaram o nosso manuscrito em

Agradecimentos

um livro, com o auxílio de uma editora freelancer de primeira linha, Helen Garfinkle, que também é uma das minhas mais antigas e queridas amigas.

Finalmente, agradeço a Eileen Cope e a Barbara Lowenstein, minhas agentes, que me recordam constantemente que escrever um livro pode ser uma excelente aventura; a Barbara Biziou, por me permitir recorrer ao seu trabalho sobre rituais; aos meus vizinhos, Joan Weigele, Henry "Waterboy" Simpkin, Sophie, e Adam, cuja gentileza constante é impressionante (e indispensável); à minha equipe de Northampton, especialmente Ellen Lefcourt e Sylvia Rubin, que me impedem de me tornar uma reclusa quando estou escrevendo; a Carla Messina e Reggie Weintraub, que me oferecem abrigo e amor em Nova York; a Jessie Zoernig, massoterapeuta extraordinária, que eliminou minhas contraturas; a Lorena Sol, por insistir que eu encontrasse uma palavra melhor que *gabarito*; e aos meus filhos – minha filha Jennifer, seu adorável esposo, Peter, e meu filho, Jeremy – cujo orgulho por meu trabalho sempre me motiva.

— Melinda Blau
Northampton, Massachusetts

INTRODUÇÃO

Como encantar bebês

Como pais, somos os primeiros e mais importantes mentores dos nossos filhos: somos seus guias para as lições e aventuras da vida.

— Sandra Burt e Linda Perlis,

Parents as Mentors (Pais como Mentores)

Mais Segredos da Encantadora de Bebês

O desafio dos primeiros anos

Queridos, vocês conhecem o antigo ditado: "Tenha muito cuidado com o que deseja, pois você pode conseguir." Se vocês são como a maioria dos pais, suspeito que tenham passado boa parte dos oito primeiros meses da vida do seu bebê desejando que as coisas ficassem mais fáceis. A mamãe rezou para que ele superasse aquele período das cólicas, dormisse a noite inteira e começasse a ingerir alimentos sólidos. E se o papai é como a maioria dos homens, ele provavelmente desejou que o seu homenzinho se transformasse logo de um "pinguinho de gente" no filho com quem ele sempre sonhou jogar futebol. Vocês dois mal podiam esperar para que seu pequenino desse o primeiro passo e dissesse a primeira palavra. Felizes, vocês imaginavam o dia em que ele pudesse segurar uma colher, vestir as meias e até mesmo – por favor, meu Deus – usar sozinho o penico.

Agora que seu bebê cresceu, seus desejos se tornaram realidade – e eu aposto que deve haver dias em que vocês gostariam de fazer o relógio andar para trás! Bem-vindos àquele que é, provavelmente, o estágio mais cansativo e maravilhoso da criação de filhos.

Em língua inglesa, *toddler* é o termo usado para referir-se a crianças de 1 a 3 anos de idade, conforme as definições presentes nos dicionários. Outros livros, no entanto, usam essa palavra para indicar a fase em que o bebê começa a dar os primeiros passos, breves e inseguros. Em alguns casos, isso pode ocorrer já aos 8 ou 9 meses. De qualquer forma, acredite: se o seu bebê se encaixa nessa fase, *você* saberá, independentemente do que os livros digam.

Embora inicialmente o seu filho possa vacilar um pouquinho ao andar, ele agora está realmente pronto para explorar pessoas, lugares e coisas – sem a sua ajuda, finalmente! Ele também está se tornando mais social, e adora imitar. Consegue bater palmas, dançar e brincar com outras crianças. Em resumo, agora ele é mais uma miniatura de pessoa do que um bebê. Seus olhinhos brilham de curiosidade, ele tem muita energia e parece estar constantemente à procura de bagunça. Nesta idade, os

Como encantar bebês

saltos de desenvolvimento são surpreendentes. Mas, justamente por conta das rápidas mudanças e dos momentos de turbulência, não me admira que vocês se sintam em estado de alerta constante. Cada pote da casa, cada objeto que seu filho consegue agarrar, cada tomada elétrica e cada artigo de decoração está ali para ser descoberto. Da perspectiva dele, tudo é novo e emocionante; da sua perspectiva, parece um ataque contra você, sua casa e tudo o que os olhinhos dele possam alcançar.

Este estágio da vida marca o fim dos tempos de "bebezinho" e também é considerado uma prévia da adolescência. De fato, muitos especialistas acham que esse período reflete bastante os anos da adolescência, porque ocorre um processo semelhante de separação. A mamãe e o papai não são mais o centro do universo do bebê. Na realidade, enquanto ele conquista rapidamente novas habilidades físicas, cognitivas e sociais, ele também aprende a dizer *não* para você – uma habilidade que também colocará muito em prática na adolescência.

Tenham certeza, queridos, de que esta é a boa notícia. Na verdade, é com as descobertas e os conflitos (muitas vezes, com *vocês*) que seu filho começa a dominar seu ambiente e, o mais importante, a ganhar um senso de si mesmo como um ser competente e independente. É claro que vocês querem que ele cresça e se torne mais autossuficiente, embora às vezes o processo seja enlouquecedor. Eu sei, porque já passei por isso com minhas próprias filhas que, no fim das contas, me ser-

Agora que o seu bebê cresceu...

Tenho perguntado às mães quais foram as mudanças mais importantes dos primeiros meses para o período dos primeiros passos dos seus filhos, e aqui estão suas respostas:

"Agora tenho menos tempo ainda para mim!"

"Ela demonstra mais o que quer."

"Eu não consigo levá-lo a um restaurante."

"Ela está mais exigente."

"Está mais fácil entender o que ele quer."

"Sou escrava dos cochilos dela."

"Eu preciso ficar atrás dele o tempo todo."

"Estou constantemente dizendo *não* para ela."

"Fico impressionada com o tanto que ele consegue aprender."

"Ela imita tudo o que eu faço."

"Ele se mete em tudo."

"Ela me testa o tempo todo."

"Ele sente curiosidade por absolutamente tudo."

"Ela agora é muito mais como... *uma pessoa!*"

viram de "cobaias" (e como as minhas melhores alunas). Acho que fiz um trabalho muito bom com minhas meninas, hoje adultas. Entretanto, isso não quer dizer que tudo foi um mar de rosas. Acreditem, criar qualquer criança é uma tarefa muito difícil e repleta de frustração e vários obstáculos, sem falar nas lágrimas e nos ataques de fúria.

Como encantar bebês: as bases para a formação de bons pais

Além da minha própria experiência, eu já aconselhei incontáveis pais de crianças pequenas – com frequência, aqueles cujos filhos eu havia conhecido logo após o nascimento – e posso ajudar você a passar por esses anos difíceis, que eu defino aqui como o período dos 8 meses (não tão por acaso, o ponto em que meu primeiro livro terminava) até 2-3 anos. Se você leu o meu primeiro livro, *Os Segredos de uma Encantadora de Bebês,* você já conhece o meu modo de pensar sobre as crianças. O aproveitamento será muito melhor se você tiver adotado uma rotina estruturada desde o dia em que seu bebê foi para casa e se já estiver usando algumas das minhas estratégias. Ouso dizer que vocês estão em vantagem, porque já *pensam* de um modo que os ajudará com seu filho.

Entretanto, sei também que parte dos meus leitores ainda não conhece minhas ideias, que surgiram quando eu trabalhei pela primeira vez com crianças que apresentavam uma série de dificuldades físicas e emocionais – crianças que muitas vezes não podiam falar. Em meu trabalho com crianças especiais, eu precisava observar as nuances do seu comportamento e linguagem corporal e compreender seus sons aparentemente ininteligíveis, para poder entender o que precisavam e queriam.

Mais tarde, passando o meu tempo quase que exclusivamente com bebês (incluindo os meus), eu descobri que essas habilidades também davam certo com eles. Tendo cuidado de mais de cinco mil bebês, eu aprimorei o que uma das minhas clientes chamou de "encantamento de bebês". É mais ou menos o que um encantador de cavalos faz, mas aqui estamos falando de crianças. Em ambos os casos, estamos lidando com criaturas sensatas, seres que não podem realmente falar, mas que encontram uma forma de expressão. Para cuidar e criar uma conexão com eles, precisamos aprender a linguagem *deles*. Portanto, encantar bebês significa entrar na sintonia deles, observar, escutar e entender o que acontece *pela perspectiva de uma criança*.

Embora as crianças pequenas estejam começando a adquirir a linguagem e a se expressar melhor que os recém-nascidos, os mesmos princípios que orientam o meu trabalho com os bebês de colo podem ser aplicados a esse grupo etário. Para aqueles que não leram o meu primeiro livro, ofereço a seguir um rápido resumo dos seus temas principais. Se você já leu o meu primeiro livro, o conteúdo das próximas linhas será familiar. Pense nele como uma revisão para refrescar sua memória.

Cada criança é um indivíduo. Desde o nascimento, o bebê tem uma personalidade única, assim como preferências e antipatias próprias. Portanto, nenhuma estratégia funciona para todos. Você terá que descobrir o que funciona para o *seu* filho. No Capítulo Um, ofereço um teste que lhe permitirá avaliar o tipo de temperamento do seu filho, o que, por sua vez, permitirá a você perceber que estratégias funcionarão melhor para ele. Mas, mesmo quando divididas em "tipos", cada criança é um fenômeno incomparável.

Todas as crianças merecem respeito – e devem aprender também a respeitar os outros. Se você estivesse cuidando de um adulto, você jamais tocaria, levantaria ou despiria essa pessoa sem pedir permissão e explicar o que irá fazer. Por que deveria ser diferente com uma criança? Como cuidadores, precisamos traçar o que eu chamo de *círculo de respeito* em torno de cada criança – uma linha imaginária além da qual não devemos ir sem pedir permissão ou explicar o que pretendemos fazer. E, antes de avançarmos às cegas, precisamos saber quem é essa criança; devemos levar em consideração o que ela sente e deseja, em vez de simplesmente fazer o que *nós* queremos. Obviamente, isso pode ser difícil com as crianças pequenas, porque também precisamos ensinar-lhes que o círculo de respeito funciona em duas direções. Nesse período da vida, as crianças podem ser bem obstinadas e exigentes, e precisam aprender a nos respeitar também. Nessas páginas, eu ensinarei como respeitar seu filho e atender as necessidades dele sem comprometer os seus próprios limites.

Reserve um tempo para observar, escutar e conversar com as crianças, em vez de apenas falar para elas. O processo de conhecer o seu filho começa no dia em que ele vem ao mundo. Eu sempre alerto os pais: "Nunca presuma que seu filho não entende você. As crianças sempre sabem mais do que imaginamos." Até mesmo uma criança não verbal pode se expressar. Portanto, você precisa aguçar seus sentidos e prestar atenção. Quando observamos, começamos a compreender o temperamento único daquela criança. Ao escutá-la, mesmo antes de adquirir a linguagem falada, começamos a saber o que ela deseja. E mantendo um diálogo – conversando, e não dando um sermão –, permitimos que a criança expresse quem realmente ela é.

Todas as crianças precisam de uma rotina estruturada, o que confere previsibilidade e segurança à sua vida. Este princípio, importante nos primeiros meses da vida do bebê, é ainda mais importante agora que o seu filho começa a andar pela casa. Como pais e cuidadores, nós oferecemos consistência e segurança por meio de rituais, rotinas e regras. Deixamos que a natureza e as crescentes habilidades da criança nos guiem e nos digam até onde ela pode ir e, ao mesmo tempo, lembramos que *nós* somos os adultos e estamos no comando. É um pouco paradoxal, pois temos de permitir que a criança explore e, simultaneamente, garantir que ela saiba que precisa viver dentro dos limites seguros que criamos para ela.

As diretrizes acima, simples e realistas, servem como base para a construção de uma família sólida. As crianças se desenvolvem bem quando são ouvidas, compreendidas e tratadas com respeito. Elas são mais felizes quando sabem o que esperamos delas e o que podem esperar do mundo à sua volta. Inicialmente, seu universo é pequeno – limitado à casa, aos pais e às saídas ocasionais. Se esse primeiro ambiente for seguro, tranquilo, positivo e previsível, se for um lugar onde elas possam explorar e fazer experiências, se elas puderem contar com as pessoas que circulam nesse pequeno mundo, então estarão mais bem preparadas para se depararem com novos contextos e novas pessoas. Lembre-se de que, independentemente do grau de atividade, curiosidade, dificuldade ou agressividade demonstrados ocasionalmente por seu filho, para ele tudo é um ensaio para o mundo real. Veja a você mesma como a primeira professora de atuação, a primeira diretora e também como a plateia mais entusiasmada.

Minhas intenções: o caminho para a harmonia

Você poderá dizer que tudo isso é apenas questão de bom-senso. E também poderá afirmar que é mais fácil dizer do que fazer, especialmente no que diz respeito a crianças pequenas. Bem, você tem razão, mas eu tenho escondidas em minhas mangas algumas técnicas que pelo menos irão ajudá-la a entender o pequeno ser que habita a sua casa e, ao mesmo tempo, lhe darão um maior senso de competência e autoridade.

Embora eu tenha permeado estas páginas com pesquisas realizadas por alguns dos mais respeitados especialistas em desenvolvimento infantil do nosso tempo, existem muitos livros que documentam avanços científicos. Mas para que serve a ciência, se você não souber o que *fazer*? Para tanto, o que você encontrará irá ajudá-la a ver seu filho com olhos renovados e a agir de forma mais sensível com ele. Ao ver o mundo pela perspectiva dele, você terá maior empatia pelo que acontece naquela cabecinha e naquele corpinho. Com estratégias práticas para lidar com os desafios inevitáveis encontrados no dia a dia, você terá à mão um arsenal de ferramentas.

A seguir, apresento uma lista dos objetivos mais específicos. O que estou tentando criar é um porto seguro para a sua família. Por falar nisso, não é por acaso que esses objetivos também podem ser aplicados a crianças mais velhas, até mesmo a adolescentes (embora eu deseje realmente que eles não precisem mais ser treinados para usar o penico!).

Este livro os incentivará, ensinando e demonstrando, por meio de exemplos, como:

• *Ver – e respeitar – o seu filho como um indivíduo.* Em vez de categorizá-lo por idade, deixe-o ser quem é. Acredito que as crianças têm o direito de expressar o que gostam ou não. Também acredito que nós, como adultos, podemos validar os pontos de vista das crianças, mesmo quando isso nos frustra, ou quando não concordamos com determinada opinião.

• *Incentivar seu filho para que aumente a sua independência – sem apressá-lo.* Para essa finalidade, ofereço ferramentas para que você possa identificar o momento em que ele estiver preparado e ensinar-lhe habilidades práticas, como comer, vestir-se, usar o penico e fazer sua higiene básica. Eu fico espantada quando os pais me ligam para perguntar: "Como faço meu filho aprender a andar?" ou "O que posso fazer para que meu filho aprenda a falar mais cedo?" O desenvolvimento é um fenômeno natural, não um curso. Além disso, não é respeitoso pressionar crianças a fazer algo. E, o que é ainda pior, isso parece colocá-las no caminho para o fracasso e, assim, levar os pais ao próprio desapontamento.

• *Aprender como afinar-se com a linguagem verbal e não verbal do seu filho.* Embora seja obviamente mais fácil entender crianças pequenas que recém-nascidos, a capacidade para a comunicação varia muito nesse período. Seja paciente e se contenha quando o seu filho estiver tentando lhe dizer algo e, ao mesmo tempo, aprenda quando deve intervir e oferecer ajuda.

• *Ser realista – a primeira infância é um período de mudanças cons-tantes.* Às vezes, um pai ou uma mãe cujo filho subitamente para de dormir a noite inteira pode se perguntar: "O que há de errado com ele?", quando, na verdade, a criança está apenas passando por um novo está-gio de crescimento e desenvolvimento infantil. Um dos maiores desa-fios de ser pai ou mãe de um bebê nesse estágio é que, exatamente quan-do nos acostumamos com certo comportamento ou determinado nível de competência – *puft!* –, a criança muda novamente. E adivinhe: ela mudará de novo e de novo e de novo...

• *Promover o desenvolvimento do seu filho e a harmonia familiar.* No meu primeiro livro, discorri sobre minha abordagem da *família como um todo*, na qual o bebê se integra a ela, em vez de dominá-la. Esse prin-cípio é ainda mais importante agora. É fundamental criar um ambien-te feliz e saudável, que permita que a criança se aventure, mas que, ao mesmo tempo, a proteja de perigos e não deixe que suas birras pertur-bem a família. Pense em sua casa como uma sala de ensaios, onde seu fi-lho aprende a praticar novas habilidades, decora o texto e aprende o mo-mento certo de entrar e sair de cena. Você é o diretor, preparando-o para o palco no qual a história da vida dele será encenada.

• *Ajudar seu filho a lidar com as emoções – particularmente com as frustrações.* A primeira infância marca um momento em que as crian-ças dão passos emocionais gigantescos. Nos primeiros meses, o bebê é tomado por estados emotivos baseados principalmente em elementos físicos, como fome, fadiga, frio ou calor. Após o primeiro ano de vida, contudo, o repertório emocional se expande e passa a incluir medo, ale-gria, orgulho, vergonha, culpa, pena – emoções mais complexas, causa-das pela crescente consciência de si mesmo e das situações sociais. As habilidades emocionais *podem* ser aprendidas. Estudos demonstram que bebês de apenas 14 meses podem começar a identificar e até mesmo a prever humores (o próprio e o dos seus cuidadores), sentir empatia e, tão logo se tornem verbais, também falar sobre seus sentimentos. Sabemos também que ataques de fúria podem ser evitados ou, se não forem impedidos a tempo, pelo menos controlados. No entanto, o manejo do humor é bem mais importante que simplesmente prevenir os ataques de birra. Crianças que aprendem a moderar emoções intensas comem e dormem melhor que aquelas que não aprendem a fazer isso; elas têm mais facilidade para aprender novas habilidades e menos problemas para se socializarem. Em comparação, as crianças que não possuem controle emocional, com frequência, são aquelas a quem outras crianças e adultos preferem evitar.

• *Desenvolver um vínculo forte e positivo entre o papai e o bebê.* Eu sei, eu sei: atualmente, não é politicamente correto dizer que as mães têm necessariamente mais contato com os filhos que os pais. Porém, na vida real, as coisas costumam ser assim mesmo. Na maioria das famílias, os papais ainda precisam fazer um esforço extra para serem mais que ajudantes de fim de semana. Precisamos procurar maneiras de envolvê-los *de verdade*, de conectá-los emocionalmente, não apenas como companheiros de brincadeiras.

• *Ajudar seu filho a se tornar um ser social.* Na primeira infância, as crianças começam a interagir com outras pessoas. Inicialmente, o mundo do seu filho será limitado talvez a dois ou três "amigos" regulares, mas à medida que ele avançar para a pré-escola, as habilidades sociais se tornarão cada vez mais importantes. Portanto, ele precisará desenvolver empatia, consideração pelos outros e a capacidade de negociar e lidar com conflitos. A melhor maneira de ensinar essas habilidades é por meio de exemplo, orientação e repetição.

• *Lidar com as suas próprias emoções.* Uma vez que lidar com uma criança pequena consome muita energia, você precisa aprender a ser paciente, como e quando elogiar, como perceber que "ceder" demais não é uma prova de amor (não importando o quanto o seu filho seja adorável), como colocar seu amor em ação (não *apenas* em palavras) e o que fazer quando sentir raiva ou frustração. Na verdade, os estudos mais recentes sobre a primeira infância revelam algo fundamental para uma boa criação: o temperamento do seu filho não apenas determina seus pontos fortes e vulnerabilidades, mas também influencia na forma como você o trata. Se você tem uma criança que "dá trabalho" e que parece reservar seus ataques de birra para os locais públicos, a menos que você aprenda como modificar suas próprias reações, a obter ajuda ou a sair de uma situação estressante, provavelmente continuará perdendo a paciência rapidamente, respondendo com irritação e até mesmo recorrendo à contenção física que, infelizmente, apenas piorará o comportamento do seu filho.

• *Nutrir os seus próprios relacionamentos adultos.* Este estágio da vida dos filhos priva as mães de um tempo para si mesmas. Você precisa aprender a afastar-se por algum tempo do seu filho sem se culpar por isso e também a criar oportunidades (porque elas podem não surgir naturalmente) que lhe permitam reabastecer suas próprias energias. Em resumo, você precisa *obter* tempo de qualidade, tanto quanto precisa *oferecê-lo* ao seu pequeno.

Será que os objetivos acima são inatingíveis? Acho que não. Eu testemunho todos os dias a sua conquista nas famílias. É claro que isso demanda tempo, paciência e compromisso. E, para os pais que trabalham, isso às vezes envolve escolhas difíceis – por exemplo, se devem sair um pouco mais cedo do trabalho para que seu filho não precise ficar mais tempo acordado do que deveria à noite.

Minha intenção é municiá-los de informações, ajudá-los a ter mais segurança sobre as decisões que tomam e apoiá-los na descoberta das suas próprias abordagens. No fim, espero que vocês também se tornem papais ou mamães muito mais sensíveis, encantadores de bebês com muito foco, confiança e amor.

Como ler este livro

Eu sei que pais de bebês que já começam a andar têm ainda menos tempo para ler que os pais de recém-nascidos. Por isso, tentei organizar este livro de modo a propiciar uma leitura rápida e, o que é igualmente importante, que faça sentido se você começar em qualquer ponto. Diversos quadros e tabelas os ajudarão a focar nos conceitos importantes e poderão lhes oferecer orientação rápida quando estiverem sem muito tempo para examinar com atenção todas as páginas.

Eu sugeriria que, a fim de se familiarizar com minha filosofia, você lesse os Capítulos Um, Dois e Três, antes de dirigir-se aos tópicos de interesse específico para você (aqui, presumo que você também tenha lido a Introdução; se não, por favor, leia). No Capítulo Um você encontrará uma discussão sobre natureza e educação, que operam juntas. O questionário "Quem é o seu filho?" ajudará você a entender a natureza do seu filho – em outras palavras, as características com as quais ele veio ao mundo. No Capítulo Dois, ofereço "H.E.L.P." ("ajuda", em inglês), uma estratégia geral para lidar com a parte da equação ligada à criação. E, no Capítulo Três, saliento que *as crianças aprendem pela repetição*. Eu destaco a importância do "R&R" – instituir uma *rotina* estruturada e também criar outros *rituais* sólidos.

Os Capítulos Quatro a Nove tratam dos desafios específicos de ser pai ou mãe de crianças pequenas. Leia-os na ordem ou à medida que surgirem dificuldades específicas.

O Capítulo Quatro, "Chega de fraldas", discute como apoiar a crescente independência do seu filho – mas sem pressioná-lo a ser independente antes de ele estar pronto.

O Capítulo Cinco, "Conversa de bebês" é sobre a comunicação – falar *e* ouvir – que pode ser tanto uma frustração como algo emocionante, quando estamos lidando com crianças nos primeiros anos de vida.

O Capítulo Seis, "O mundo real", concentra-se na importante novidade de sair mais de casa para frequentar grupos de brincadeiras e fazer passeios em família, e ajuda os pais a planejarem "ensaios para a mudança" – situações controladas que permitem que o seu filho pratique habilidades sociais e teste novos comportamentos.

O Capítulo Sete, "Disciplina consciente" tem a ver com *ensinar* seu filho a se comportar bem. As crianças não vêm ao mundo sabendo como devem se comportar ou conhecendo as regras da interação social. Se *você* não ensinar, tenha certeza de que o seu pequeno aprenderá com o mundo!

No Capítulo Oito, eu falo sobre os "devoradores do tempo", padrões indesejáveis e crônicos de comportamento que podem desgastar o relacionamento entre pais/filho e sugar o tempo e a energia de toda a família. Os pais muitas vezes não têm consciência dos muitos modos como "treinam" seus filhos... até que as dificuldades resultantes perturbem suas vidas. Esta *paternidade acidental,* um fenômeno sobre o qual falei em meu primeiro livro, é a causa de praticamente todo problema relacionado a sono, alimentação ou disciplina que eu vejo. Quando os pais não reconhecem o que está acontecendo ou não sabem como mudar, o problema se torna um devorador do tempo.

Finalmente, o Capítulo Nove, "Quando três se tornam quatro", trata do crescimento da família – a decisão de ter outro filho, como preparar e ajudar o seu pequeno a lidar com a chegada do novo membro da família, como ensiná-lo a lidar com o irmãozinho, como preservar seus relacionamentos adultos e, de quebra, cuidar também de si mesma.

Você não encontrará aqui muitas orientações relacionadas a idades específicas, pois acredito que você deve *observar seu próprio filho,* em vez de ler um livro para aprender o que é apropriado para ele. E, independentemente de o tema ser o treinamento para o uso do vaso sanitário ou como lidar com ataques de birra, você não me verá dizendo "Este é o jeito certo", porque o maior presente que posso lhe dar é a capacidade de descobrir *por conta própria* o que funciona melhor para o seu filho e a sua família.

E, por fim, lembre-se de que é importante manter uma perspectiva de longo prazo e a cabeça fria. Assim como o tempo não para quando o seu filho é um bebê muito novinho – embora *parecesse* que essa fase jamais iria terminar –, a fase dos primeiros passos também não dura para sempre. Durante esse período, simplesmente guarde tudo o que for de valor, tranque armários que contenham substâncias tóxicas e respire fundo: durante os próximos dezoito meses, ou mais, você terá em suas mãos uma criancinha ávida por aventura. Bem na frente dos seus olhos você verá o seu pequeno dar aquele salto gigantesco, transformando-se de um bebê indefeso em uma criança que anda e fala, com vontade própria. Aproveite bem esta jornada incrível. Para cada nova e fantástica habilidade dominada e a cada emocionante primeira vez, você terá adversidades eletrizantes para enfrentar. Em resumo, nada em sua vida será mais excitante e, ao mesmo tempo, mais exaustivo do que viver com seu filho. E amá-lo.

CAPÍTULO UM

Ame o filho que você tem

O pai sábio é aquele que conhece o próprio filho.

— William Shakespeare,
O Mercador de Veneza

Bebês revisitados

Durante a escrita deste segundo livro, minha coautora e eu organizamos um reencontro com alguns dos bebês que haviam comparecido aos meus grupos. Bebês entre 1 e 4 meses de idade quando nos vimos pela última vez, os cinco agora estavam no auge do período em que começam a andar. Que diferença um ano e meio havia feito! Nós reconhecemos seus rostos levemente mais maduros, mas, em termos físicos, os pequenos furacões que entraram em minha sala de recreação tinham pouca semelhança com os bebês que eu havia conhecido – coisinhas doces e indefesas que faziam pouco mais que fitar as linhas onduladas do papel de parede. Se antes manter a cabeça erguida ou "nadar" deitados de barriga era uma façanha, agora, essas crianças não paravam quietas. Quando suas mães as colocavam no chão, elas engatinhavam, davam passinhos ou andavam com mais segurança, às vezes segurando-se nos móveis, às vezes por conta própria, desesperadas para explorar o ambiente. Seus olhinhos eram brilhantes, elas balbuciavam coisas com e sem sentido, e suas mãozinhas tocavam tudo o que havia ao redor.

Recuperando-me do choque de ver esse milagre do crescimento instantâneo – era como uma fotografia com lapso de tempo, sem os estágios intermediários –, comecei a recordar os bebês que havia conhecido.

Eu vi Rachel, sentada no colo da mãe, olhando com cautela seus companheiros e um pouco temerosa de aventurar-se por conta própria. Essa era a mesma Rachel que chorava nos primeiros meses ao ver um rosto estranho e que se esquivava durante a aula de massagem infantil, transmitindo-nos a mensagem de que não estava preparada para tanto estímulo.

Betsy, um dos primeiros bebês a realmente tocar outra criança, ainda era claramente a mais ativa e interativa de todas elas, curiosa sobre cada brinquedo, interessada no que todos faziam. Ela era extremamente vivaz quando bebê, de modo que não me surpreendi quando começou a escalar o trocador com a habilidade de uma macaquinha e uma expressão de "nada me detém" em seu rostinho (não se preocupe: a mãe de Betsy, obviamente acostumada com os feitos atléticos da filha, ficava de olho nela, sempre com a mão próxima ao seu bumbum).

Tucker, que alcançava cada marco do desenvolvimento com pontualidade, estava brincando perto do trocador. De vez em quando, ele olhava para Betsy, mas as peças de cores vivas na caixa de formas era mais atraente para ele. Tucker ainda se mantinha pontual em seu desenvolvimento – ele sabia as cores de que dispunha e conseguia descobrir que formas se encaixavam em que buracos, como "os livros" diziam que uma criança de 20 meses deveria fazer.

Allen estava sozinho no espaço de brincar, isolado dos outros, o que me fez pensar nele aos 3 meses, com sua aparência séria. Mesmo quando muito novinho, Allen sempre parecia ter a mente muito ocupada e tinha a mesma expressão preocupada agora, enquanto tentava inserir uma "carta" na caixa de correio de brinquedo.

Finalmente, eu não conseguia parar de olhar para Andrea, um de meus bebês favoritos, porque ela era muito meiga e adaptável. Nada a perturbava, mesmo nos primeiros meses, e pude perceber que ela permanecia inabalável, enquanto a via interagir com Betsy, agora no chão e tentando tomar o caminhão de Andrea. Essa mininha calma e controlada, por sua vez, olhou para Betsy e resolveu com tranquilidade a situação. Sem nenhuma agitação, Andrea deixou de lado o caminhão e começou a brincar de bom grado com uma boneca que atraiu seu olhar.

Embora essas crianças tivessem crescido anos-luz à frente de onde haviam estado – na verdade, estavam seis ou sete vezes mais velhas que na última vez em que eu as havia visto –, cada uma delas era um reflexo de quem era nos primeiros meses. O temperamento evoluíra para uma personalidade. Não eram mais bebês, eram cinco pequenas pessoas, cada uma diferente da outra.

Natureza/educação: o delicado equilíbrio

A constância da personalidade, dos primeiros meses até o estágio dos primeiros passos, não surpreende a mim ou a outros que já viram muitos bebês e crianças pequenas. Como salientei antes, *os bebês vêm ao mundo com personalidades distintas.* Desde o dia em que nascem, alguns são tímidos por natureza, outros demonstram teimosia, e outros, ainda, estão propensos a alto grau de atividade e aceitação de riscos. Agora, graças a gravações em vídeo, varreduras cerebrais e novas informações sobre a codificação genética, isso não é mais apenas um palpite: os cientistas já documentaram a constância da personalidade também em laboratório. Na última década, em particular, as pesquisas demonstraram que, em cada ser humano, os genes e substâncias químicas do cérebro influenciam o temperamento, qualidades e deficiências, preferências e antipatias.

É a natureza *e* a educação

"Estudos [com gêmeos e com crianças adotadas] têm implicações práticas importantes. Uma vez que a educação promovida pelos pais e outras influências ambientais podem moderar o desenvolvimento de tendências herdadas nas crianças, os esforços para ajudar os pais e outros cuidadores a interpretar com sensibilidade as tendências de comportamento infantil e a criar um contexto de suporte à criança são muito válidos. Um bom ajuste entre a condição ambiental e as características da criança se reflete, por exemplo, nas famílias cuja dinâmica proporciona muitas oportunidades de brincadeiras ruidosas para crianças altamente ativas, ou em ambientes de cuidados infantis, como creches, com cantinhos calmos para que crianças tímidas possam afastar-se da atividade intensa entre os companheiros. Rotinas de cuidados infantis planejadas com cautela podem incorporar defesas úteis contra o desenvolvimento de problemas de comportamento entre crianças com vulnerabilidades herdadas, oferecendo oportunidades para livre escolha, calor humano nas relações, rotina estruturada e outros tipos de auxílio."

– Extraído de National Research Council and Institute of Medicine (2000), *From Neurons to Neighborhoods: The Science of Early Childhood Development,* Comitê para a Integração da Ciência do Desenvolvimento da Primeira Infância. Jack P. Shonkoff e Deborah A. Phillips, eds. Painel sobre Crianças, Jovens e Famílias, Comissão de Ciências Comportamentais e Sociais e Educação. Washington, D. C.: National Academy Press.

Uma das consequências mais felizes das pesquisas mais recentes é a redução da culpa dos pais – uma teoria psicológica que já esteve muito em voga. Contudo, tenhamos cuidado para não pender totalmente para a outra direção. Isto é, não devemos pensar que os pais não têm absolutamente nenhuma influência. Nós temos, sim (de outro modo, queridos, por que eu iria compartilhar as *minhas* ideias para vocês serem pais e mães melhores?).

Na verdade, o pensamento mais atual acerca do debate sobre natureza/educação descreve o fenômeno como um processo dinâmico e contínuo. Não é natureza *versus* educação. Em vez disso, é "natureza *por meio* da educação", de acordo com uma revisão recente de estudos (veja o quadro da página anterior). Os cientistas sabem disso pela análise de incontáveis estudos de gêmeos idênticos, bem como por pesquisas sobre crianças adotadas, cuja biologia é diferente daquela dos pais adotivos. Ambos os casos demonstram a complexidade do jogo entre natureza e educação.

Os gêmeos, por exemplo, que têm a mesma conformação cromossômica *e* as mesmas influências dos pais, não são necessariamente iguais. E, quando os cientistas observam crianças adotadas, cujos pais biológicos são dependentes de álcool ou têm algum tipo de doença mental, eles descobrem que, em alguns casos, um ambiente promotor do bom desenvolvimento (criado pelos pais adotivos) confere imunidade à predisposição genética. Em outros casos, porém, nem mesmo os melhores pais conseguem anular a influência da hereditariedade.

Em suma, ninguém sabe exatamente como operam a natureza e a educação, mas sabemos que operam *juntas,* uma influenciando a outra. Portanto, precisamos respeitar a criança que a natureza nos deu e, ao mesmo tempo, dar a essa criança todo o suporte de que ela precisa. Obviamente, esse é um equilíbrio delicado, sobretudo para pais de crianças pequenas. Contudo, apresento a seguir algumas ideias importantes para você ter em mente.

Primeiro, você precisa entender – e aceitar – o filho que tem. O ponto de partida para ser um bom pai ou uma boa mãe é conhecer seu próprio filho. Em meu primeiro livro, expliquei que os bebês que conheço geralmente se ajustam a um de cinco amplos tipos de temperamento, que chamo de *Anjo, Livro-texto, Sensível, Enérgico e Irritável*. Nas próximas seções deste capítulo, observaremos como esses tipos se traduzem para a fase de 1 a 3 anos, e você encontrará um questionário (veja as páginas 24-28) que a ajudará a descobrir o tipo de criança que seu filho é. Quais são os talentos dele? O que o perturba? Esta é uma criança que precisa de incentivo extra ou um pouco mais de autocontrole? Será que ele mergulha com disposição em novas situações? É inconsequente? Ou simplesmente não se envolve em situações novas? Você precisa observar seu filho de modo imparcial e responder a essas perguntas com toda a honestidade.

Se você basear suas respostas nos aspectos reais do temperamento do seu filho, não em quem você gostaria que ele fosse, estará dando a ele o que eu acho que cada pai ou mãe deve dar a seus filhos: respeito. A ideia é observar seu pequenino, amá-lo por ser quem ele é e adaptar suas próprias ideias e comportamento para fazer o que é melhor para ele.

Pense nisto: você jamais pensaria em pedir a um adulto que odeia esportes para fazer parte de seu time de futebol. Você provavelmente não pediria que um deficiente visual se juntasse a sua expedição de observação de pássaros. Da mesma forma, se você conhecer o temperamento do seu filho, suas qualidades e deficiências, poderá determinar melhor não apenas o que é bom para ele, mas do que ele gosta. Você será capaz de orientá-lo, oferecer um ambiente apropriado e ensinar a ele as estratégias de que precisa para lidar com as demandas sempre crescentes da infância.

Você pode ajudar seu filho a extrair o máximo da pessoa que ele é.
Já foi bem documentado que o fator biológico não é uma determinação para a vida inteira. Todos os seres humanos – e até mesmo outros animais (veja o quadro da página ao lado) – são um produto *tanto* da biologia *quanto* do mundo no qual nascem. Uma criança pode ser "tímida de nascença" porque herdou um gene que lhe dá um baixo limiar para o que não conhece, mas seus pais podem ajudá-la a sentir-se mais segura

Os macacos de Suomi: biologia *não* é destino

Stephen Suomi e uma equipe de pesquisadores do National Institute of Child Health and Human Development (EUA) criaram um grupo de macacos *rhesus* para serem "impulsivos". Tanto nos macacos como em humanos, a ausência de controle e da adoção de altos riscos está associada com baixos níveis da substância química cerebral serotonina (que inibe a impulsividade). Parece que um gene transportador de serotonina recentemente identificado (encontrado também em humanos) impede que a serotonina seja metabolizada de forma eficiente. Suomi descobriu que, quando macacos que não tinham esse gene eram criados por mães comuns, eles tendiam a se meter em problemas e a terminar no fim da hierarquia social. Contudo, quando eram dados a mães excepcionalmente promotoras do crescimento, seu futuro era muito melhor. Os macacos não apenas aprendiam a evitar situações estressantes ou a obter ajuda para lidar com elas (o que, não surpreendentemente, elevava seu *status* social na colônia), mas o incentivo adicional pelas mães de fato levava o metabolismo de serotonina dos filhotes à faixa normal. "Praticamente todos os resultados podem ser alterados de forma substancial pelas experiências precoces", diz Suomi. "O fator biológico apenas fornece um conjunto diferente de probabilidades."

– Adaptado de "A Sense of Health"
Newsweek, 2000.

---

e lhe ensinar estratégias para superar sua timidez. Outra criança pode ser "ousada por natureza", em razão de seus níveis de serotonina, mas seus pais podem ajudá-la para que aprenda a controlar seus impulsos. Em suma, entender o temperamento do seu filho permite que você planeje com antecedência e atue de acordo.

Independentemente das necessidades do seu filho, você também precisa assumir responsabilidade pelo que faz. No palco da vida, você é a primeira professora de atuação que seu filho terá, e o que você faz para ele e por ele poderá moldá-lo tanto quanto o DNA. Em meu primeiro livro, lembrei aos pais de que tudo o que eles fazem ensina a seus bebês o que esperar deles e do mundo. Tome como exemplo um bebê que choraminga constantemente. Quando encontro uma criança assim, não acho que ela está sendo caprichosa ou que deseja nos irritar de propósito. Ela apenas está fazendo o que os pais lhe ensinaram.

Como isso aconteceu? Sempre que o bebezinho choramingava, eles paravam a conversa entre adultos, levavam-no ao colo ou começavam a brincar com ele. Mamãe e papai realmente acreditavam que estavam sendo "sensíveis ao que o bebê precisava", mas não perceberam que a lição aprendida pelo filho era: *"Ah, já entendi. Choramingar é um modo infalível de obter a atenção dos meus pais."* Esse fenômeno, que eu chamo de *paternidade acidental* (mais sobre isso às páginas 263-265 e no Capítulo Oito), pode começar nos primeiros meses e se prolongar até o fim da infância, a menos que os pais tenham consciência do impacto de seu próprio comportamento. E, acredite, as consequências são cada vez mais sérias, porque as crianças pequenas adquirem, com muita rapidez, prática em manipular os pais.

Sua perspectiva sobre a natureza do seu filho pode determinar seu sucesso em lidar com ele. É claro que algumas crianças são mais difíceis que outras, e também é fato bem documentado que a personalidade de uma criança pode influenciar as ações e reações dos pais. A maioria das pessoas tem mais facilidade para manter a calma com uma criança maleável e cooperativa do que com outra que é um pouco mais impetuosa ou exigente. Ainda assim, a perspectiva muda tudo. Uma mãe pode responder à teimosia da filha dizendo: "Ela é incorrigível", enquanto outra pode ver a mesma natureza como algo positivo – uma criança que tem ideias próprias. Será mais fácil para a segunda mãe ajudar a filha a canalizar suas tendências agressivas para aplicações mais apropriadas – liderança, por exemplo. De modo semelhante, um pai pode sentir-se muito chateado ao perceber que o filho é "tímido", enquanto outro vê essa reserva como um traço positivo – uma criança que observa cada situação com muito cuidado. O segundo pai está mais propenso a ter paciência, em vez de pressionar o filho, como o primeiro provavelmente faria – uma estratégia que apenas tornará o menino ainda mais medroso (exemplos disso podem ser encontrados nas páginas 40-42 e 347-349).

Quem é o *seu* filho?

De certo modo, o temperamento é um fator ainda maior a se levar em conta na fase dos primeiros passos, porque seu filho agora está realmente desenvolvendo uma personalidade e porque esse é um período em que cada dia apresenta novos desafios para ele. O temperamento determina a capacidade do seu filho para lidar com tarefas e circunstâncias desconhecidas, ou seja, todas as "primeiras vezes". Talvez você até já tenha determinado o tipo de bebê em que seu filho se enquadra – um *Anjo, Livro-texto, Sensível, Enérgico* ou *Irritável*. Portanto, o questionário a seguir apenas confirmará sua percepção. Isso significa que você começou a afinar-se com seu filho *desde cedo* – e que está dizendo a você mesma a verdade sobre a personalidade dele.

Pegue dois pedaços de papel em branco para, individualmente, você *e* o seu parceiro responderem ao questionário a seguir. Se você é pai ou mãe solteiro(a), peça ajuda para outra pessoa que cuida do bebê, os avós ou um bom amigo ou amiga que conhece bem seu filho. Assim, você pelo menos terá acesso a um outro olhar e poderá comparar anotações. Todas as pessoas veem a mesma criança de modo diferente, e todas as crianças agem de forma diferente com diferentes pessoas.

Não existem respostas certas ou erradas aqui, queridos – esse é um exercício de descoberta, de modo que não há sentido em discutir se suas respostas forem diferentes. Simplesmente permitam-se uma visão mais ampla. O objetivo é ajudá-los a entender a personalidade da criança.

Você pode questionar o resultado, como fizeram muitos pais que leram *Os Segredos de uma Encantadora de Bebês*, dizendo: "Meu filho parece ser uma mescla de dois tipos." Tudo bem, apenas use as informações para ambos os tipos. Contudo, descobri que um aspecto geralmente predomina. Veja meu caso, por exemplo. Eu era um bebê *Sensível*, reservado e temeroso e me tornei uma adulta Sensível também, embora em alguns dias eu aja como uma pessoa Irritável e, em outros, como alguém Enérgico. Minha natureza principal, entretanto, é Sensível.

Tenha em mente que esse é apenas um exercício para ajudá-los a entrar em sintonia e a se tornar mais observadores sobre as inclinações naturais do seu filho. Acredite, *você* e outros elementos do ambiente dele também moldarão seu filho – na verdade, este é o momento em que cada encontro é uma aventura e, com frequência, um teste. Esse questionário tem por objetivo dar-lhe uma ideia sobre os traços comportamentais mais salientes de seu filho – até que ponto ele é ativo, distraído, intenso e adaptável, como lida com o desconhecido, como reage ao ambiente e se é extrovertido ou retraído. Observe que as questões pedem que você considere não apenas o que a criança está fazendo agora, mas também como era quando bebê. Marque as respostas que refletem o comportamento mais típico dele – o modo como ele *geralmente* age ou reage.

Quem é o seu filho?

1. Quando bebê, meu filho:
   A. raramente chorava
   B. chorava apenas quando sentia fome, cansaço ou era excessivamente estimulado
   C. chorava com frequência, sem motivo aparente
   D. chorava muito alto e, se eu não corresse para atendê-lo, o choro logo se transformava num berro
   E. chorava com raiva, geralmente quando saíamos de nossa rotina habitual ou daquilo que ele esperava

2. Ao despertar de manhã, meu filho:
   A. raramente chora – ele fica brincando no berço até eu chegar
   B. murmura e olha em volta até sentir-se entediado
   C. precisa de atenção imediata; do contrário, começa a chorar
   D. grita para que eu vá até ele
   E. choraminga para que eu saiba que ele acordou

3. Pensando no primeiro banho, lembro que meu filho:
   A. sentia-se um patinho na água
   B. sentiu alguma surpresa com a sensação, mas gostou quase que imediatamente da água
   C. mostrou-se muito sensível – tremeu um pouco e pareceu ter medo
   D. ficou muito agitado, mexendo os braços e espalhando a água
   E. odiou e chorou

Ame o filho que você tem

4. A linguagem corporal do meu filho tipicamente é:
   A. quase sempre tranquila, mesmo quando bebê
   B. tranquila a maior parte do tempo, mesmo quando bebê
   C. tensa e muito reativa a estímulos externos
   D. brusca – quando bebê, seus braços e pernas com frequência se agitavam freneticamente
   E. rígida – quando bebê, seus braços e pernas com frequência ficavam claramente rígidos

5. Quando fiz a transição de líquidos para alimentos sólidos, meu bebê:
   A. não teve problema
   B. ajustou-se razoavelmente bem, desde que eu lhe desse tempo para adaptar-se a cada novo sabor e textura
   C. retorcia o rosto ou seus lábios tremiam, como se estivesse dizendo: "Mas o que será isso?"
   D. foi com tudo, como se tivesse comido alimentos sólidos a vida inteira
   E. agarrou a colher e insistiu em segurá-la sozinho

6. Quando interrompido em alguma atividade que realiza, meu filho:
   A. para com facilidade
   B. às vezes chora, mas pode ser convencido a mudar de atividade
   C. chora durante alguns minutos antes de se recuperar
   D. chora alto, esperneia e se joga no chão
   E. chora como se estivéssemos partindo seu coração

7. Meu filho demonstra sua raiva:
   A. choramingando, mas pode ser rapidamente consolado ou facilmente distraído
   B. fazendo sinais óbvios (punhos cerrados, caretas ou choro), e precisa ser reconfortado para superar
   C. tendo uma crise imensa, como se o mundo estivesse acabando
   D. mostrando-se descontrolado, frequentemente com propensão a jogar as coisas longe
   E. mostrando-se agressivo, com frequência empurrando pessoas ou jogando coisas

8. Em situações sociais com outras crianças, como em encontros para brincar, meu filho:
   A. mostra-se feliz e se envolve ativamente
   B. envolve-se, mas de vez em quando se aborrece com as outras crianças
   C. choraminga ou chora com facilidade, especialmente quando outra criança pega seu brinquedo
   D. corre muito pelo lugar e se envolve em tudo
   E. não quer se envolver e fica de lado

Mais Segredos da Encantadora de Bebês

9. Na hora do cochilo ou do sono da noite, a sentença que melhor descreve meu filho é:
   A. ele poderia dormir durante uma explosão nuclear
   B. ele é inquieto antes de adormecer, mas responde bem a suaves tapinhas carinhosos ou palavras reconfortantes
   C. sente-se facilmente incomodado por ruídos em casa ou na rua
   D. ele precisa ser convencido a dormir – tem medo de estar perdendo algo
   E. precisa de silêncio total para dormir; do contrário, começa a chorar de forma inconsolável

10. Quando levado a uma casa estranha ou ambiente novo, meu filho:
    A. adapta-se facilmente, sorri e logo se envolve com outras crianças
    B. precisa de um pouco de tempo para se adaptar, dá um sorriso, mas se retrai rapidamente
    C. sente-se facilmente perturbado, esconde-se atrás de mim ou enterra o rosto em minhas roupas
    D. mergulha na situação, mas parece não saber bem o que fazer
    E. tende a empacar e se irrita ou pode tentar ir embora sozinho

11. Se meu filho está envolvido com determinado brinquedo e outra criança deseja juntar-se à brincadeira, ele:
    A. percebe a situação, mas continua concentrado no que está fazendo
    B. tem dificuldade para permanecer concentrado após ver a outra criança
    C. fica chateado e chora com facilidade
    D. quer imediatamente o brinquedo que está com a outra criança
    E. prefere brincar sozinho e com frequência chora se outras crianças invadem seu espaço

12. Quando saio do quarto, meu filho:
    A. demonstra preocupação inicialmente, mas continua brincando
    B. pode mostrar preocupação, mas em geral não se incomoda, a menos que esteja cansado ou doente
    C. chora imediatamente e se mostra perdido
    D. vem atrás de mim na mesma hora
    E. chora alto e levanta as mãos

13. Ao chegarmos em casa após qualquer saída, meu filho:
    A. acomoda-se tranquila e imediatamente
    B. leva alguns minutos para sentir-se à vontade
    C. tende a se mostrar muito inquieto
    D. com frequência, mostra-se superestimulado e difícil de ser acalmado
    E. reage com raiva e demonstra grande sofrimento

14. A coisa mais perceptível em meu filho é:
    A. como ele é incrivelmente bem-comportado e adaptável

Ame o filho que você tem

B. o quanto ele se desenvolveu precisamente no tempo adequado, fazendo exatamente o que os livros disseram que faria, em cada estágio
C. sua sensibilidade para tudo
D. sua agressividade
E. sua maneira mal-humorada de ser

15. Quando vamos a encontros familiares em que estão adultos e/ou crianças que meu filho conhece, ele:
A. examina a situação, porém geralmente se mostra bem adaptado a tudo
B. precisa de apenas alguns minutos para adaptar-se à situação, especialmente se há muitas pessoas
C. mostra-se tímido, fica perto de mim, se não em meu colo, e pode até chorar
D. salta para o centro da ação, especialmente com outras crianças
E. junta-se aos outros quando está pronto, a menos que eu o pressione e, então, mostra--se relutante

16. Em um restaurante, meu filho:
A. é um exemplo de bom comportamento
B. pode permanecer sentado à mesa por mais ou menos trinta minutos
C. assusta-se com facilidade, se o lugar está lotado e é ruidoso ou se estranhos falam com ele
D. recusa-se a sentar-se à mesa por mais de dez minutos, a menos que esteja comendo
E. consegue permanecer sentado por até quinze ou vinte minutos, mas precisa sair quando termina de comer

17. Um comentário que descreve bem meu filho é:
A. mal se percebe que há uma criança pequena em casa
B. é fácil lidar com ele, fácil de prever seu comportamento
C. é uma criança muito delicada
D. ele não para quieto, não consigo me afastar dele quando está fora do berço ou do cercadinho
E. ele é muito sério – parece conter-se e pensar muito sobre as coisas

18. O comentário que melhor descreve a comunicação entre mim e meu filho, desde que era bebê, é:
A. ele sempre me transmitiu exatamente o que precisava
B. a maior parte do tempo, posso perceber o que precisa pelas indicações que dá
C. ele chora com frequência, o que me confunde
D. ele transmite suas preferências com muita clareza, de um modo físico e, com frequência, bem alto
E. ele geralmente consegue minha atenção com choro alto e zangado

19. Quando troco as fraldas do meu filho ou o visto, ele:
    A. geralmente é cooperativo
    B. às vezes precisa de distração para ficar deitado quietinho
    C. fica chateado e às vezes chora, especialmente se tento apressá-lo
    D. choraminga porque detesta deitar-se ou ficar quieto
    E. fica chateado se eu demoro demais

20. O tipo de atividade ou brinquedo de que meu filho mais gosta é:
    A. praticamente qualquer coisa que lhe dê resultados, como blocos de montar
    B. um brinquedo apropriado à idade dele
    C. atividades com uma única tarefa, que não seja barulhenta ou estimulante demais
    D. qualquer coisa que ele possa bater ou usar para produzir ruído alto
    E. praticamente qualquer coisa, desde que ninguém mexa com ele

Para saber o resultado do teste, escreva as letras *A, B, C, D* e *E* em um papel e, ao lado de cada uma, conte quantas vezes você a marcou no teste e veja qual foi a predominante. Cada letra denota um tipo correspondente:

A = bebê Anjo
B = bebê Livro-texto
C = bebê Sensível
D = bebê Enérgico
E = bebê Irritável

Olá, pequenino!

Ao somar os "pontos" de seu filho, você provavelmente descobrirá que uma ou duas letras aparecem com maior frequência. Enquanto lê as descrições a seguir, lembre-se de que estamos falando aqui de um modo geral de ser, não de um dia ruim em especial ou de um tipo de comportamento associado a determinado marco do desenvolvimento, como a dentição.

Talvez seu filho tenha se encaixado integralmente em um dos tipos, ou talvez você o veja em mais de uma das descrições a seguir. Certifique--se de ler todas as cinco descrições. Mesmo que uma delas não se ajuste ao seu pequeno, ler sobre todos os tipos pode ajudá-la a entender outras crianças, parentes ou colegas que fazem parte do círculo social do seu filho. Exemplifiquei cada perfil com os bebês que você conheceu no começo deste capítulo. Eles se encaixam nos tipos quase como uma luva.

Anjo. O bebê que era "um exemplo de bom comportamento" transforma-se em uma criança Anjo. Geralmente muito social, esta criança se sente imediatamente confortável em grupos e pode adaptar-se à maioria das situações. Ela com frequência desenvolve a linguagem antes de seus companheiros, ou pelo menos é mais clara ao transmitir suas necessidades. Quando deseja algo que não pode ter, é razoavelmente fácil acalmá-la antes que suas emoções se tornem muito intensas. E, quando está realmente aborrecida, também é fácil acalmá-la antes que tenha um sério ataque de birra. Ao brincar, ela consegue permanecer um longo tempo em uma única tarefa. Esta é uma criança muito fácil de conviver e que pode ser levada a praticamente qualquer lugar. Andrea, que nós conhecemos no começo deste capítulo, viaja muito com os pais e segue o ritmo deles com conforto. Mesmo com mudanças de horários, Andrea volta a sua rotina sem nenhuma dificuldade. Uma vez, quando a mãe quis trocar o horário do cochilo de Andrea porque conflitava com sua própria rotina, foram necessários apenas dois dias para que este pequeno Anjo se adaptasse. Andrea também passou por um estágio de impaciência com trocas de fraldas – uma ocorrência comum em crianças de 1 a 3 anos. Contudo, dar à menina um pingente para segurar foi o suficiente para distraí-la durante as trocas.

Livro-texto. Assim como nos primeiros meses, também no período de 1 a 3 anos esta criança completa os marcos do desenvolvimento no seu devido tempo. Você poderia dizer que ele faz tudo como se fosse seguindo um manual. Esta criança é geralmente agradável em situações sociais, mas com estranhos pode ser tímida inicialmente. Ela se sente mais confortável em seu próprio ambiente, porém se as saídas forem bem planejadas e ela puder se preparar com antecedência, não terá muitos problemas para adaptar-se a novos contextos. Esta é uma criança que adora rotina e gosta de saber o que vem a seguir. Tucker é uma criança assim. Desde o nascimento é razoavelmente fácil cuidar dele; Tucker é previsível e tem bom temperamento. A mãe ainda se espanta com a pontualidade do filho, mesmo no que se refere às fases não tão bem-vindas deste período etário. Exatamente aos 8 meses, ele começou a sentir ansiedade de separação. Aos 9 meses, seu primeiro dentinho apareceu. Ele começou a andar com 1 ano.

Sensível. Desde bebezinho, esta criança é sensível e é típico de seu temperamento levar mais tempo para se adaptar a novas situações. Ela gosta de um mundo organizado e previsível. Detesta ser interrompida quando está concentrada em algo. Por exemplo, se está intensamente envolvida com um brinquedo ou quebra-cabeças e você lhe pede que pare, ela fica chateada e tende a chorar. Esse tipo de bebê é frequentemente rotulado como "tímido", em vez de as pessoas presumirem: "Ah, é o temperamento dele." Obviamente, um bebê Sensível pode não se sair bem em encontros sociais, em especial quando se sente pressionado, e muitas vezes tem dificuldade para compartilhar coisas. Rachel pode ser vista como um bebê assim. Se as pessoas tentam forçá-la a algo, ela entra em crise. Sua mãe, Anne, passou por maus momentos quando tentou levá-la a uma aula para mães e bebês que algumas amigas suas frequentavam. Rachel conhecia várias crianças do grupo, mas levou três semanas para simplesmente sair do colo da mãe, o que levou Anne a questionar sua decisão. "Será que devo teimar com ela, esperando que se habitue ao grupo, ou deixá-la em casa, o que seria muito isolador?" Ela optou por insistir, mas foi difícil – e isso frequentemente se repetia com qualquer nova situação. Entretanto, se a criança Sensível não for pressionada, ela pode tornar-se um pensador sensível e maduro, uma criança que avalia com cuidado as situações e gosta de ponderar sobre os problemas.

Irritável. A mesma personalidade "estourada" que marcou os primeiros meses desta criança continua após o primeiro ano. Um menino assim é obstinado e precisa que tudo seja de *seu* jeito. Se você forçá-lo antes de estar pronto para ser levado ao colo, pode esperar uma reação de braços e pernas revoltos. A mãe de uma criança assim pode tentar mostrar ao filho como fazer algo, mas ele empurrará a mão dela para afastá-la. Uma vez que a melhor companhia para esta criança é a dela mesma, ela se sai muito bem em brincadeiras independentes. Contudo, pode não ter a persistência necessária para aprender ou concluir uma tarefa e, por isso, a criança se frustra com facilidade. Quando chateada, ela tende a chorar como se o mundo estivesse acabando. Uma vez que esta criança muitas vezes tem dificuldade para se expressar, ela também pode recorrer a mordidas ou empurrões. Eu digo a *todos* os pais de bebês que querem empurrar seus filhos para mim: "Não o force a vir. Não o *force* a nada. Deixe que venha a mim no momento certo para ele, não para você." Isso é especialmente importante com bebês Irritáveis. Quanto mais você os pressionar, mais teimosos eles se mostrarão. Nem ouse mandar que ele faça algo em público, como os pais de Allen descobriram. Ali estava um menininho muito doce... se você o deixasse escolher suas atividades. Contudo, quando alguém sugeria que ele fizesse algo para mostrar-se a outras pessoas ("Mostre à sua tia como você sabe bater palminhas."), este menininho fazia uma carranca de dar medo (na verdade, eu não gosto de ver crianças forçadas a mostrar suas qualidades a ninguém; veja o quadro da página 104). Ao mesmo tempo, crianças Irritáveis são "almas velhas" – tendem a ter muita percepção, ser cheias de criatividade e iniciativa e às vezes agem com uma sabedoria que nos faz pensar que já estiveram aqui antes.

Enérgico. Nosso bebê mais ativo tende a ser muito físico, com frequência caprichoso e pode estar propenso a acessos de birra. É uma criança muito sociável e curiosa e, desde cedo, aponta para objetos e os pega para si e para outras crianças. É a aventureira nata: é muito corajosa em tudo e demonstra muita determinação. Ela exibe um grande senso de realização ao conquistar algo. Ao mesmo tempo, precisa de limites mui-

É a natureza ou o estágio do desenvolvimento?

Mudanças são típicas no estágio dos primeiros passos. Uma vez que estão crescendo, explorando e testando sem parar, os bebês no estágio de locomoção se transformam todos os dias, literalmente. Seu filho pode ser cooperativo em um momento e teimoso em outro. Às vezes, ele se veste sem problemas, mas em outros momentos você precisa correr atrás dele. Ele pode comer com gosto na sexta-feira e ficar virando a comida no prato no sábado. Nesses momentos que desafiam a paciência, você pode *pensar* que a personalidade dele mudou, mas ele está simplesmente no processo de outro grande salto em seu desenvolvimento. A melhor maneira de lidar com essas ondas de mudança é não dar muita importância a elas. Seu filho não está tendo uma recaída ou mudando para pior. Tudo isso faz parte do crescimento.

to claros para não agir como um trator, passando por cima de qualquer um ou de qualquer coisa para ter o que deseja. Uma vez que começa a chorar, um bebê assim tem energia e persistência; portanto, se você não tem uma boa rotina noturna, prepare-se para uma noite longa e exaustiva. Ele também demonstra grande capacidade de observação em relação a seus cuidadores. Betsy, que escalou o trocador do meu consultório, estava sempre testando sua mãe, Randy. Em geral, Betsy avistava algo – digamos, uma tomada que não devia tocar – e então, enquanto ia em sua direção, ficava olhando para Randy, para avaliar sua reação. Betsy, como a maioria dos bebês enérgicos, tem vontade própria. Se está com sua mãe e o pai tenta pegá-la, ela o empurra para afastá-lo. Se tiver boa orientação e um escape para sua energia, contudo, uma criança enérgica pode tornar-se um líder e conquistar grandes realizações em sua área de atuação.

Você provavelmente reconheceu o seu filho nas descrições acima. Talvez ele seja um misto de dois tipos. De qualquer forma, essas informações têm como objetivo orientar e esclarecer, não assustar você. Afinal, cada tipo tem suas vantagens e também apresenta desafios. Além disso, é menos importante descobrir um rótulo do que saber o que esperar e como lidar com o temperamento do seu filho. Na verdade, rotular não é uma boa ideia. Todos os seres humanos têm muitas faces, e as crianças, assim como os adultos, são muito mais que os aspectos isolados de seu temperamento.

Por exemplo, uma criança que é "tímida" pode ser ponderada, sensível e ter inclinação musical. Contudo, se você pensar nela apenas como "tímida" – e, o que é pior, se atribuir constantemente qualquer comportamento à timidez –, estará vendo uma figurinha caricata, não uma criança completa, dinâmica e espontânea. Você não permitirá que a criança seja uma pessoa autêntica e tridimensional.

Lembre-se, também, de que quando você diz a uma pessoa que ela é determinada coisa, ela logo se torna isso. Em minha própria família, tenho um irmão que foi rotulado como "antissocial" quando criança. Lembro-me dele quando pequeno: ele certamente era do tipo Irritável. Ainda assim, como um todo, era muito mais que aquele rótulo. Era curioso, inventivo e criativo. Agora adulto, ele ainda é curioso, inventivo e criativo – e ainda adora ficar sozinho. Você pode frustrar o seu dia, procurando-o o tempo inteiro e esperando passar mais tempo com ele do que ele gostaria. Contudo, se aceitar que ele prefere seu próprio espaço – se você não levar isso para o lado pessoal e se lembrar que ele já era assim quando bebê –, não haverá problema. De fato, ele provavelmente procurará você mais cedo do que se você tentasse pressioná-lo a passar mais tempo ao seu lado.

Obviamente, talvez você não goste de tudo o que vê em seu filho. Talvez você até desejasse, em segredo, ter tido outro tipo de filho. De qualquer forma, é preciso lidar com a realidade e ver tudo como de fato é. Sua missão, como pai ou mãe, é estruturar o ambiente para minimizar as armadilhas e ampliar os benefícios da natureza do seu filho.

Aceitando o filho que você ama

Conhecer o tipo do seu filho não basta; também é importante *aceitar* o que você conhece. Infelizmente, vejo todos os dias pais que não entendem quem são seus filhos. Mães e pais que não parecem apreciar o que veem ou o que conhecem, bem lá no fundo, sobre seus próprios filhos. Eles têm as crianças mais doces e queridas, que outros pais adorariam ter, e mesmo assim pensam: "Será que ele não deveria se envolver mais com as outras crianças?" Ou a criança pode estar no chão, berrando porque não lhe deram mais um biscoito, e os pais lhe dizem: "Eu não entendo – ela nunca fez isso antes." Será? Em vez de aceitarem, esses pais recorrem à negação. Inventam desculpas para o filho ou questionam constantemente sua natureza. Sem perceber, esses pais estão dizendo a seus filhos: "Eu não gosto de quem você é – e pretendo mudar isso."

Naturalmente, os pais não têm a intenção de negar seus filhos, mas isso é o que realmente ocorre. Eles veem uma criança difícil através de lentes cor-de-rosa ou deixam de ver o filho maravilhoso que têm. Por quê? Apresentarei a seguir algumas das razões, as quais ilustrarei com exemplos de alguns pais que conheço para explicar o que parece ocorrer.

Ansiedade do desempenho: Amelia. Não consigo acreditar no número de mulheres jovens que ainda hoje parecem ter ansiedade pelo desempenho de suas habilidades como mães. Começa na gestação, quando leem cada livro que lhes caia nas mãos na esperança de capturarem exatamente os conselhos "certos" sobre a educação dos filhos. O problema é que, em qualquer livro (incluindo este), os conselhos não foram criados especificamente para o *seu* filho. Você pode estar usando uma determinada técnica conforme as instruções, mas seu filho não responde. Então, você deduz que *você* fez algo errado. E sentir-se mal a seu próprio respeito não se traduz em bons cuidados com os filhos.

Além disso, a ansiedade do desempenho obscurece uma visão clara do pequeno ser humano que está diante de você. Tome como exemplo Amelia, que tinha 27 anos quando deu à luz Ethan, o primeiro neto em ambos os lados da família. Amelia tinha lido muitos livros escritos para pais, inscreveu-se em grupos de discussão para mães e estava particularmente determinada a fazer que o desenvolvimento do filho seguisse todas as tabelas com perfeição. Ela me ligava regularmente durante os primeiros meses de Ethan, sempre começando cada pergunta com: "No livro *O que Esperar*, diz que o Ethan deveria estar..." Cada telefonema anunciava uma preocupação diferente: sorrir, rolar de lado, sentar-se. Quando Ethan começou a andar, as perguntas mudaram um pouco: "O que posso fazer para ajudá-lo a escalar melhor as coisas?" ou "Ele deveria estar comendo com as próprias mãos agora. O que posso dar a ele para evitar que se sufoque?" Talvez, ainda, ela tivesse lido sobre uma nova teoria – por exemplo, ensinar a linguagem dos sinais aos bebês – e se apressava a experimentá-la. Um novo cursinho para bebês? Ela mal podia esperar para matricular-se, insistindo em que Ethan "precisava desenvolver suas habilidades motoras" ou "desenvolver sua criatividade". Qualquer novo brinquedo no mercado? Ela corria a comprar. Não parecia existir um único dia comum na vida desta mãe. Ela estava sempre apresentando um novo aparelhinho eletrônico, uma nova atividade que em sua opinião ajudaria no desenvolvimento do filho, lhe ensinaria uma nova habilidade ou o colocaria em vantagem em relação a outras crianças.

Sinais de negação

Pais que têm problemas em aceitar seus filhos pelo que são tendem a fazer certos tipos de declarações. Preste atenção ao que você *realmente* quer dizer, ao se ouvir dizendo...

- **"É só uma fase, ele vai mudar quando crescer."** Será que isso é a realidade ou um desejo? Talvez você tenha de esperar para sempre.

- **"Ah, não tem por que chorar."** Você está tentando convencer seu filho de que ele não sente o que sente?

- **"Depois que ele começar a falar, tudo ficará mais fácil."** O desenvolvimento pode modificar o comportamento, mas raramente anula por completo o temperamento.

- **"Ah, ela não será assim tão tímida para sempre."** Mas ela poderá sempre ter problemas com novas situações.

- **"Eu gostaria que ele fosse..."** ou **"Ele costumava ser..."** ou **"Quando será que ele...?"** Sejam quais forem as palavras usadas para completar as sentenças, talvez você esteja dizendo que não aceita realmente quem ele é.

- **"Sinto muito por ela ser tão..."** Quando os pais se desculpam por um filho, não importando o que ele esteja fazendo, estão transmitindo a ele a mensagem de que não está certo ser como ele é. Eu posso imaginar que essa criança acabará no consultório de um psicólogo, dizendo: "Nunca me deixaram ser eu mesmo."

"Ethan está sempre de mau-humor", Amelia me disse quando seu filho estava com 1 ano e meio. "Estou preocupada por ele estar se tornando uma criança difícil." Passando algumas horas com a mãe e o filho, estava claro que ela sentia mais prazer com as atividades e brinquedos que empurrava para o filho que ele mesmo. Em vez de observá-lo e aceitá-lo como era, ela o arrastava pela cidade inteira. Em vez de deixá-lo explorar e tomar a iniciativa, ela continuava lhe comprando mais bugigangas. O quarto do menino parecia uma loja de brinquedos!

"Ethan tem sido quem sempre foi", eu garanti a ela, lembrando a testa enrugada que observei com tanta frequência no menino, mesmo quando bebê. "Ele não mudou. Era um bebê Irritável e agora é uma criança Irritável, que gosta de brincar em seu próprio ritmo e condições e de escolher suas próprias atividades." Expliquei a Amelia que, em sua ansiedade por ser a melhor mãe do mundo – um entusiasmo que beirava claramente o superenvolvimento –, ela não enxergava o menininho que tinha à sua frente. Talvez ela estivesse inconscientemente tentando mudar a natureza de Ethan. De qualquer forma, isso não funcionaria; ela precisava aceitar quem ele era.

Uma antiga expressão budista diz: "Quando o estudante está pronto, o professor aparece." Isso, aparentemente, foi o que aconteceu no caso de Amelia. Ela confessou que, nos últimos meses, sua tia favorita vinha lhe dizendo: "Você está exagerando em tudo, pensando demais e marcando compromissos demais para o coitadinho do seu filho." Mas Amelia também admite: "Eu sequer entendia o que ela queria dizer. Acho que parte do problema era que todos me diziam que eu era uma mãe excelente; e eu me sentia como se tivesse de provar algo." Nem preciso dizer que Amelia tornou-se muito mais tranquila, e Ethan muito mais fácil de lidar. Não que ele tenha se tornado subitamente um doce de garoto, mas certamente não se irrita com tudo, como antes. Amelia também mudou. Ela percebeu que ser mãe é um processo, não um evento, e que não precisava "enriquecer" cada minuto ou enchê-lo de atividades que tivessem relevância. Ela aprendeu a se conter quando

Ethan está brincando, para permitir que ele lhe mostre o que *ele* gosta de fazer, e começou a apreciar a independência e energia do filho.

Perfeccionismo: Magda. O perfeccionismo é a ansiedade do desempenho levada ao extremo – e ele obscurece ainda mais o matiz das lentes cor-de-rosa que usamos para ver nossos filhos. Vejo isso muitas vezes em mulheres no final da casa dos 30 anos e na casa dos 40 que optam pela maternidade após uma carreira bem-sucedida na qual tinham tudo sob controle. Magda é um exemplo clássico. As pessoas a julgaram como louca, por ter um bebê com 42 anos. Parte de sua ansiedade materna para fazer tudo "perfeitamente" surgiu de seu desejo de provar às pessoas que havia realmente tomado a decisão certa. Além disso, ela visualizara a si mesma dando à luz um filho semelhante ao doce de criança que sua irmã tinha, um bebê Anjo que se ajustasse facilmente a seus horários apertados.

Na verdade, porém, o filho de Magda, Adam, era um bebê Enérgico, e ela estava arrasada por não parecer capaz de lidar com ele. Aqui estava uma mulher que supervisionava uma grande empresa e se sentava à mesa do conselho de muitas outras, sendo ainda uma *gourmet* de primeira linha. Seu sucesso em todos os outros aspectos da vida era tão grande que ela esperava o mesmo como mãe. Quando o pediatra diagnosticou o choro de Adam como "cólica", Magda se prendeu obstinadamente à crença de que, afinal de contas, Adam *era* um Anjo – e que ele "superaria esta fase".

Contudo, muito tempo depois do curso natural da cólica (5 meses de idade, no máximo), Adam ainda chorava muito e, quando o conheci, aos 13 meses, era um pequeno tirano barulhento. Magda tentava desculpar-se. "Ele não dormiu direito depois do almoço... Ele não está bem hoje. Ou talvez seja um dentinho incomodando..." Ela não apenas negava que Adam era um menino Enérgico, mas também sentia vergonha de precisar de ajuda. Quando Magda me ligou marcando uma consulta, pediu que eu não contasse a ninguém que eu havia ido a sua casa.

Além de suas tendências perfeccionistas, que a faziam dedicar mais energia na tentativa de controlar Adam do que em ouvi-lo e observá-lo, ela não tinha a menor ideia de como estabelecer limites claros para o filho; em vez disso, ela o adulava constantemente, esperando que palavrinhas doces pudessem convencê-lo a mudar seu comportamento ruidoso. Magda também estava muito isolada. Ela havia voltado ao trabalho rapidamente. Embora tivesse reservado tempo para ficar com Adam, em geral eram apenas ela e Adam ou talvez o pai, mas a família raramente se reunia com outras crianças e pais. Eu insisti para que ela se inscrevesse em um grupo de brincadeiras, para poder ver como outras crianças interagiam. Conversar com outras mães e ter contato com outras crianças permitiu-lhe adquirir outra perspectiva. Em vez de se prender à ilusão de que Adam mudaria, ela aceitou sua natureza e começou a dar menos desculpas pelo comportamento do filho. Ela começou a ter expectativas diferentes em relação a ele, definiu limites mais claros e se tornou mais capaz de traçá-los sem perder a paciência. Também incorporou muitas brincadeiras ativas à rotina diária de Adam, dando-lhe assim escapes apropriados para sua energia.

Obviamente, foi bem difícil no começo. Não é fácil lidar com uma criança Enérgica que nunca havia tido limites. Além disso, Magda ainda queria ser vista por outros como a mãe perfeita – um objetivo que nenhuma mulher consegue alcançar. "Praticar os cuidados maternais é como qualquer conjunto de habilidades que aprendemos em outros setores da vida", expliquei. "É algo que *aprendemos*." É claro que não existem escolas para isso, mas eu apontei que Magda poderia usar os recursos à sua volta – os pais que respeitava, oficinas para pais, consultores. E, o mais importante, ela precisava ver a disciplina como uma forma de ensinar e apoiar o crescimento, não como algo punitivo que derrubaria o ego de seu filho Enérgico (mais sobre isso no Capítulo Sete).

Vozes dentro – e fora – de sua cabeça: Polly. Alguns pais não conseguem enxergar claramente por que são assombrados pelas opiniões e expectativas de outras pessoas – reais ou imaginárias. Todos nós sucumbimos a isso, até certo ponto. Ouvimos as opiniões de nossos pais e nos preocupamos sobre o que os vizinhos, médicos ou parentes poderão dizer. Pedir algum conselho é bom, e usar dicas sensatas sobre como criar filhos faz todo o sentido (desde que elas funcionem para você). Contudo, às vezes as vozes abafam nosso próprio bom-senso.

Isso aconteceu com Polly, 26 anos, casada com Ari, 36, um homem abastado que já tinha dois filhos de um casamento anterior e cuja família vinha do Oriente Médio. Técnica em saúde bucal antes de se conhecerem, Polly era filha única, e suas origens eram mais humildes que as de seu novo companheiro. Agora, ela vivia em uma casa imensa em Bel Air, um bairro muito exclusivo de Los Angeles. Certo dia, Polly me ligou chorando, pedindo ajuda com Ariel, que logo completaria 15 meses. "Eu queria que tudo fosse perfeito para essa menina, mas acho que nada do que faço é certo. Ela exige demais de mim, e eu não sei o que fazer por ela."

Polly sentia-se culpada e incompetente. Seus próprios pais ligavam com frequência, do meio-oeste dos EUA, e naturalmente perguntavam sobre a neta. Polly via essa preocupação como crítica, o que podia ou não ser o caso (eu nunca os conheci; somente ouvi seus comentários por meio de Polly). A mãe de Ari, no entanto, residia perto do casal. E parecia claro que ela não apenas preferia a primeira esposa do filho, Carmen, como também não aprovava Polly como mãe. A sogra lançava constantemente comentários provocativos para Polly, como "Ah, Carmen era tão boa com as crianças" ou "Meus *outros* netos nunca choramingam." De vez em quando, a desaprovação era menos velada: "Eu não sei o que você está fazendo com essa criança."

Conversando mais com Polly, percebi que ela também mantinha em sua mente a noção absurda, mas tristemente comum, de que, se um bebê chorava, isso significava que ela não era boa mãe. Consequentemente, ela havia passado parte do último ano fazendo tudo o que podia para impedir que a filha chorasse. Assim, seu bebê Livro-texto havia se tornado um bebê exigente que nunca havia aprendido a ter paciência ou a acalmar-se sozinho. Agora, para piorar, Ariel havia começado a perceber a ansiedade da mãe e estava se tornando ainda melhor em suas manipulações. Uma vez que a pequena pegava rotineiramente os brinquedos de outras crianças e chegava a bater nelas para obter o que desejava, Ariel não era mais bem-vinda no grupo de brincadeiras. As outras mães desaprovavam o fato de Polly jamais ter disciplinado a menina.

O primeiro passo em minha ajuda a Polly foi fazê-la reconhecer como as vozes em sua mente a impediam de ver quem Ariel realmente era. Ela precisava observar por si mesma que o comportamento de Ariel não era necessariamente sua *natureza,* mas sim o resultado de sua própria incapacidade para definir limites. Ela não era um bebê "ruim", "malvado" ou "teimoso" por natureza – longe disso, na verdade, ela era um bebê Livro-texto, que demonstrava boa cooperação quando recebia limites claros. Foram necessários alguns meses, mas o conhecimento ajudou Polly a realmente afinar-se com Ariel, e intervenções adicionais ajudaram a acabar com as birras da menina antes que saíssem do controle (veja as páginas 261-268 e 303-306 para dicas sobre como lidar com acessos de birra ou fúria).

Com o tempo, Polly conseguiu até mesmo admitir para a sogra que não considerava úteis os comentários que recebia dela. "Certo dia, ela comentou que Ariel parecia 'mais cooperativa que o normal', e eu lhe agradeci por perceber isso, mas também resolvi abrir o jogo. Eu lhe disse que Ariel sempre havia sido uma criança fácil, mas que eu apenas precisava de prática para atender a suas necessidades. Expliquei a ela que minha filha havia se tornado mais tranquila porque eu agora conseguia enxergá-la melhor. Foi engraçado, pois depois disso minha sogra tornou--se muito mais útil e menos crítica."

Atormentado pela infância: Roger. Desde o momento em que os bebês nascem, todo mundo começa a catalogar de quem eles herdaram o quê: "ele tem o nariz do pai", "tem os cabelos da mãe", "ele franze a testa como o avô". Os pais quase não conseguem evitar a identificação com seus filhos, e esse é um processo natural. Aqui está o pequeno ser adorável que surgiu de seus genes, de sua linhagem. Quem pode resistir? Entretanto, os problemas aparecem quando essas conexões anulam a individualidade do próprio bebê. Seu filho pode se parecer com você e até agir de certo modo que lembra você. Contudo, ele é um ser humano único, que pode ou não vir a ser como você, e ele pode não responder aos mesmos tipos de táticas que seus pais usavam. Às vezes, porém, uma identificação estreita demais com uma criança impede que os pais entendam isso. Esse foi o caso de Roger, o filho de um oficial de carreira na Força Aérea que acreditava em "criar um filho forte". Quando menino, Roger era extremamente tímido, mas o pai estava determinado a "torná-lo um homem", mesmo aos 3 anos de idade.

Trinta anos depois, Roger é pai de Samuel, um menino Sensível não muito diferente do próprio Roger na infância. Quando bebê, Sam assustava-se com ruídos súbitos e se perturbava com qualquer alteração em sua rotina. Roger perguntava constantemente à esposa, Mary: "Qual é o problema com ele?" Quando Sam estava com 8 meses, Roger decidiu que era hora de "ensiná-lo a ser homem", assim como o pai havia feito com ele. Apesar das objeções de Mary, Roger insistia em jogar Sam para o alto. Na primeira tentativa, Sam assustou-se tanto que ficou berrando por meia hora. Roger não desistiu. Tentou novamente na noite seguinte, e então Sam vomitou nele. Mary ficou furiosa. "Eu fui exposto a todo tipo de coisas", disse Roger, em defesa própria, "e isso me tornou uma pessoa mais forte."

Ao longo de todo o ano seguinte, Roger e Mary brigaram por causa de Sam – ele achava que a esposa estava tornando o filho um covarde; ela pensava que o marido era mau e irresponsável. Quando Sam estava com 2 anos, Mary inscreveu-o em uma aula de música. Ela se sentou pacientemente durante as primeiras sessões, com Sam em seu colo. Ao saber disso, Roger comentou: "Deixe-me levá-lo. Tenho certeza de que ele ficará bem." Frustrado porque Sammy sequer pegava um instrumento, muito menos interagia com as outras crianças, Roger usou a abordagem de seu pai e tentou convencer o filho a participar. "Pegue esse tamborim", insistiu ele. "Vá até lá."

É claro que Sam regrediu consideravelmente daquele dia em diante. Se Mary apenas o levasse ao estacionamento onde ocorriam as aulas de música, ele gritava, certo de que seria forçado a voltar àquele lugar assustador. Mary me ligou, pedindo ajuda. Escutando seus problemas, sugeri que incluíssemos Roger em nosso encontro. "Vocês têm um menino muito sensível", disse eu a ambos. "Ele tem preferências bem definidas. Para aproveitarem ao máximo a natureza dele, vocês precisam ter mais paciência. Deixem que ele mergulhe nas atividades aos poucos, de maneira que seja confortável para *ele*." Roger protestou, apresentando-me o discurso de "tornar o filho um homem". Ele explicou que, não importando se eram encontros familiares ou eventos com outras crianças na base da Força Aérea, seu pai sempre o forçara a comparecer e a participar em tudo. Não importava se as situações eram desconfortáveis para o pequeno Roger ou se ele estava pronto ou não para enfrentá-las. "Eu sobrevivi", insistiu ele.

"Talvez a abordagem de seu pai tenha sido boa para você, Roger", comentei, "ou talvez você tenha se esquecido de como isso o assustava. De qualquer forma, podemos ver que isso não está funcionando para seu filho. Tudo o que estou dizendo é que vocês podem tentar fazer de outro jeito. Talvez possam comprar um tamborim para Sam praticar em casa. Se vocês lhe derem uma chance para explorar à sua própria maneira e em seu próprio ritmo, não no de vocês, ele provavelmente ousará um pouco mais. Enquanto isso, Sammy precisa que vocês tenham paciência e o incentivem a aumentar sua autoestima, não seus fracassos." Devo dizer que Roger conseguiu se conter. Muitos pais precisam aprender essa lição, mas, quando isso acontece, é uma dádiva, especialmente para os filhos. Dar apoio a meninos pequenos sem provocá-los ou tentar torná-los "durões" pode torná-los mais dispostos a explorar o mundo e lhes permite dominar diversas habilidades no processo.

Falta de ajuste: Melissa. A ideia de que alguns pais e filhos não se "ajustam" uns aos outros não é nova. Mais ou menos vinte anos atrás, quando os psicólogos começaram a pensar no temperamento como um fenômeno inato, foi natural que começassem a observar também a natureza dos pais. Algumas combinações parecem bastante explosivas, mas é claro que mesmo quando há uma falta de ajuste não podemos devolver nossos filhos! Em vez disso, é preciso que tomemos consciência de conflitos potencialmente perigosos e prejudiciais. Melissa, por exemplo, é uma mulher Enérgica, uma produtora de televisão que não vê nada de mais em trabalhar 16 horas por dia. Sua filha, Lani, é um Anjo que praticamente não tem tempo livre. Trabalhei com essa família quando Lani nasceu. Lembro-me muito bem de que, quando Lani estava com apenas 4 meses, Melissa já se preocupava em conseguir a pré-escola "certa" para sua filha. Ela também havia decidido que Lani seria uma bailarina. Meu Deus, a pobre Lani já usava um *tutu* antes mesmo de conseguir ficar de pé! Melissa não via nada de errado nisso, nem achava que encher o bebê de compromissos poderia ser ruim – mas a situação chamou minha atenção em um de meus grupos para crianças de 1 a 3 anos.

Como ver com mais clareza

Talvez você tenha se reconhecido em uma das histórias sobre pais que têm dificuldade para aceitar o temperamento de seus filhos. Se isso aconteceu, aqui está uma lista de atitudes úteis para melhorar sua sensibilidade e capacidade de observação.

- **Autorreflexão.** Atente para quem *você* é, tanto quando criança como agora, adulto. Tenha consciência de seu próprio temperamento e do que se passa por sua cabeça.

- **Junte-se a um grupo, para ver como outras crianças agem e reagem.** É importante observar crianças e ver a interação entre seu filho e os outros.

- **Lembre-se de que vale a pena escutar certas pessoas.** Fale com outros pais que você respeita. Escute com a mente aberta os comentários deles sobre seu filho. Não veja tudo como negativo – e não fique na defensiva.

- **Faça de conta que é o filho de outra pessoa – o que você *realmente* vê?** Veja-o com os olhos dos outros. Seja tão objetivo quanto possível. Você estará fazendo um grande favor a você mesma e a seu filho.

- **Tenha um plano para a mudança.** Dê os primeiros passos a fim de atender às demandas exclusivas do seu filho (veja as páginas 45-46). Lembre-se de que mudar leva tempo.

"Daqui, vamos para a aula de música", anunciou Melissa para as outras mães.

"É mesmo?" questionou Kelly. "Sean fica esgotado depois deste grupo. Eu preciso colocá-lo para dormir... a menos que eu queira ver seu mau-humor pelo resto do dia."

"Bem, a Lani tira cochilos no carro, a caminho da aula de música", comentou Melissa. "Depois, ela fica bem. Esta aqui é uma garotinha que topa tudo", anunciou, com orgulho.

Nesse dia, chamei Melissa para uma conversa quando as outras mães saíram. "Você mencionou que Lani tem estado com humor pior que o habitual nos últimos dias. Acho que ela está simplesmente esgotada, Melissa." Ela pareceu um pouco ofendida, mas continuei: "Quando ela não está em um dos muitos grupos e aulas nas quais você a inscreve, está no estúdio de um programa de TV com você. Ela tem apenas 2 anos e mal consegue se recuperar durante o dia, muito menos demonstrar um interesse real por coisa alguma."

Inicialmente, Melissa protestou, dizendo que Lani "gostava" de ir com ela ao trabalho e que "adorava" todas as atividades que tinha durante o dia, mas sugeri outra possibilidade. "Não é que ela esteja feliz. Ela aceita tudo porque é muito boazinha. Contudo, em alguns dias, percebo claramente que ela está exausta. É por isso que se mostra mal-humorada. Se você não tiver cuidado, daqui a pouco terá de enfrentar uma garotinha rabugenta. Seu Anjo *parecerá* mais um bebê Irritável."

Sugeri que Melissa pegasse *bem* leve. "Para que Lani realmente se envolva e aproveite as coisas, ela não precisa de tantos grupos." Melissa não era tola e entendeu exatamente o que eu estava dizendo. Então, admitiu algo que qualquer pessoa Enérgica entenderia: ela mesma aproveitava um dos efeitos secundários das muitas atividades de Lani – a socialização –, conversando com outras mães, trocando ideias e comparando observações. Melissa também tinha orgulho de sua menina, que era realmente adorável e precoce, e adorava vê-la com outras pessoas. Ela apreciava as situações divertidas que ocorriam nos vários grupos e se deliciava em compartilhar essas experiências com seus parentes e amigos.

"Além disso, isso tudo não é *bom* para ela, Tracy?", perguntou Melissa. "Será que ela não precisa estar com outras crianças? E não é bom expô-la a diferentes experiências?"

"Querida, ela tem anos e anos para aprender com a vida", respondi. "E, sim, ela precisa estar com outras crianças, mas também precisa que você respeite o cansaço dela. Você fica se perguntando o que há de errado com a Lani quando ela está desanimada. Ela não se comporta assim para aborrecer você. Essa é a forma que sua filha encontrou para dizer: 'Já chega! E se você colocar outro maldito tamborim na minha frente, vou jogá-lo bem em cima de você!'"

Um plano para a mudança

Em cada um dos casos que acabo de relatar, tentei, primeiro, fazer que os pais tomassem consciência das vendas que usavam nos olhos, para que então pudessem começar a enxergar seus filhos (e a si mesmos) de modo mais realista. Para alguns deles, é mais fácil ser objetivo que para outros. Melissa, por exemplo, "tenta" realmente ir mais devagar, como aconselhei, e tenta ver as necessidades de Lani como as necessidades de *Lani*, e não como um reflexo de seus próprios desejos, mas ela ainda tem um longo caminho a percorrer. Da última vez em que soube dela, Melissa havia se gabado para algumas mães dizendo o quanto sua filha era "incrível" por ter ficado sentadinha durante toda uma encenação de *O Rei Leão*, o que me faz achar que velhos hábitos são difíceis de mudar.

Se você vê a si mesma em qualquer dos casos que relatei, se você se pega dizendo certas coisas (veja o quadro da página 35), talvez esteja com problemas em aceitar seu filho como ele realmente é. Se esse é seu caso, você precisa de um *plano:*

1. Seja imparcial. Observe honestamente seu filho. Será que você anda ignorando ou subestimando o temperamento dele? Pense em quando ele era bebê. Você encontrará ligações com a personalidade atual de seu filho que você provavelmente percebeu desde o dia em que ele nasceu. Preste atenção a essa informação, em vez de empurrá-la para baixo do tapete.

2. *Aceite o que você vê.* Não apenas diga que você ama o filho que tem – realmente aceite quem ele *é*.

3. *Preste atenção ao que você anda fazendo que contraria o temperamento do seu filho.* Que ações e reações você tem tido e que tipo de coisas tem dito? Por exemplo, será que você oferece espaço suficiente a seu filho Irritável? Será que fala alto demais ou se move rápido demais para seu filho Sensível? Você proporciona atividades suficientes para seu filho Enérgico?

4. *Mude seu próprio comportamento e estruture o ambiente para atender às necessidades do seu filho.* Obviamente, isso leva tempo. Além disso, não tenho como lhe dar um guia completo sobre como fazer isso, porque seu filho é diferente de qualquer outra pessoa. No próximo capítulo, porém, ofereço *H.E.L.P.* (ajuda), uma boa estratégia que lhe permitirá caminhar sobre essa corda bamba, respeitando seu filho pelo que ele é e, ao mesmo tempo, oferecendo a estrutura e os limites dentro dos quais ele poderá se desenvolver da melhor maneira possível.

CAPÍTULO DOIS

H.E.L.P. para a intervenção: um mantra para momentos do dia a dia

Eu busco o seu perdão para todos os momentos em que falei quando deveria ter escutado; em que fiquei zangado quando deveria ter sido paciente; em que agi quando deveria ter esperado; em que tive medo quando deveria ter sentido prazer; em que repreendi quando deveria ter incentivado; em que critiquei quando deveria ter elogiado; em que disse não quando deveria ter dito sim, e em que disse sim quando deveria ter dito não.

— Marian Wright Edelman,
The Measure of Our Success
(A Medida do Nosso Sucesso)

Uma história sobre duas mães

Assim como não acredito que existam crianças "ruins" – apenas aquelas que não aprenderam como se comportar ou interagir socialmente –, não acredito que existam mães ou pais "ruins". Certamente, vejo que algumas pessoas parecem naturalmente melhores como pais ou mães que outras, mas em minha experiência (e de acordo com resultados de estudos), quase todas podem aprender. Dito isso, deixe-me exemplificar este ponto contando-lhe sobre duas mães que eu conheço.

O cenário é um grupo de brincadeiras. Quatro crianças adoráveis, todas com idade em torno de 2 anos, com alguns meses a mais ou a menos, correm em meio a uma bagunça de brinquedos e bichos de pelúcia enquanto suas mães – mulheres que se conhecem desde os primeiros meses dos seus filhos – estão sentadas em cadeiras e sofás ali por perto. Das quatro, Betty e Marianne sempre foram consideradas as "sortudas". Tara, filha de Betty, e David, filho de Marianne, são os bebês Anjos, que já nos primeiros meses dormiam a noite inteira, eram fáceis de levar a qualquer lugar e, já maiorzinhos, se ajustam com facilidade a diferentes situações sociais, embora nos últimos tempos David tenha começado a choramingar bastante. A razão é aparente, quando você observa a diferença entre essas duas mães. Uma delas está muito afinada com o filho e parece saber intuitivamente o que é melhor para ela. A outra, embora bem intencionada, precisa de alguma orientação. Você provavelmente já percebeu quem é quem nesta história.

Betty fica tranquilamente de lado, enquanto as crianças brincam, observando com cuidado, enquanto Marianne senta-se tensa na beira da cadeira. Se Tara ainda não está pronta para se juntar às outras crianças, Betty deixa que ela se envolva no seu próprio ritmo. Marianne, por outro lado, empurra David para o meio dos outros. Quando ele protesta, ela lhe diz: "Ah, não faça assim. Você *adora* brincar com Hannah, Jimmy e Tara."

Enquanto as crianças se ocupam nas brincadeiras – um negócio sério para eles –, Betty deixa que Tara se vire sozinha. Em certo ponto, uma das crianças interfere na brincadeira de Tara, mas Betty tem o cuidado de não se intrometer. Ela permite que as duas crianças resolvam a questão; afinal, ninguém está batendo nem empurrando. Marianne, por outro lado, é hipervigilante; ela não tira os olhos de David e age antes que haja qualquer sinal de problema. "Não faça isso" sai da sua boca com frequência, não importando se o suposto agressor é David *ou* outra criança.

Em algum momento durante a sessão, David começa a ir até as outras mães à procura de um lanche. Seu comportamento é semelhante ao de um cachorrinho que sabe que você tem algo delicioso em seu bolso. Betty, que nunca deixa de trazer algo para Tara mastigar, aparece com um saco plástico cheio de cenourinhas e oferece uma a David. Ligeiramente constrangida, Marianne diz: "Obrigada, Betty. Esta manhã foi muito corrida, e eu não tive a chance de preparar um lanche." As outras mães lançam olhares cúmplices para Betty. Esta obviamente não é a primeira vez que Marianne "esqueceu".

Após mais ou menos uma hora, o período de brincadeiras está por terminar e Tara se torna um pouco rabugenta. Sem hesitação, e de uma forma que não faz sua menina se sentir mal, Betty diz: "Estou indo agora, porque Tara está ficando cansada." Vendo Betty pegar Tara, David também levanta os bracinhos para sua mãe, um gesto acompanhado de choramingo, que diz claramente: "Eu também já estou cansado, mamãe." Marianne responde curvando-se e tentando convencer David a continuar brincando. Ela lhe dá um brinquedo diferente, e isso funciona por um tempo. Poucos minutos depois, porém, David está exausto e tem uma crise. Ao tentar subir no carrinho de brinquedo – um feito que ele realiza com facilidade quando não está tão cansado – ele cai e agora está inconsolável.

Este breve relato, baseado em um grupo de brincadeiras a que assisti, destaca uma diferença importante e comum em estilos de criação assumidos pelos pais. Betty é atenta, respeitosa e sensível. Ela está sempre preparada e age rapidamente em resposta às necessidades de sua filha. Marianne certamente não ama David menos do que Betty ama Tara. No entanto, ela precisa de um pouco de orientação. Ela precisa do H.E.L.P.

H.E.L.P. – uma visão geral

Se você leu o meu primeiro livro, sabe que eu sou fã de acrônimos, porque eles ajudam os pais a manter alguns princípios em mente. Na correria da vida cotidiana, é muito difícil reter os pensamentos; e com bebês e crianças pequenas, muitas vezes é muito difícil guardar muita coisa na cabeça. Portanto, criei um acrônimo que vai lembrar você sobre os quatro fatores que ajudam a criar e cultivar o vínculo entre pais/filhos, manter seu filho longe do perigo, e ao mesmo tempo, apoiar seu crescimento e independência. Eu chamo isso de H.E.L.P., que significa:

> **H**old yourself back (Contenha-se)
> **E**ncourage exploration (Incentive a exploração)
> **L**imit (Defina limites)
> **P**raise (Elogie)

Boas notícias sobre o apego

Para a maioria das crianças, a "figura de apego" principal é a mãe, embora qualquer pessoa que forneça cuidados físicos e emocionais contínuos e constantes e demonstre envolvimento emocional com a criança também possa se tornar uma figura de apego. Essas diversas pessoas não são intercambiáveis, como rapidamente descobre qualquer um que tenha perdido uma babá que era amada, e a maior parte das pesquisas recentes indica que uma não afasta ou prejudica a outra. Em outras palavras, mamães, não se preocupem. Embora seus filhos passem o dia todo com o pai ou outro cuidador, eles ainda correm para você quando você chega, e querem que você os cubra de beijos.

H.E.L.P. pode parecer uma supersimplificação, mas a verdade é que a essência da boa criação de filhos (e não apenas para crianças pequenas, por sinal) se resume a esses quatro elementos. As pesquisas mais recentes sobre o que conhecemos como "apego" – o desenvolvimento da confiança e da sensação de segurança entre a criança e os pais – nos dizem claramente que quando as crianças se sentem seguras elas se tornam mais dispostas a se aventurar por conta própria, mais capazes de administrar seu estresse, aprender novas habilidades e se relacionar com os outros, além de serem mais propensas a crer que são competentes o bastante para lidarem com seu ambiente. As letras de H.E.L.P. incorporam os principais fatores que levam a um apego seguro.

Ao *conter-se*, você colhe informações. Você presta atenção, escuta e absorve o quadro geral, para determinar exatamente como é o seu filho – assim, você pode prever as necessidades dele e entender como ele reage ao mundo. Você também transmite ao seu filho a mensagem de que ele é competente e que você confia nele. Obviamente, se ele precisar, você intervirá para ajudá-lo, mas isso não é o mesmo que "salvá-lo".

Ao *incentivar a exploração*, você está mostrando ao seu filho que você acredita na capacidade dele de experimentar o que a vida tem para oferecer e que deseja que ele faça experiências com objetos, com pessoas e, finalmente, com ideias. Ele saberá que você está disponível e olhará para trás, para garantir que você ainda está ali, mas ao deixar de rodeá--lo o tempo todo, você estará lhe dizendo: "Não há problema em se aventurar e descobrir o que está lá fora."

Ao *definir limites*, você está afirmando adequadamente o seu papel como adulto, mantendo a criança dentro de limites seguros, ajudando-a a fazer escolhas adequadas e impedindo que ela se envolva em situações física ou emocionalmente prejudiciais – porque você, o adulto, já sabe o que fazer.

E *elogiando*, você está reforçando a aprendizagem, o crescimento e os comportamentos que o ajudarão à medida que ele for atuando no mundo e interagindo com outras crianças e adultos. Estudos demonstram que crianças elogiadas apropriadamente desejam aprender e gostam de cooperar com seus pais. Elas se tornam mais receptivas ao que os pais lhes dizem, e não por acaso, seus pais se tornam mais atentos e promovem melhor seu crescimento.

Agora, vamos falar em mais detalhes sobre cada uma das letras de H.E.L.P.

O H (de *Hold yourself back*)
– por que conter-se?

Alguns pais – que eu chamo de HELPers, ou "pais que ajudam com o H.E.L.P." – são naturalmente bons em termos de se conterem, ou de não intervirem no momento errado. Muitas vezes, eles aprenderam a se conter quando seus filhos eram bebês. Outros precisam aprender a fazer isso. Eles são, como Marianne, pais bem-intencionados, que desejam o melhor para os seus filhos, mas tendem ao *superenvolvimento*. Eles podem ser "sombras" dos filhos, como um dos pais que conheço descreve as constantes intervenções – eles vigiam cada movimento das crianças. Para eles, geralmente é útil entender *por que* conter-se é tão importante.

Sem querer me autopromover, devo dizer que mães e pais que aprenderam comigo a encantar bebês (e, espero, aqueles que leram o meu primeiro livro) geralmente dominaram o *H* de H.E.L.P. quando seus filhos começaram a andar. Isso ocorre porque muitos continuam usando o *S.L.O.W.*, um método que eu ensino para os pais se afinarem e determinarem o que um bebê está tentando "dizer" (o S.L.O.W. lembra um pai ou mãe a *Parar, Escutar e Observar*, de modo a poder então descobrir *O que está acontecendo*). Com o S.L.O.W. em mente, esses pais aprenderam a se conter, em vez de intervir sempre que o bebê chorava; eles observavam e escutavam durante apenas um ou dois segundos, no máximo. Como resultado, eles se tornaram mais afinados com a comunicação dos seus bebês. Quando os seus filhos cresceram um pouco, este treinamento compensou. Seus filhos não apenas conseguiam brincar melhor sozinhos, como também os pais eram mais tranquilos. Esses pais confiam em suas observações; eles sabem quem são os seus filhos, conhecem suas preferências e antipatias, sabem o que os inquieta – e, o que é mais importante, sabem quando é hora de intervir.

Felizmente, nunca é tarde demais para aprender a se conter (embora eu insista em sugerir que você desenvolva esta habilidade antes de o seu filho chegar ao ensino médio!). Além disso, tenho certeza de que você não quer se arriscar com as consequências de *não* aprender: quando você interfere, dá dicas, corrige ou tenta constantemente poupar seu filho de uma experiência (a menos, é claro, que esta seja perigosa), você o prejudica. Você impede que ele desenvolva as habilidades que precisa e, sem perceber, lhe diz que ele *não consegue* atuar sem a sua ajuda. Além disso, as crianças às vezes se aborrecem quando o pai ou a mãe tenta tomar conta da situação (veja o quadro ao lado).

Evidentemente, algumas crianças *querem* e *precisam* que seus pais ou outros cuidadores interajam com elas. No entanto, a única forma de determinar isso é contendo-se e observando os padrões do *seu* filho. Será que ele é naturalmente curioso e ousado, ou complacente e cauteloso? Ele anseia por interação ou prefere brincar sozinho? Observe e você descobrirá.

Os cinco tipos: reagindo às interferências

Todas as crianças se aborrecem com interferências, mas mostram sua indignação de diferentes maneiras:

Crianças **Anjos** ou **Livros-texto**, que têm temperamento razoavelmente tranquilo, podem não protestar por suas interferências – a menos que você faça isso de modo crônico, até o ponto em que elas se irritarão e dirão "Eu faz".

Crianças **Enérgicas** poderão gritar, bater ou derrubar coisas.

Crianças **Irritáveis** poderão empurrá-lo ou começar a jogar coisas, e se isso não funcionar, elas berram.

Crianças **Sensíveis** podem não chorar, mas desistem; a interferência do pai ou da mãe pode limitar sua curiosidade e convencê-las de que não conseguem lidar com as situações por conta própria.

Independentemente do que você perceber, insisto para que não se veja como o coreógrafo da vida do seu filho. O papel de um pai ou de uma mãe é oferecer apoio, não conduzir. Aqui estão algumas sugestões que ajudarão você a se conter.

Deixe seu filho tomar a iniciativa. Se ele estiver com um brinquedo novo, deixe que ele o opere antes de você. Quando diante de uma nova situação ou lugar, deixe-o sair do seu colo ou soltar sua mão quando estiver pronto. Quando diante de uma nova pessoa, deixe-o estender os braços quando *ele* estiver pronto, não quando você desejar. Quando ele pedir a sua ajuda, coloque-se à disposição, mas lhe dê apenas o auxílio de que ele precisa, em vez de assumir o comando.

Deixe que as situações se desenrolem naturalmente. Enquanto você observa o seu filho, sua mente pode encher-se de possibilidades: "Ah, eu tenho certeza de que ele não vai gostar desse brinquedo", ou "Ele vai ficar com medo se aquele cachorro se aproximar demais." Contudo, não tire conclusões precipitadas nem espere saber de antemão qual será a reação dele. As preferências e temores de ontem podem não ser os mesmos de hoje.

Saia do caminho. Todo mundo detesta um intrometido ou um sabe--tudo, inclusive as crianças. Naturalmente, *você* sabe empilhar blocos sem deixá-los cair. É claro que você conhece uma maneira "mais fácil" de retirar algo de uma prateleira. Você é o adulto! E igualmente importante é o fato de que se você fizer por ele, ele não aprenderá a resolver problemas. A interferência diz ao seu filho que ele não consegue fazer algo – uma mensagem que ficará com ele e terá um impacto sobre a maneira como ele verá todos os novos desafios no futuro.

Não compare seu filho com outras crianças. Permita que ele se desenvolva no seu próprio ritmo. Eu sei, eu sei, isso pode ser difícil, especialmente se uma mãe sentada ao seu lado no parque compara o filho dela com o seu ("Olha só, a Annie ainda está engatinhando"). O seu filho captará a sua ansiedade com quase a mesma rapidez com que ela toma conta de você. Coloque-se no lugar dele. Como você se sentiria se fosse comparada com um colega de trabalho, ou pior, com uma ex? Para o seu filho, não será muito melhor (veja mais sobre comparações no início do Capítulo Quatro).

Lembre-se de que você não é o seu filho. Não projete os seus sentimentos e medos sobre ele. É verdade que às vezes filho de peixe, peixinho é, mas deixe que ele se desenvolva sem preconceitos, uma lição que Roger teve de aprender (páginas 40-42). Se você perceber que está dizendo coisas como "Eu também nunca gostei de grupos grandes", ou "O pai dela também era tímido", talvez esteja se identificando demais com as reações do seu filho. Ter empatia é bom, mas o modo certo de expressá-la é *esperando que o seu filho lhe diga* (com palavras ou ações) o que está sentindo. *Só então* você pode dizer: "Eu entendo o que você quer dizer."

O E (de *Encourage exploration*) – aquela linha tênue entre incentivo e interferência

Às vezes, quando explico o H.E.L.P. para uma mãe, especialmente a parte sobre não interferir, percebo que seus olhos perdem o foco e ela parece confusa. Eu entendo o problema. Muitos pais são como Gloria, a mãe de Tricia, de 11 meses. Na primeira vez em que Gloria deu a Tricia um brinquedo de encaixar formas, ela se sentou com a filha e pegou as peças de plástico. "Está vendo, Tricia? O quadrado vai aqui e o círculo encaixa ali", ela disse, enquanto encaixava cada forma em seu lugar. Depois, ela recomeçou tudo; nesse meio-tempo, Tricia sequer pôs a mão no novo brinquedo. "Agora é a sua vez", disse Gloria, pegando a mão da filha. A mãe colocou o bloco quadrado na palma de Tricia, guiou-a até o buraco quadrado e disse: "Encaixe aí". Nesse ponto, Tricia já havia perdido totalmente o interesse.

Gloria certamente estava com dificuldade para entender a tênue linha divisória entre ajudar um filho a aprender algo novo e bloquear sua curiosidade natural. Ao salvar Tricia da frustração com sua *interferência* (para ser honesta, Tricia não parecia frustrada), esta mãe estava agindo de acordo com as *suas* emoções. Em vez de simplesmente incentivar a filha, ela tentava poupá-la, o que roubava de Tricia a experiência nova.

Em contrapartida, uma mãe incentivadora – que pratica o H.E.L.P. – teria se contido e apenas observado durante algum tempo, esperando para ver o que a criança faria. Se ela visse *a criança* demonstrando frustração, em vez de ceder à sua própria frustração quando a criança não

Um guia para a intervenção

Seja uma mãe ou um pai observador, respeitoso e solícito praticando a paciência, dando ao seu filho amplas oportunidades para explorar, escolhendo brinquedos apropriados para a idade e orientando-o para as atividades. Siga este protocolo, quando precisar intervir:

- Aprenda a reconhecer a aparência e o tom de voz do *seu* filho quando frustrado; contenha-se e observe-o até perceber esses sinais.

- Comece com a observação verbal: "Parece que você está com um problema."

- Sempre pergunte antes de realmente ajudar: "Você quer que eu lhe dê uma mãozinha?"

- Respeite o seu filho, se ele disser "Não" ou "Posso fazer sozinho", mesmo se isso significa deixá-lo sair sem casaco. É assim que as crianças aprendem.

- Lembre-se de que o seu filho realmente sabe mais do que acha que sabe – por exemplo, quando ele está com frio, molhado, com fome, cansado ou já se cansou de determinada atividade ou lugar. Adulá-lo ou tentar convencê-lo do contrário fará com que ele duvide das suas próprias percepções.

estivesse sendo suficientemente rápida, ela diria: "Olhe, Janey, este bloco é um quadrado, e se encaixa no buraco quadrado." A menina poderia tentar por alguns minutos, mas tudo bem: é assim que as crianças aprendem a ter paciência e perseverança. Além disso, a melhor motivação para aprender é o sucesso, bem como a alegria íntima que esses momentos nos trazem. Ao ajudar em excesso ou antes do tempo uma criança, você tira dela essas oportunidades.

"Mas como posso saber quando ele está tão frustrado que *precisa* da minha intervenção?", perguntou Gloria. "Eu sei que preciso impedi-la antes de enfiar o dedo em uma tomada, mas me sinto confusa com situações assim, nas quais ela está basicamente segura. Como posso reconhecer o *momento certo*?"

Eu expliquei que ela deveria, primeiro, *perguntar* a Tricia. "Se ela tiver dificuldade para encaixar o quadrado, diga: "Está tudo bem. Você está se esforçando. Quer uma ajudinha?" Se ela disser que não, respeite seu desejo. Porém, se ela ainda tiver dificuldade após alguns momentos e estiver ficando visivelmente incomodada, tente ajudá-la novamente: "Parece que você está chateada. Aqui... deixe-me ajudá-la." Quando a peça finalmente for encaixada, elogie: "Nossa, você conseguiu! Você encaixou a peça!"

Em resumo, somente devemos interferir quando nossos filhos precisam de nós. Conhecer o seu filho lhe dará dicas importantes.

Saiba como seu filho fica quando frustrado. Tricia não era muito verbal, o que significa que ela não podia *dizer* diretamente à mãe que estava frustrada ou pedir ajuda literalmente. Portanto, eu disse a Gloria: "Você precisa identificar como sua filha fica quando está frustrada. Será que ela faz ruídos estranhos? Franze o rosto? Chora?" Quando Tricia realmente começar a falar, provavelmente será mais fácil para Gloria reconhecer sua necessidade de auxílio, porque as emoções se tornarão parte do vocabulário da criança. Enquanto isso, a mãe precisará basear-se em expressões faciais e na linguagem corporal (veja mais sobre como ensinar as crianças a expressarem verbalmente a linguagem das emoções no Capítulo Cinco).

Conheça o grau de tolerância do seu filho. Alguns tipos de crianças têm mais persistência que outros, mais paciência e, portanto, maior tolerância à frustração. Uma criança Irritável ou Sensível pode tentar montar um quebra-cabeça uma ou duas vezes, mas, ao fracassar, iniciará outra atividade sem pestanejar. Tipos Anjo e Enérgico tendem a permanecer por maior tempo em uma tarefa. Para uma criança do tipo Livro-texto, tudo depende do que mais está acontecendo ao seu redor e do estágio de desenvolvimento em que ela está – enquanto está aprendendo a andar, por exemplo, ela pode não ter paciência para quebra-cabeças. Mais que os outros quatro tipos, crianças Sensíveis também tendem a perder o interesse quando o pai ou a mãe interfere demais, e é por isso que a parte do "conter-se" da equação é particularmente importante para eles. Tricia era uma criança Sensível. Portanto, Gloria podia oferecer auxílio; mas, no momento em que a menina perdesse o interesse, a mamãe precisaria recuar.

Saiba o que o seu filho pode fazer, de acordo com o estágio de desenvolvimento em que ele está. O conhecimento sobre o desenvolvimento infantil pode ser particularmente útil para determinar o momento de intervir, em especial com crianças do tipo Livro-texto, que parecem fazer tudo nos marcos exatos do desenvolvimento. Contudo, com qualquer tipo de criança, você precisa se perguntar: "Será que o meu filho está pronto para esta atividade?" (no Capítulo Quatro eu falo sobre a importância de permanecer dentro do *triângulo de aprendizagem* do seu filho). Percebi, por exemplo, que Tricia tinha problema para largar objetos, o que é comum entre bebês com 1 ano de idade ou menos. A criança tenta jogar longe ou deixar cair algo, mas é como se tivesse cola na palma da mão, e o objeto fica "grudado". Pedir para Tricia "soltar" pode ter sido uma exigência fora de seu triângulo de aprendizagem, o que provavelmente aumentou sua frustração e contribuiu para que perdesse o interesse pelas formas e encaixes com mais rapidez ainda.

Um pouco de frustração é muito bom para as crianças. Isso amplia suas competências, ajuda para que aprendam a adiar a gratificação e desenvolve a paciência. Entretanto, apresentar o grau exato de desafio é difícil. Se a tarefa do momento for apropriada à idade, você terá menor propensão a adiantar a intervenção ("salvar" o seu filho), mas ao mesmo tempo você saberá o bastante para agir antes que a frustração se transforme em lágrimas ou em um acesso de birra. Para conquistar esse equilíbrio, observe atentamente o mundo do seu filho e o que há nele.

Mais sobre o E – criando ambientes que incentivam o desenvolvimento

Eu sempre lembro aos pais, especialmente àqueles cujas casas estão repletas de brinquedos e aparelhos com botões, musiquinhas e apitos, que não custa um centavo dar às crianças amplas oportunidades para desenvolverem habilidades. Quando esses pais insistem que sua intenção é "maximizar o potencial do nosso filho" e "enriquecer o seu ambiente", na mesma medida digo que a aprendizagem ocorre em qualquer lugar. Quando os pais são conscientes e criativos, cada momento de cada dia representa uma oportunidade para ajudar seus filhos a explorar e fazer experiências.

Eu adoro conhecer o outro tipo de pai ou mãe – aquele que percebe que o ambiente de aprendizagem mais rico está bem na sua frente, esperando por seu filho. Esses pais conseguem explorar oportunidades para a aprendizagem sem ter de recorrer a um arsenal de brinquedos muito caros. Bliss e Darren, um casal de 30 e poucos anos, residem em Los Angeles, onde uma onda de festas e presentes caríssimos para bebês leva os pais a extremos, mas esses dois têm conseguido ir contra a maré. Eles mantêm simples o mundo dos seus filhos. Truman e Sydney, 3 anos e 18 meses de idade, respectivamente, têm muitos livrinhos, materiais artísti-

Transformando sua casa em um exploratório

Cidades do mundo inteiro mantêm atualmente "exploratórios" (geralmente para crianças de 5 anos ou mais), onde é possível explorar os princípios da ciência e da física na prática. Faça o mesmo na sua casa. Adapte o ambiente para o nível físico e intelectual do seu filho e garanta que a área seja *segura* para brincadeiras independentes. Aqui estão algumas sugestões – tenho certeza de que você poderá ter outras ideias.

- Crie diferentes áreas para brincadeiras dentro de casa: cerque um tapete com uma barricada de travesseiros; coloque um lençol sobre a mesa de jantar ou escrivaninha e deixe o seu filho entrar embaixo; monte uma barraca na sala.

- Prepare uma área ao ar livre com terra ou areia, potes de diversos tamanhos e formatos.

- Dê oportunidades para brincadeiras supervisionadas com água na banheira ou na pia (veja as dicas de segurança na página 124). Deixe garrafas e copinhos plásticos à disposição. Em um dia quente, deixe seu filho brincar com cubos de gelo.

- Coloque músicas animadas para tocar e incentive seu filho a fazer "música" e marcar o ritmo com tubos de papelão, potes plásticos, canecas, panelas e colheres de madeira.

- Garanta que ele tenha pelo menos algum tempo para brincar no berço durante o dia. Assim, ele se sentirá seguro ali e associará o berço com diversão, além de se mostrar mais propenso a brincar sozinho de manhã, ao despertar. Coloque ali um brinquedo favorito, dois ou três bichinhos de pelúcia e um brinquedinho musical.

cos e brinquedos pedagógicos, mas também adoram inventar brincadeiras criativas com objetos que encontram pela casa – rolos de papel higiênico, caixas, tigelas. As crianças também passam grande parte do tempo ao ar livre, fazendo castelos de areia, construindo fortes com restos de madeira e pulando em poças d'água. No Natal, Truman e Sydney ganham apenas dois presentes dos seus pais, não as montanhas que vemos sob tantas árvores decoradas nos Estados Unidos nessa época do ano.

Eu pude ver os efeitos desta criação quando Truman e Sydney vieram ao meu consultório. Após ver o entusiasmo de Truman com um conjunto de caixinhas de papelão, perguntei se ele gostaria de levá-los para casa. Um sorriso começou a se formar imediatamente em seu rosto. "De verdade?", ele perguntou. "Obrigado", disse com sinceridade, "Obrigado".

Não é apenas o fato de Truman ser bem-educado; era óbvio que ele estava realmente grato pelo presente – uma resposta muito agradável, para dizer o mínimo. Atualmente, muitas crianças têm tantos brinquedos que se tornam rapidamente imunes a presentes *ou* a novidades. Pior ainda, uma vez que brincam apenas com coisas que pensam por elas, essas crianças são privadas das oportunidades de criar, construir e resolver problemas.

Crianças que já começaram a andar, especialmente, se maravilham com tudo. Elas são como pequenos cientistas aprendendo sobre o mundo. Seus olhos e mentes estão receptivos e prontos para explorar. Elas não precisam de um objeto para serem estimuladas. Em aniversários e quando recebem presentes, por que você acha que elas correm para as caixas, em vez de se importarem somente com os presentes dentro delas? É porque uma caixa pode tornar-se qualquer coisa que uma criança desejar, enquanto a maioria dos novos brinquedos precisa ser "operada" de determinada maneira. Caixas de papelão proporcionam horas de entretenimento criativo. As crianças podem se esconder dentro delas, usá-las para brincar de casinha ou de forte. Podem saltar para dentro delas, amassá-las e não existe um modo certo ou errado de brincar com as caixas.

Você também encontrará em sua cozinha muitas coisas divertidas para brincar e que quase todas as crianças adoram: canecas e panelas, copos e tigelas plásticas e colheres de madeira. Um recipiente plástico fechado (selado com fita adesiva, por favor), cheio de feijões, torna-se um chocalho. Um conjunto de colheres de medida converte-se em uma matraca. Uma tigela plástica emborcada é um tambor, e uma colher de madeira serve como baqueta. Em vez de descartar os rolos de papelão de papel-toalha e papel higiênico, você pode oferecê-los ao seu filho. As crianças permanecem mais tempo interessadas nesses brinquedos, porque esses objetos se tornam tudo aquilo que desejam, não o que o fabricante tem em mente.

Não estou dizendo que um brinquedo educativo não tem seu valor. Muitos são maravilhosos para reforçar habilidades. Estou dizendo, porém, que atualmente os pais tendem a exagerar (ou a se sentirem culpados, se não podem pagar por tantos brinquedos comprados em lojas). Isso é compreensível. Pequenas lojas de brinquedos foram substituídas por *megastores* virtuais que colocam à venda tudo o que bebês e crianças precisam, e até mesmo o que não precisam.

Assim, quando o seu foco estiver no *E* de H.E.L.P., reduza um pouco as coisas. As matérias-primas para um ambiente educativo rico já estão à sua disposição (veja o quadro da página 59). Incentive seu filho a explorar as coisas comuns do seu ambiente, a observar as maravilhas da natureza, e deixe que a sua mente em desenvolvimento avalie, crie e construa.

O L – Vivendo com limites

Naturalmente, você também quer ser cuidadosa. O mundo é um lugar potencialmente perigoso para crianças em crescimento. Além dos perigos do ambiente, o seu filho ainda não entende as regras da vida, e cabe a você ensiná-las a ele. É aí que o *L* de H.E.L.P. é útil. Crianças precisam de limites. Você não pode dar carta branca a elas, porque ainda não possuem a capacidade mental ou emocional para lidar com uma liberdade tão ampla. Também precisamos salientar a diferença entre nós e eles: nós somos os adultos – e temos mais experiência com as coisas.

Existem vários tipos diferentes de limites que você precisa ter em mente, agora que o seu filho tem mobilidade e suas capacidades cognitivas estão se desenvolvendo a passos largos.

Limite os estímulos. Pais de bebês de colo naturalmente precisam evitar o excesso de estímulos, mas isso também é importante quando a criança começa a andar. É ótimo ver crianças animadas, correndo, escutando músicas alegres. Contudo, a capacidade delas para reagir à estimulação varia, de modo que você precisa saber com que o *seu filho* consegue lidar e por quanto tempo. O temperamento dele lhe dá algumas pistas. Bebês Sensíveis, por exemplo, continuam tendo o mesmo baixo limiar para excitação que marcou seus primeiros meses. Quando Rachel, a menina Sensível de 2 anos que você conheceu no Capítulo Um, entra em uma sala cheia de coleguinhas, mesmo se estão relativamente calmos, ela tende a esconder o rosto no colo da mãe. Se ela vai a uma pracinha com a babá e há muitas crianças correndo por ali, ela talvez nem queira sair do carrinho. Com um bebê Enérgico, como Betsy, depois que ela começa, é difícil fazê-la diminuir o ritmo e parar. E quando Allen, nosso bebê Irritável, é superestimulado, ele chora como se fosse o fim do mundo, o que naturalmente apenas o deixa mais exausto. Mesmo com os tipos Anjo e Livro-texto, porém, o excesso de *qualquer coisa* pode levar à fadiga e, com frequência, às lágrimas. A mãe ou pai sensato diminui o ritmo ou sai de cena antes deste ponto. Limitar o estímulo é particularmente importante para qualquer criança perto da hora de dormir (mais sobre isso no próximo capítulo).

Limite as opções. Quando eu passava noites com as famílias, em meu trabalho com bebês, convivi com muitas famílias nas quais também havia uma criança na fase dos primeiros passos. Eu me divertia muito com cenas de café da manhã como a seguinte.

O bebê Buddy foi amamentado, e agora o pequeno Mikey, 19 meses, está em seu cadeirão, pronto para o seu cereal. "Querido", a mãe lhe diz, suavemente, "você quer cereais com chocolate, cereal de arroz ou só com açúcar?" Mikey fica sentado ali, espantado. Ele mal começou a dizer algumas palavras, mas a falta de vocabulário não é o problema, agora. Ele está confuso; o pequeno não sabe o que fazer com tantas opções. Eu tento ser delicada quando a mãe me pergunta: "Qual é o problema, Tracy? Será que ele não me entende? Não é bom dar opções às crianças?"

"É claro", eu concordo, "você deve mesmo lhe dar opções, mas nesta idade, *duas* são mais que o bastante". De fato, dar opções limitadas ajuda uma criança a sentir que tem algum controle sobre o seu mundo, como eu explico mais à frente (páginas 246-247), mas um número grande demais de opções confunde e é contraprodutivo.

Limite o comportamento indesejável. Uma criança que tem uma crise sempre que alguém diz "não" não é, como alguns pais temem, uma criança "ruim". Muito pelo contrário: quando presencio essas cenas, eu digo: "Pobrezinho. Ninguém deu limites a ele." As crianças precisam *aprender* o que esperamos delas. A única forma de isso ocorrer é os pais *ensinarem a elas* os limites. Na verdade, ajudar o seu filho a viver com limites é, claramente, um dos maiores presentes que você pode lhe dar. Dediquei todo o Capítulo Sete à disciplina, que prefiro ver como *educação emocional*. Ali, explico a minha filosofia de *Um/Dois/Três* (páginas 254-257): *Um* – quando determinado comportamento ocorre pela primeira vez, como bater ou morder – intervenha imediatamente. *Dois* lembra a você de que se o comportamento indesejável ocorrer uma segunda vez, provavelmente há um padrão em formação. Em *Três*, a terceira vez, você deixou as coisas irem longe demais. A realidade é que quando as emoções das crianças saem do controle de qualquer forma – com gritos, choro, berros e chiliques –, com frequência é muito difícil para elas "voltar à realidade". Obviamente, nem sempre é fácil, mas muitas vezes é possível cortar uma birra pela raiz e diminuir a intensidade de emoções que tendem a sair do controle, *se* você prestar atenção.

Limite tudo que não seja bom em grandes doses. Para a maioria das crianças, televisão e doces estarão no alto desta lista. Numerosos estudos já foram realizados sobre esses dois fatores, sempre concluindo que grandes doses de qualquer um deles tendem a agitar as crianças. As que são Sensíveis e Enérgicas são particularmente vulneráveis. Talvez outros tipos de atividades, alimentos, certos brinquedos ou lugares tenham um efeito colateral sobre o *seu* filho. Se este for o caso, aceite que ele não se sai bem em certas circunstâncias ou sob certas condições. Respeite as reações dele, em vez de tentar continuamente "acostumá-lo" a algo.

Limite o potencial para o fracasso. Embora as capacidades do seu filho estejam se desenvolvendo a cada dia, não tente pressioná-lo. Ao dar a ele um brinquedo muito avançado para a idade, esperar que ele se sente quieto durante um filme que é muito longo ou que coma em um restaurante sofisticado que não recebe bem as crianças, você não apenas está estressando o seu filho, mas também pedindo para ter problemas. Como explicarei em mais detalhes no Capítulo Quatro, o mesmo vale para os marcos do desenvolvimento. Quando, por exemplo, a mãe e o pai insistem em segurar as mãos da Juanita para ajudá-la a "andar", eles não levam em consideração o fato de que a natureza tem uma sequência específica – e pontual – para a pequena Juanita. Por que tentar apressar as coisas? Com frequência, são esses os pais que me ligam para perguntar o que fazer quando a criança acorda no meio da noite, fica de pé no berço e chora, porque não sabe como sentar. Talvez, se eles tivessem deixado a natureza seguir seu curso, ou ensinado na hora certa como sentar, depois de se levantar, Juanita não estivesse com dificuldades à noite.

Limite o seu próprio comportamento não civilizado. Na primeira infância, as crianças desenvolvem habilidades pela repetição e imitação. Durante cada hora em que está acordado, um bebê está observando, ouvindo e aprendendo com os que estão à sua volta. Cabe a você prestar atenção, portanto, ao que está "ensinando" sem querer ao seu filho.

Se você diz palavrões, não se surpreenda se as mesmas palavras estiverem entre as primeiras palavras a sair da boca do seu filho. Se você for rude, seu filho aprenderá a agir da mesma forma. E se você coloca seus pés sobre a mesa de centro e come batatas fritas ao assistir à TV, eu lhe garanto que não será fácil colocar em prática "nada de comer na sala de estar" e "nada de pés sobre os móveis" no que diz respeito ao seu filho.

Se a lista acima lhe faz pensar que precisa agir como um juiz ou policial o tempo todo, até certo ponto é isso mesmo. As crianças parecem implorar por limites. De outro modo, seu próprio ambiente *e* o mundo em geral serão assustadores e impossíveis de controlar.

O P (de *Praise*) – elogio ao elogio

De longe, o ensinamento mais positivo vem do afeto e do elogio por um trabalho benfeito. Afeto nunca é demais para as crianças. Quando eu era bem pequena, minha babá de repente me beijava, assim, do nada. Eu a olhava e perguntava: "Por que eu ganhei este beijo?" Ela sempre me respondia: "Porque sim", e eu me sentia a criança mais amada e querida do mundo.

Até mesmo os cientistas concordam que o amor é o elemento mágico quando se trata de criar filhos. Quando uma criança se sente amada, ela também se sente segura e quer agradar aos pais, e, à medida que cresce, ela também deseja fazer o que é certo pelo mundo.

Embora seja impossível ser *excessivamente* amorosos, com os elogios a coisa é diferente. É possível *errar a dose* ao elogiar uma criança. O truque é *elogiar apenas por um trabalho benfeito*. Pergunte-se: "Meu filho realmente fez algo digno de elogio?" Do contrário, suas palavras gentis não significarão nada e nada farão, e ele passará a não dar mais a mínima para elogios. Lembre-se, também, de que a finalidade do elogio não é fazer com que o seu filho se sinta bem, como ocorre com abraços e beijos. O objetivo é *reforçar uma tarefa benfeita, cumprimentar por boas maneiras e reconhecer boas habilidades sociais, incluindo compartilhar, ser gentil e cooperar.*

O elogio perfeito

Para não dar elogios gratuitos ao seu filho, siga estas orientações:

- Elogie apenas quando a criança fizer algo bom ou certo. Use palavras ("Muito bem!", "Ótimo!", "É assim que se faz!"), uma exclamação ("Uau!"), cumprimentos (bater suas mãos no alto com as mãos do seu filho) ou ações (um abraço, beijo, um polegar em sinal de positivo ou aplausos).

- Elogie momentos do dia a dia e ações específicas ("Você está fazendo um bom trabalho com essa colher"), *não* a aparência ("Você é tão bonitinha") ou o comportamento geral ("Você é muito bonzinho").

- Pegue-o no ato ("Foi muito legal você pedir desculpas quando arrotou"), ou no momento em que ele dá um brinquedo a um amigo ("Que legal dividir com os outros!").

- Elogie com agradecimentos ("Obrigada por limpar/arrumar a mesa").

- Elogie por meio de recompensas ("Você foi tão bonzinho guardando os brinquedos hoje! Vamos dar uma volta no parque!").

- Na hora de dormir, recorde algo específico sobre o bom comportamento da criança naquele dia ("Você foi muito paciente na loja de calçados, hoje" ou "Foi bonito você agradecer àquela senhora no banco, quando ela deu o pirulito a você").

- Seja um modelo do tipo de comportamento que merece elogio. Seja você mesma educada e respeitosa.

Em resumo, o elogio leva o seu filho a saber que fez algo corretamente ou bem.

Entretanto, os pais às vezes ficam cegos pelo amor que sentem, e com frequência confundem a diferença entre afeto e elogio. Eles acreditam honestamente que encher o filho de elogios aumenta a autoestima da criança. Contudo, quando existe uma *super*abundância de aplausos e louvores, o que ocorre é exatamente o oposto: as crianças não confiam em elogios que vêm fácil demais.

Além disso, quando mães e pais corujas elogiam seus filhos com muita ênfase por um pequeno triunfo, eles podem estar reforçando a coisa errada. Por exemplo, certo dia Rory consegue puxar a meia até tirá-la. "Bom menino, Rory!", Toni exclama, com grande animação. No dia seguinte, quando Rory não mantém as meias nos pés, Toni vai se perguntar por quê. Nesse caso, ao dar grande importância ao fato de Rory tirar a meia, Toni deu ao menino a impressão de que será recompensado sempre que fizer isso (não se engane: certamente devemos aplaudir as tentativas de independência das crianças, mas sem exageros; veja mais sobre isso no Capítulo Quatro).

Outro erro que os pais às vezes cometem é elogiar *antes* da ação. Isso me lembra uma aula de música à qual fui recentemente. Como as outras mães, Janice estava sentada atrás de Su Lin, de 11 meses. Das quatro crianças que escutavam uma gravação de "A Dona Aranha", apenas uma, não surpreendentemente a mais velha do grupo, estava tentando imitar os movimentos que a professora fazia com as mãos. As outras, incluindo Su Lin, olhavam atentamente, perplexas, com as mãos no colo. "Muito bem!", exclamou Janice, enquanto a música terminava. Com isso, Su Lin virou-se para olhar a mãe, com uma expressão facial que dizia: "Mas o que é que você quer dizer?" Janice tinha boa intenção, mas o que ela realmente ensinou a Su Lin? Que a mamãe gosta quando a filha fica sentada bem quietinha!

Você é um pai que ajuda com o H.E.L.P.?

Como eu disse no começo deste capítulo, alguns pais, que eu chamo de HELPers, empregam instintivamente o H.E.L.P. e sabem quando conter-se e quando intervir, incentivando a independência dos filhos, mas também impondo limites e elogiando quando pertinente. Esses pais geralmente têm grande tolerância com o comportamento dos filhos – e não por acaso, tendem a ter filhos mais fáceis de lidar, independentemente do temperamento.

Os pais classificados como HELPers estão no meio do *continuum* de estilos de criação, que tradicionalmente inclui desde o autoritário ao excessivamente relaxado. Eles não são muito rígidos nem negligentes, mas estão em um claro meio-termo, um equilíbrio entre os dois estilos. Algumas mães e alguns pais, porém, pendem para um ou outro extremo – são melhores em termos de amar do que em estabelecer limites, ou o contrário. A seguir, apresento um teste que pode ajudar a perceber suas características na educação do seu filho. Este não é um

H.E.L.P. no dia a dia – uma lista de conferência

Mantenha o H.E.L.P. em sua mente o dia inteiro, especialmente se você se encontrar em uma situação difícil. Obviamente, com uma criança na fase dos primeiros passos isso pode ocorrer várias vezes ao dia! Pense em cada uma das letras e pergunte a você mesma:

H: será que estou me contendo ou fico em cima do meu filho, interferindo, invadindo seu espaço e o salvando antes que ele precise de ajuda? Lembre-se de que o H – de *hold back*, ou conter-se – serve para a observação, o que não é o mesmo que se distanciar, desprezar ou ignorar o seu filho.

E: será que incentivei o meu filho a explorar ou eu o sufoco? Durante o dia, existem muitas oportunidades para a exploração, mas muitas delas podem ser frustradas pelos pais. Será, por exemplo, que você fala por seu filho quando ele está brincando tranquilamente com outra criança? Será que você mesma monta os quebra-cabeças, em vez de ver se ele consegue lidar com eles por conta própria? Você empilha os blocos para ele, sem deixar que ele tente? Você conduz, monitora e instrui com frequência?

L: será que eu estou limitando ou deixo que as coisas saiam do controle? O excesso de qualquer coisa geralmente não é bom para as crianças. Será que você oferece opções demais ou permite um excesso de estímulos? Você espera muito tempo antes de conter as birras, agressividade ou outras emoções intensas? Você restringe atividades que não são boas em grandes doses, como comer doces ou assistir à televisão? E você deixa que seu filho participe de situações que não são adequadas à idade dele, que poderiam levar a perigo, sofrimento ou sentimentos de fracasso?

P: eu elogio adequadamente ou exagero? Será que eu elogio de forma apropriada – para reforçar atos específicos de cooperação, gentileza, comportamento ou um trabalho benfeito? Eu já vi pais que dizem "muito bem" ao filho quando este está simplesmente respirando, sentado em silêncio. Esses pais não apenas estão usando os elogios de forma inapropriada; farão que suas palavras elogiosas, merecidas ou não, nada signifiquem para os seus filhos.

teste propriamente científico, mas baseia-se nos comportamentos que mais vejo nos pais. Se você responder essas questões com honestidade, terá uma boa ideia de em que ponto do *continuum* você está.

Qual é o seu estilo de criar filhos?

Para cada pergunta, assinale a letra que melhor descreve você. Seja tão honesto e autorreflexivo quanto possível. Na sequência, você encontrará instruções para conferir seus resultados.

1. Quando o meu filho está indo na direção de algo que representa algum perigo,
   A. eu deixo que ele descubra sozinho o que acontecerá.
   B. eu o distraio, antes que ele chegue ao seu destino.
   C. salto na sua direção e o pego no colo.

2. Quando o meu filho tem um brinquedo novo, a primeira coisa que eu geralmente faço é:
   A. deixá-lo sozinho; mesmo se ele tiver dificuldade, acho que com o tempo ele conseguirá se sair bem.
   B. espero para intervir apenas se ele parecer frustrado.
   C. demonstro como usá-lo.

3. Quando o meu filho faz birra no supermercado porque eu não quero comprar doces para ele, eu geralmente:
   A. levo-o para fora da loja, irritada, e lhe digo que ele nunca mais irá fazer compras comigo.
   B. fico firme em minha decisão e o levo para fora do supermercado.
   C. tento argumentar com ele, enquanto ele berra – e isso geralmente não funciona, de modo que eu cedo.

4. Quando o meu filho bate em outra criança enquanto brincam, eu geralmente:
   A. puxo-o para longe da criança e grito: "Não! Não pode bater!".
   B. seguro as mãos dele e digo: "Não é legal bater nas pessoas."
   C. digo: "Isso não foi legal", e penso que é só uma fase pela qual ele está passando.

5. Quando o meu filho rejeita um novo alimento:
   A. eu levanto a voz, frustrada; às vezes, eu o forço a ficar sentado até ele comer tudo.
   B. continuo oferecendo o mesmo alimento em diferentes momentos, tentando convencê--lo gentilmente a provar.
   C. posso tentar convencê-lo a comer, mas nunca o forço; simplesmente presumo que ele não gosta.

6. Quando estou zangada pelo comportamento do meu filho, minha tendência é:
   A. intimidá-lo para agir de forma apropriada.
   B. sair para tomar um ar até me acalmar.
   C. engolir meus sentimentos e lhe dar um abraço.

7. Quando o meu filho tem um grande acesso de birra, a primeira coisa que eu geralmente faço é:
   A. responder com irritação e tentar contê-lo fisicamente.
   B. ignorá-lo; se isso não funciona, eu o afasto da atividade em que estiver e lhe digo: "Você não pode se comportar assim. Quando se acalmar, você pode voltar."
   C. tento argumentar com ele; se isso não dá certo, tento convencê-lo a melhorar o humor, dando-lhe o que deseja.

8. Quando o meu filho chora porque não quer ir dormir, eu geralmente:
   A. digo que precisa ir – e o deixo chorar até cansar, se preciso.
   B. tento acalmá-lo, certifico-me de que não precisa de mais nada, e então o incentivo a ir dormir sozinho.
   C. finjo dormir com ele ou o levo para a minha cama.

9. Quando o meu filho demonstra timidez ou leve retraimento em uma situação nova, eu geralmente:
   A. não dou importância aos seus temores e o pressiono um pouco para encorajá-lo.
   B. incentivo-o gentilmente, mas deixo que fique à vontade até achar que pode participar.
   C. vou embora imediatamente, porque não quero que ele fique triste.

10. Minha filosofia de criação de filhos pode ser resumida dizendo que eu acredito em:
    A. treinar o meu filho, transformando-o em alguém que se ajuste à nossa família e à sociedade.
    B. oferecer partes iguais de amor e de limites, respeitando seus sentimentos, mas também orientando-o.
    C. seguir as dicas que recebo dele, para não sufocar seus instintos e interesses naturais.

Onde você se encaixa?

Para obter o resultado do teste acima, conte um ponto para cada resposta *A*, dois para cada resposta *B*, três para cada resposta *C* e calcule o total. Descubra a seguir onde você está no *continuum* de estilos de criação.

Se a sua pontuação está entre 10 e 16: você pode ser o que eu chamo de *Controlador* – um pai ou uma mãe que está mais para o lado do autoritarismo no *continuum*. Os Controladores são severos, até mesmo rígidos quanto às regras, não têm dificuldade para definir limites para os filhos ou colocar em prática punições para maus atos, e tendem a não dar muita liberdade aos filhos. Dorrie, por exemplo, tem sido fabulosa para estabelecer limites para Alicia desde que ela nasceu. Para Dorrie, era muito importante ter uma filha educada e bem-comportada em público – e sua menina é assim. Contudo, Alicia, que era muito extrovertida quando bebê, agora é um pouco introvertida no que se refere a experimentar coisas novas ou brincar com outras crianças. Ela está sempre olhando para a mãe, para ver se esta aprova o que está fazendo. Eu não tenho dúvida de que Dorrie adora a filha, mas ela às vezes não leva em consideração que a menina tem seus próprios sentimentos.

Se a sua pontuação está entre 17 e 23: Você provavelmente é um HELPer, isto é, um pai ou uma mãe que ajuda o filho com o H.E.L.P., demonstrando um bom equilíbrio entre amar e definir limites. Seu instinto natural é consistente com as letras de H.E.L.P. Você provavelmente é como Sari, uma mãe que ajuda o filho com o H.E.L.P. e que conheço desde que ele, Damian, era um bebê. Sari sempre foi muito observadora, mas também deixou que Damian cometesse seus próprios erros... a menos que ele estivesse em perigo ou prestes a tentar fazer algo que ainda estava além das suas capacidades. Ela também era boa para resolver problemas, como eu ilustro em "Sari, Damian e a jarra de vidro grande e pesada" (veja o quadro da página seguinte).

Se a sua pontuação está entre 24 e 30: você provavelmente é um *Capacitador* – um pai ou uma mãe tranquilo, que não dá grande importância a limites. Você teme que interferir demais possa reprimir as inclinações naturais do seu filho. Você pode até mesmo acreditar que se disciplinar o seu filho está se arriscando a perder o amor dele. Ao mesmo tempo, sua tendência é ser um pouco superprotetor, talvez ficando em cima dele o tempo todo, em vez de permitir que ele explore livremente. Clarice, por exemplo, é uma Capacitadora. Desde que Elliott era bebê, ela observava cada movimento dele. À medida que o menino crescia, Clarice monitorava constantemente suas brincadeiras. Ela está sempre falando, explicando, mostrando algo a ele. Ela é bem melhor ensinando que definindo limites. Esta mãe certamente respeita o seu filho, mas pende demais nessa direção, levando alguém que a observa a se perguntar: "Afinal, quem está no comando aqui?"

Não por acaso, recebo mais telefonemas pedindo ajuda dos Capacitadores que dos Controladores. Mães como Clarice, que têm dificuldade para definir limites, descobrem do jeito mais difícil que seus filhos precisam de mais estrutura e estabilidade em suas vidas. Os telefonemas que eu recebo delas geralmente são sobre hábitos alimentares irregulares, problemas para dormir ou dificuldades de comportamento. Por outro lado, mães como Dorrie, que não têm dificuldade para definir limites, tendem a ter filhos ansiosos. A inflexibilidade de um Controlador, e seus padrões rígidos, com frequência comprometem a curiosidade e a criatividade dos filhos. Alicia, por exemplo, não parece confiar em sua própria percepção, e por isso olha constantemente para a mãe, não apenas para obter aprovação, mas para saber como *deve* se sentir.

Obviamente, é difícil ser um pai ou uma mãe que pratica o H.E.L.P., equilibrar amor e limites, saber quando intervir e quando se conter, dosar a quantidade certa de elogios no momento certo, saber quando e como disciplinar adequadamente, de modo que a punição seja adequa-

Sari, Damian e a jarra de vidro grande e pesada

Certo dia, quando Sari estava servindo suco de laranja em um copo com canudinho, Damian, então com 2 anos, disse: "Eu faz!" Sari sabia que entregar a ele a pesada jarra de vidro estava fora de questão. Então, ela disse: "Isto é pesado demais, mas vou providenciar uma jarra toda sua!" Ela tirou do armário uma pequena jarra plástica, despejou nela um pouco de suco e levou Damian até a pia. "É aqui que você vai praticar para servir. Assim, não precisaremos nos preocupar com o que derramar nem ter que limpar o chão." Damian adorou o compromisso, e nas manhãs seguintes ele puxou uma cadeira, colocou-a junto à pia e disse: "Damian serve suco." Em uma ou duas semanas, ele havia se tornado bastante hábil na tarefa, tanto que conseguiu lidar com as quantidades cada vez maiores de líquido que a mãe lhe dava. Logo ele se tornou capaz de tirar a caixa de suco da geladeira, ir até a pia e servir o suco direto em sua jarra plástica, sem derramar uma gota. Como ele explicou a uma visita que presenciou essa rotina: "É aqui que a gente derrama as coisas."

O que influencia os estilos de criação de filhos?

Obviamente, eu acredito (e as pesquisas confirmam) que é melhor ser um pai ou uma mãe que ajuda o filho com o H.E.L.P. As pessoas tendem mais para um extremo do *continuum* que para o outro por diversos motivos.

Seus pais eram assim. Você pode insistir: "Eu nunca serei como eles", mas seus pais foram seus modelos. Muitos pais repetem padrões estabelecidos em sua própria infância. Como uma mãe extremamente controladora me disse: "Minha mãe morria de amor por mim, e eu pretendo fazer o mesmo com o meu filho." Não é necessariamente ruim fazer o que os seus pais fizeram no passado. Apenas garanta que isso seja apropriado agora, para você e para o seu filho.

Seus pais eram exatamente o oposto. Eles rejeitam tudo o que foi feito em sua própria infância, muitas vezes sem nem perceber. Novamente, é melhor pensar bem no que você quer e no que funcionará melhor. Seus pais podem não estar totalmente errados. Portanto, é melhor escolher algumas práticas que você aprendeu com eles e rejeitar outras.

Eles têm um determinado tipo de filho. Certamente, o tipo de filho que temos influencia nossa forma de reagir a ele nas diversas situações do dia a dia. Como salientei anteriormente (páginas 42-45), seu próprio temperamento pode não se ajustar bem à natureza do seu filho. Algumas crianças são mais desafiadoras, teimosas, sensíveis ou agressivas que outras – e é preciso que os pais estejam conscientes disso ao lidar com elas. Se você está sendo muito rígido ou muito maleável na reação ao temperamento do seu filho, pergunte-se: "Será que isto é o melhor para ele?"

---

da ao erro (veja mais sobre isso no Capítulo Sete). Por outro lado, você pode sinceramente *preferir* agir de maneira mais próxima a um dos extremos do *continuum*. E, é claro, se você sabe onde está no *continuum*, pelo menos é capaz de fazer escolhas *conscientes* sobre o seu próprio comportamento, saber como reagir e como tratar o seu filho. Afinal, tudo o que você faz vai moldando a criança que você tem.

Você lerá mais sobre o H.E.L.P. ao longo deste livro, já que eu acredito que os princípios presentes nesse acrônimo formam uma base essencial sobre a qual construímos práticas sensatas de educação de filhos. Igualmente importante é a ideia de manter uma rotina estruturada, assunto que será abordado no próximo capítulo.

Capítulo Três

R&R (rotinas e rituais): em busca do equilíbrio

As gotas de chuva furam a rocha não pela violência, mas pela queda constante.

— Lucrécio

Até mesmo os menores rituais da existência cotidiana são importantes para a alma.

— Thomas Moore,
Education of the Heart

"Por que a rotina é tão importante?"

Foi isso que Rosalyn, atriz de novelas, me perguntou quando eu sugeri que ela incorporasse uma organização mais sistemática no dia dela e de seu filho, Tommy. Ela havia me consultado porque sempre que ela saía de casa o filho de 1 ano chorava como se o mundo fosse acabar.

"O que a rotina tem a ver com separação?", ela perguntou, sem esperar pela resposta. "Eu detesto rotina, porque, dia sim, dia não, é tudo sempre igual", ela insistiu, em um tom monótono que não deixa dúvida sobre sua própria necessidade de variedade e estímulos. Afinal, em sua profissão, cada dia é uma nova aventura.

"Sim", respondi, "mas pense sobre a sua vida quando você ia para o estúdio todos os dias. Você levantava no mesmo horário a cada manhã, tomava banho, comia alguma coisa e ia trabalhar, basicamente tudo sempre igual. É claro que você precisava decorar novas falas e, às vezes, atores diferentes participavam das cenas, mas também havia o elenco fixo, nos quais você podia confiar, assim como os redatores, o diretor, os câmeras. Obviamente, todos os dias apresentavam desafios diferentes, mas os elementos previsíveis não lhe traziam certo conforto? A verdade é que você tinha uma rotina estruturada, embora possa ter optado por não ver as coisas desse modo."

Rosalyn olhou para mim. A expressão em seu rosto dizia: "Mas que raios você está dizendo, Tracy?"

Eu continuei. "Você estava livre da preocupação de procurar trabalho todos os dias, como algumas atrizes precisam fazer. Elas se preocupam com o próximo contracheque, talvez até com a próxima refeição. Mas você tem o melhor que se pode desejar – um emprego fixo que, ainda por cima, lhe oferece variedade e novos desafios todos os dias."

Ela assentiu com a cabeça. "Acho que sim", disse, com relutância. "Mas não estamos falando sobre mim; estamos falando sobre uma criança de 1 ano."

"É a mesma coisa para ele. Na verdade, é ainda *mais* importante nesse caso", expliquei. "O dia dele não precisa ser chato, mas um pouco de estabilidade – e, mais importante, de previsibilidade – o tornará menos ansioso. Na verdade, se você pensar nisso fazendo um paralelo com sua própria carreira, talvez seja mais fácil entender. Você foi capaz de aperfeiçoar seus talentos porque não precisava pensar no que viria a seguir. Tudo o que estou dizendo é que Tommy merece o mesmo grau de conforto, e anseia por isso. Se ele souber o que esperar, se tornará mais cooperativo, porque sentirá que *ele* também tem algum controle sobre seu ambiente."

Conheci muitas mães como Rosalyn. Elas não percebem a importância de uma rotina estruturada, ou acham que isso perturbará seu próprio estilo de vida. Elas vêm até mim com os dilemas de seus filhos: dificuldade para dormir, problemas para comer ou ansiedade de separação, como no caso de Tommy. A primeira coisa que eu faço é ajudá-las a observar as *rotinas* e os *rituais,* ou o que eu chamo de *R&R.*

O que é R&R?

Em primeiro lugar, deixe-me explicar o que eu quero dizer com R&R. Ao longo deste capítulo, uso as palavras "ritual" e "rotina" de forma intercambiável, porque os dois Rs estão interligados. Na verdade, sempre que você repete e reforça um ato, você está fazendo uso do R&R.

As rotinas estruturam o modo como lidamos com aquilo que está sempre presente na vida diária de uma criança: despertar, fazer suas refeições, tomar banho, ir dormir. A maior parte de nossas rotinas diárias é o que a especialista em rituais Barbara Biziou (veja o quadro da página 78) chama de "rituais inconscientes" – nós estamos propensos a realizá-los sem pensar no seu sentido. Um abraço de bom-dia, por exemplo, um aceno de despedida e um beijo de boa-noite são rituais de conexão. Você diz as mesmas palavras sempre que deixa seu filho na creche, ou dá um sinal de positivo com o polegar sempre que sai de casa – esses atos também são rituais. E quando você lembra constantemente a seus filhos de dizerem "por favor" e "obrigado" não apenas está ensinando boa educação, mas também reforçando a etiqueta, que é um ritual social.

Esses ritos do dia a dia permitem que uma criança entenda o que vem depois, o que pode esperar e o que se espera dela. A familiaridade com esses ritos é tranquilizadora e lhe oferece suporte. Como Biziou observa: "Usando rituais, ajudamos nós mesmos e nossos filhos a entender melhor o mundo. Eles começam a considerar até mesmo as coisas mais comuns – um banho ou um jantar em família – como momentos sagrados de conexão e proximidade." A dica para os pais é se tornarem mais conscientes desses momentos cotidianos e torná-los mais significativos.

R&R pode marcar os momentos do dia a dia ou ocasiões extraordinárias. Dediquei a primeira parte deste capítulo aos rituais associados a nossas rotinas diárias, e a segunda parte àqueles que reforçam tradições familiares e nos ajudam a celebrar datas importantes, feriados e outros momentos especiais. Mas deixe-me explicar primeiro por que eles são tão importantes.

Por que as crianças precisam de R&R?

Ao aconselhar mães e pais de recém-nascidos, sempre prescrevo uma rotina estruturada, para dar aos bebês uma boa base e para permitir que os pais descansem e se recuperem das dificuldades que enfrentam nos primeiros meses como pais.* Se seu filho está em uma rotina estruturada desde o dia em que chegou do hospital, melhor ainda. Você já tornou a vida dele estável e previsível. Contudo, agora que ele está dando os primeiros passos, o R&R – manter uma rotina, bem como outros tipos de rituais – é ainda mais importante que nos primeiros meses.

---

* Em meu primeiro livro, apresentei a rotina E.A.S.Y., uma forma de estruturar o dia de um bebê para incluir *Alimentação* (Eating), *Atividade* (Activity), *Sono* (Sleep) e tempo para *Você* (You), nesta ordem. Mesmo se você não usou o E.A.S.Y. até este momento, o dia do seu filho provavelmente incorpora esta progressão natural. Se não é assim, saiba que deveria.

Anatomia de um ritual

Barbara Biziou, autora de *The Joy of Ritual* (O Prazer dos Rituais) e de *The Joy of Family Ritual* (O Prazer dos Rituais Familiares), menciona que os elementos de um ritual incluem:

1. **Intenção.** Cada ritual, mesmo aqueles que executamos diariamente e sobre os quais não pensamos, tem um significado mais profundo. Por exemplo, embora possamos não dizer isso em voz alta, a finalidade do ritual da hora de dormir é o relaxamento.

2. **Preparação.** Alguns rituais também exigem ingredientes que devem estar à mão com antecedência. Com crianças, a preparação é fundamental, e os elementos com frequência são bastante simples – por exemplo, um cadeirão para as refeições, uma toalhinha especial na hora de lavar as mãos, e um livro para a hora de dormir.

3. **Sequência.** Cada ritual tem um começo, um meio e um fim.

4. **Continuidade.** Sempre que você repete um ritual – seja diariamente, no caso das rotinas cotidianas, ou anualmente, no caso de datas especiais para a família e feriados –, você reforça seu significado.

Adaptado de *The Joys of Everyday Rituals* (Os Prazeres dos Rituais Cotidianos) e *The Joy of Family Ritual* (O Prazer dos Rituais Familiares) © Barbara Biziou, St. Martin's Griffin, 2001. Todos os direitos reservados.

R&R oferece segurança. O mundo de uma criança na faixa de 1 a 3 anos de idade é desafiador, confuso e, com frequência, assustador. Ela está passando por um período de sua vida em que a velocidade e a dimensão de crescimento inigualáveis são estonteantes, não apenas para você, mas também para ele. A cada dia, existem muitos novos desafios e experiências. O perigo está à espreita em cada cantinho. R&R oferece apoio a seu filho enquanto ele dá esses primeiros passos hesitantes, amparando-o, tanto no sentido físico quanto para que entenda e administre suas emoções e também com sua nova vida social.

R&R reduz os conflitos com a criança. A cooperação alegre no trocador é coisa do passado. Seu filho agora é como o coelhinho das pilhas de longa duração; ele quer se levantar, começar a andar e continuar sem parar, o que significa que você se tornará o guarda de trânsito e, às vezes, o carcereiro. Agora, não estou dizendo que podemos eliminar totalmente o inevitável cabo de guerra, mas instituir horários previsíveis para comer, dormir e brincar certamente diminuirá as batalhas. Isso ocorre porque a previsibilidade ajuda as crianças a aprender o que esperar; inversamente, a falta de rotina pode levá-los ao desamparo.

Denise, por exemplo, ligou-me para se queixar do "problema para dormir" de sua garotinha. À noite, ela costuma dar banho em Aggie, de 1 ano, depois faz massagem na menina, lê duas historinhas, lhe dá um pouco de leite na mamadeira e, finalmente, a põe para dormir – e nesse ponto Aggie murmura algumas palavras e então cai no sono. O que acontece é que ao completar a rotina já são 20h, e Denise quer que Aggie esteja na cama às 19h30. Ela decidiu, então, eliminar as historinhas. Agora, em vez de ir dormir de bom grado, como sempre fez, Aggie grita. O que está acontecendo? Denise esqueceu que as crianças amam rotinas, não horários. Ao tornar-se obcecada em ganhar meia hora à noite, Denise alterou o ritual de sempre com a filha – e agora as duas sofrem por isso. Eu sugeri que ela trouxesse de volta a antiga rotina para dormir e simplesmente começasse um pouco mais cedo a cada noite. "Milagrosamente", o suposto problema para dormir de Aggie desapareceu.

R&R ajuda as crianças a lidar com a separação. Isso ocorre porque o R&R ajuda as crianças a prever eventos que se repetem todos os dias. De fato, estudos mostram que bebês de apenas 4 meses já nutrem expectativas. Podemos usar esse conhecimento para ensinar os bebês que, embora às vezes a mãe precise sair, ela voltará. No caso do pequeno Tommy, por exemplo, para aliviar sua ansiedade eu aconselhei Rosalyn a transformar seu afastamento em um ritual, saindo do quarto primeiro por alguns minutos. Ela sem-

---

O que as pesquisas dizem sobre as rotinas

As crianças desenvolvem uma consciência quando "a vida cotidiana da família se caracteriza por rotinas que envolvem a cooperação da criança em rituais como a hora de dormir, tomar banho, ler histórias, acordar, comer e outros eventos previsíveis. A presença dessas rotinas é uma forma de tornar conhecidas as expectativas e evitar confrontos constantes. Assim, as crianças aprendem sobre cooperação... no fluxo previsível da vida diária."

Extraído de *Neurons to Neighborhoods* (veja a referência completa na página 18)

pre o preparava ("A mamãe vai dizer tchauzinho por algum tempo, Tommy") e, depois, enquanto saía do quarto, ela dizia: "Eu já volto, querido" e lhe soprava um beijo. À medida que Tommy se tornou mais capaz de tolerar a ausência da mãe, eu a instruí a deixar a casa usando exatamente a mesma R&R. Fazer sempre a mesma coisa, dizendo sempre as mesmas palavras, ajudou Rosalyn a preparar Tommy e a fazê-lo sentir maior controle sobre a situação. Seu pânico não passou imediatamente, mas com a criação de rotinas para afastar-se e voltar ("Oi, querido, já voltei", acompanhado de um grande abraço e um beijo), Tommy logo percebeu que, embora a mãe pudesse sair, ela voltaria (mais informações sobre a separação nos Capítulos Seis e Oito).

R&R favorece todos os tipos de aprendizagem – habilidades físicas, controle emocional e comportamento social. As crianças aprendem pela repetição e pela imitação. Os pais não precisam pressioná-las, pois, ao fazer as mesmas coisas, dia sim, dia não, elas aprendem de maneira natural e espontânea. Tome como exemplo as boas maneiras. Mesmo antes de a criança aprender a falar, a mãe habitualmente lhe diz: "Obrigada!", quando lhe entrega um pãozinho no lanche. Com o tempo, as palavras da mãe são substituídas pelo primeiro "bigada" e, depois, por palavras reais como "obrigada". No fim das contas, o R&R ajuda a moldar as crianças, ensinando não apenas habilidades, mas moral, valores e respeito mútuo.

R&R evita problemas, ajudando os pais a definirem limites claros e a serem firmes. Na primeira infância, as crianças testam constantemente os limites dos pais, e os pais com frequência cedem a essa pressão, o que apenas torna seus filhos mais manipuladores. O R&R pode nos ajudar a estruturar as situações e a saber o que esperar em cada fase de desenvolvimento. Assim, ficamos menos propensos a achar que temos uma criança descontrolada em casa. Vejamos Veronica, que não queria que Otis, de 19 meses, pulasse nos móveis. "Quando ele fizer isso", sugeri, "corrija-o com delicadeza. Você pode dizer: 'Otis, você não pode pular no sofá', mas também pode mostrar a ele lugares apropriados para pular, como um colchão colocado no quarto de brincar, por exemplo". Veronica fez isso, mas, no dia seguinte, quando Otis começou a saltar em sua cama, ela precisou repetir a rotina. "Otis, você não pode pular na cama", ela disse, enquanto o levava ao quarto de brincar. Foram necessárias apenas três ou quatro vezes para Otis perceber: "Ah, agora eu entendi. Posso pular aqui, mas não no sofá ou na minha cama."

R&R ajuda você a preparar seu filho para novas experiências. No Capítulo Seis, falo sobre a criação de *ensaios para a mudança* – um conjunto de experiências que favorecem gradualmente a crescente independência de uma criança. A ideia é introduzir seu filho às novas experiências primeiro em casa, aumentar pouco a pouco os desafios e, então, deixá-lo praticar fora de casa. Por exemplo, para preparar a pequena Gracie, de 10 meses, para sentar-se em um restaurante, a mãe fez questão de que ela participasse da rotina familiar na hora do jantar. Ela se sentou em seu cadeirão, com a irmã e o irmão à mesa, e participou do ritual noturno – acender uma vela, dar as mãos uns aos outros e fazer uma prece. Ao ser incluída dessa forma, Gracie experimentou novos alimentos, aprendeu como comer e como usar os utensílios, e começou a entender que tipo de comportamento deveria ter à mesa. Sentar-se quietinha por períodos cada vez mais longos foi uma preparação para suas experiências posteriores em restaurantes que, obviamente, foram um sucesso para ela.

R&R permite que todos relaxem e transformem os momentos mais comuns em ocasiões para fortalecer o relacionamento. O que poderia ser mais especial que a hora do banho ou de contar histórias? Se nós, pais, relaxarmos mais e praticarmos essas atividades com uma finalidade ("Vou usar a hora de dormir para fortalecer minha conexão com meu filho"), também ensinaremos a nossos filhos, pelo exemplo, a conferir maior significado aos momentos mais comuns. Essas ocasiões fortalecem o vínculo entre pais e filhos e, ao mesmo tempo, enviam uma importante mensagem à criança: "Eu amo você. Quero que saiba que estou aqui por você."

Ao criar minhas filhas, embora eu deixasse espaço para o inesperado e estivesse longe de ser inflexível, empreguei muito o R&R. Mantive, na maior parte do tempo, uma rotina estruturada, mesmo antes de elas terem idade para entender o conceito de tempo, de modo que sempre sabiam o que viria a seguir. Por exemplo, quando eu chegava em casa após o trabalho, elas sabiam que teriam uma hora inteira da minha completa atenção. Nada poderia perturbar o *nosso* momento. Eu não falava ao telefone e não fazia tarefas domésticas. Uma vez que não tinham idade para saber a hora, eu preparava um cronômetro e elas sabiam que, quando ele tocasse, eu precisaria fazer o jantar e cuidar dos outros assuntos da casa. Nesse momento, elas nunca reclamavam, e me ajudavam como podiam, porque se sentiam muito satisfeitas pelo tempo sagrado que passávamos juntas.

R&R dia e noite

Deixe-me lembrá-la de que, embora certos tipos de R&R sejam praticados por quase todas as famílias que conheço – como ler um livro ou uma história antes de dormir –, o R&R deve ser adaptado a sua família. Ao ler algumas das sugestões que apresento a seguir, leve em conta o temperamento do seu filho, seu próprio estilo de criação e as necessidades dos outros membros da família. Como você poderá ver no quadro da próxima página, alguns pais são melhores que outros para estruturar e manter rotinas. Considere também *seus* horários. Se você não pode comer com seu filho todas as noites, pelo menos comprometa-se a jantar com ele duas ou três noites por semana. Além disso, os rituais são pessoais; eles são mais significativos quando realmente refletem os valores dos participantes. Você tende a manter os rituais e rotinas que lhe parecem mais adequados. Assim, embora algumas famílias possam fazer orações na hora do jantar, talvez isso não se aplique a você. Em alguns lares, mas não em outros, os rituais do banho são por conta do papai.

Investigação da rotina

Alguns pais e mães têm mais facilidade que outros no que se refere a estabelecer e manter uma rotina estruturada. Abaixo, observo como cada tipo de pais que identifiquei no Capítulo Dois lida com esse desafio. Onde você se encaixaria?

	Controladores	HELPers	Capacitadores
Filosofia	Acreditam fortemente na ordem e na rotina.	Sabem que é importante definir e manter uma rotina estruturada.	Acreditam que excesso de ordem limita o estilo da criança e a espontaneidade dos próprios pais.
Prática	Bons para instituir rotinas, mas podem tornar suas próprias necessidades mais importantes que as necessidades dos filhos.	Bons na instituição de rotinas que suprem as necessidades da criança, as de outros membros da família *e* as demandas do seu próprio dia.	Acreditam que a estrutura pode inibir a criança. Seu dia é construído em torno do filho; não existem dois dias iguais na semana.
Adapta-bilidade	Podem ter problemas para se adaptar às diferentes necessidades da criança ou para fazer mudanças de última hora, quando necessárias.	Flexíveis o bastante para se desviarem da rotina, quando necessário, e não são perturbados por mudanças.	No extremo, mudam tanto que, com frequência, dão novo significado à palavra "adaptável."
Possível resultado	As necessidades da criança às vezes são comprometidas; os pais podem sentir frustração e desconforto quando os horários não são obedecidos.	A criança se sente segura; a vida é previsível; a criatividade é incentivada dentro de limites razoáveis.	Essa filosofia de "deixar rolar" frequentemente se traduz em caos. Uma vez que os pais têm dificuldades de fazer a mesma coisa dia após dia, a criança nunca sabe o que acontecerá a seguir.

A seguir, percorro as 24 horas do dia para observar as rotinas que se repetem diariamente. Embora elas possam mudar um pouco à medida que seu filho cresce, esses são os pilares da vida familiar: acordar, comer, tomar banho, saídas e chegadas, organização, cochilo e hora de dormir. Você não encontrará aqui ideias para resolver problemas; este Capítulo diz respeito à prevenção. Pela repetição desses atos, ao dizer à criança o que você espera, com frequência, você pode *evitar* os problemas antes que ocorram.

Para cada uma das rotinas diárias a seguir, ofereço sugestões sobre a intenção (finalidade e objetivo), o que você talvez precise preparar, a sequência – como começar, prosseguir e concluir o ritual – e, quando apropriado, como dar continuidade (no caso de muitos rituais que ocorrem diariamente, você não precisa se preocupar com a continuidade). Consistência é a palavra-chave. Lembre-se, também, que apenas *você* pode criar as formas mais criativas de tornar o R&R eficiente e ao mesmo tempo divertido para sua família. Dê asas à imaginação.

Acordar. Uma criança na faixa de 1 a 3 anos acorda apenas de duas maneiras – contente ou chorando. Antes dessa idade, os padrões de despertar são determinados pelo temperamento. Contudo, à medida que os bebês crescem, seus padrões de despertar são mais uma questão daquilo que os pais reforçaram e têm menos a ver com a personalidade da criança. Na verdade, boas práticas de R&R podem superar o temperamento.

INTENÇÃO: Ensinar a seu filho que a cama é um lugar legal para ficar, e vê-lo despertar sorrindo, falando e brincando contente, por conta própria, durante vinte ou trinta minutos.

PREPARAÇÃO: Garanta que seu filho brinque no berço durante o dia. Passar algum tempo divertindo-se no berço reforça a ideia não apenas de que aquele é um lugar seguro, mas também um lugar ótimo para brincar. Se o seu filho ainda não vê isso desse modo, coloque-o no berço uma ou duas vezes durante o dia. Tenha à mão os brinquedos favoritos dele e, no começo, fique por perto, tranquilizando-o com sua presença. Brinque de bate-palminhas ou faça outras brincadeiras para tornar a experiência divertida. No início, não saia do quarto. Use o tempo para dobrar as roupas limpas, ajeitar prateleiras ou organizar papéis, para que sua presença seja sentida, sem que você precise interferir. Afaste-se gradualmente, e então saia do quarto por períodos cada vez maiores (veja também as páginas 89-92 sobre chegadas e partidas).

DO COMEÇO AO FIM: Pela manhã, tente avaliar quanto tempo seu filho leva para ir do balbuciar e brincar sozinho até o choro. Vá a seu encontro *antes* de ele chegar ao estágio do choro. Se você tem seus próprios horários a cumprir, entre no quarto mais cedo. Ou, se você sabe que precisa trocar as fraldas dele, vá! Não espere!

Entre no quarto com alegria e saúde o novo dia com muita ênfase. Alguns pais cantam uma musiquinha quando os filhos despertam, ou fazem uma saudação especial, como "Bom dia, flor do dia! Estou tãããããooo feliz por ver você!" O ritual termina com você tirando-o do berço e os dois animados em começar o dia.

Meu filho acorda chorando: o que está acontecendo?

Quando um pai me diz que seu filho acorda chorando, isso sugere que a criança não se sente confortável em seu próprio berço. Em geral, faço as seguintes perguntas:

- **Você tende a correr para ele, ao ouvir o primeiro som que ele faz?** Talvez você o tenha treinado, sem querer, a chorar quando demora a vê-lo.

- **Ele exibe ansiedade – berrando ao máximo e apertando os bracinhos em torno de seu corpo – quando você o pega?** Este é um sinal claro de que o berço se tornou um lugar que ele detesta. Tome medidas para mudar isso (veja a seguir).

- **Ele tem períodos durante o dia em que gosta de brincar no berço?** Se não, pode ser uma boa ideia incluir esses períodos em sua rotina de brincadeiras (veja "Preparação", na página anterior, e a história de Leanne, nas páginas 283-292).

DICA: Independentemente do que você faça, não demonstre solidariedade se seu filho chorar ao acordar. Pegue-o, dê-lhe um abraço, mas, por favor, não diga: "Ah, coitadinho!" Aja com ânimo, como se estivesse feliz por começar o dia. Lembre-se de que as crianças aprendem pela imitação.

Refeições. Crianças pequenas realmente são enjoadas para comer – um fato que preocupa muito os pais que me consultam (abordo como e o que dar às crianças no Capítulo Quatro). "Deem um tempo", eu digo ao pais ansiosos. "Concentrem-se mais em tornar a rotina das refeições consistente do que em fazer seu filho comer." Eu lhe garanto, seu filho não morrerá de desnutrição – numerosos estudos mostram que, apesar de eventuais períodos de falta de apetite, as crianças saudáveis conseguem ingerir uma quantidade suficiente e uma seleção equilibrada de alimentos, *se os pais não as pressionam* (veja as páginas 125-142).

INTENÇÃO: Pense nas refeições como um modo de ensinar a seu filho o que significa sentar-se à mesa, usar utensílios, experimentar novos alimentos e, o mais importante, comer com a família.

PREPARAÇÃO: Sirva as refeições mais ou menos no mesmo horário, todos os dias. Embora os bebês sejam pequenas máquinas de comer, após certo tempo eles se transformam no oposto. Crianças pequenas estão ocupadas demais testando o mundo e explorando-o. A fome não é o mesmo impulso motivador de antes, mas podemos ajudar nossos filhos a prestar atenção nisso e em outras necessidades físicas, permitindo que eles vejam que "a próxima refeição" vai acontecer dali a pouquinho.

Deixe-o participar dos jantares em família aos 8 ou 10 meses, quando, geralmente, os bebês já podem sentar-se e consumir alimentos sólidos. Reserve uma cadeira especial para ele, um assento mais alto colocado sobre uma cadeira normal ou um cadeirão. O importante é que estar em sua "cadeira de comer" permite que ele saiba que é hora de sentar-se quietinho (tomara!) e comer. Se você tem filhos mais velhos, peça que comam no mesmo horário. Será ótimo se você puder fazer refeições com eles pelo menos algumas noites por semana; mesmo que você não vá realmente jantar com eles, faça um lanche. Sua presença servirá para que tenham a sensação de um "jantar em família".

DO COMEÇO AO FIM: Lavar as mãos é um ritual ideal antes das refeições, o qual transmite à criança a ideia de que é a hora de comer. Tão logo seu filho possa ficar em pé sozinho, invista em um banquinho pequeno e resistente, tipo escadinha, para que ele possa alcançar a pia sem sua ajuda. Deixe que ele observe enquanto você lava suas mãos e então dê-lhe o sabonete e incentive-o a experimentar. Uma pequena toalha de mão pendurada em um gancho ou em uma barra perto da pia deverá ser a toalhinha especial dele para secar as mãos.

Comece a refeição dando graças, acendendo velas ou simplesmente dizendo: "Podemos comer." Mantenha conversas como faria em um jantar com adultos. Fale sobre seu dia; pergunte às crianças sobre o dia delas. Embora o menor da casa não possa responder ainda, ele começará a entender as trocas que ocorrem em conversas à mesa. Se ele tiver irmãos, aprenderá muitas lições pelo simples fato de escutar.

Considere a refeição terminada quando seu filho acabar de comer. Muitos pais, sem dúvida ansiosos sobre a nutrição e o consumo adequado de alimentos, tentam enfiar uma colherada a mais na boca do bebê, ou tentam adulá-lo ou convencê-lo, mesmo quando ele vira a cabeça. Pior ainda, alguns o seguem e tentam enfiar-lhe mais algumas colheradas na boca enquanto ele brinca (veja a história de Shannon, nas páginas 306-310). Lembre-se da intenção desse ritual: ensinar a seu filho os códigos das refeições. Não se brinca enquanto come.

Termine a refeição com o que lhe parecer certo para sua família. Algumas famílias fazem uma prece final e apagam as velas; outras tiram um tempinho para agradecer a quem preparou a refeição. Uma conclusão apropriada para esse momento pode ser simplesmente o ato de retirar o babador da criança, acompanhado pelas palavras: "Acabou o jantar. É hora de tirar a mesa." Quando seu filho já souber andar e levar coisas, ele também poderá levar seu próprio prato (de plástico, provavelmente) até a pia. Também gosto de ensinar às crianças o hábito de escovar os dentes após as refeições. Comece assim que tiver introduzido os alimentos sólidos.

DICA: Para acostumar seu filho à ideia de escovar os dentes, comece com as gengivas dele. Enrole um paninho atoalhado macio e limpo em torno de seu dedo indicador e friccione as gengivas dele após as refeições. Assim, quando surgirem os dentinhos, ele já terá se acostumado à sensação. Compre uma escova de dentes macia, própria para bebês. No começo, ele provavelmente chupará a escova, mas acabará aprendendo como escovar.

Acompanhamento: Mantenha o R&R das refeições, não importa aonde você vá. Quando levar seu filho a outra casa para comer, a um restaurante, ou quando vocês fizerem uma viagem longa, mantenha o ritual o mais parecido possível com o de sua casa. Isso transmitirá segurança à criança e reforçará tudo o que ela já aprendeu sobre refeições (mais informações sobre como levar seu filho para o "mundo real" no Capítulo Seis).

Hora do banho. Embora alguns bebês detestem o banho, crianças pequenas, com frequência, detestam *sair* da banheira. Um ritual consistente de hora do banho pode ser muito útil nessa guerra.

INTENÇÃO: Se for o banho noturno, a intenção é ajudar seu bebê a relaxar e se aprontar para dormir. Se for o banho da manhã, menos frequente entre as famílias que conheço, a finalidade é preparar seu filho para o dia.

PREPARAÇÃO: Anuncie em voz alegre: "É hora do banho!" ou "Vamos para o banho agora!" Encha a banheira e ponha nela copinhos plásticos, bisnagas, patinhos e outros brinquedos flutuantes. Caso seu filho não tenha pele sensível, você pode usar espuma de banho. Ao pensar em minhas filhas, recordo que tínhamos mais brinquedos em nossa banheira que na caixa de brinquedos! Além disso, mantenha duas esponjas à mão, uma para você e uma para ele.

DICA: Sempre ligue primeiro a água fria e somente depois a água quente. Para evitar que ele ligue a água quente acidentalmente e se queime, compre uma proteção (tipo tampa) para a torneira de água quente, ou, se o mesmo registro abre a água quente e a água fria, uma tampa que cubra todo o registro. Além disso, use um tapete de borracha para prevenir escorregões, e ajuste o termostato em seu aquecedor de água para não mais que 52°C.

DO COMEÇO AO FIM: Coloque seu filho na banheira ou, se ele já conseguir, deixe-o entrar sozinho (obviamente, com o devido cuidado; banheiras são sempre escorregadias). Eu gosto de cantar uma música enquanto dou banho em crianças. "É assim que lavamos nossos braços, lavamos nossos braços, lavamos nossos braços. É assim que lavamos nossos braços, cedinho assim toda noite. É assim que lavamos nossas costas, lavamos nossas costas", e assim por diante. Isso ajuda a criança a aprender sobre as partes do corpo e, com frequência, estimula seu desejo de se lavar.

Uma vez que a maioria das crianças pequenas detesta quando o banho chega ao fim, não a retire direto da banheira. Em vez disso, comece retirando os brinquedos primeiro. Depois, tire a tampa do ralo e deixe a banheira esvaziar, dizendo: "Xi, a água está escorrendo pelo ralo. A hora do banho acabou!" Termine com um belo aconchego em uma toalha macia.

DICA: Embora você possa ter mais confiança nas capacidades do seu filho agora que ele já sabe andar, sob nenhuma circunstância deve deixá-lo sozinho na banheira (para dicas de segurança, veja a página 124).

Chegadas e partidas. Todas as crianças passam por um estágio de dificuldade para se separarem dos pais, mesmo que a mãe vá só até a cozinha preparar o jantar. Claramente, isso é mais difícil para algumas crianças que para outras, mas também depende dos pais. Se os dois trabalham todos os dias, saindo de casa e voltando em horários regulares, e fazem isso desde os primeiros meses de vida do filho, geralmente é mais fácil acostumar a criança à rotina, para que saiba o que esperar. É um pouco mais difícil quando um dos pais ou os dois saem de casa e voltam em horários irregulares. Ao mesmo tempo, já vi também crianças que pareciam ter-se adaptado à ausência de um dos pais se tornarem subitamente ansiosas.

INTENÇÃO: Fazer com que seu filho se sinta seguro, sabendo que, embora você o deixe, você também sempre volta.

PREPARAÇÃO: Acostume seu filho à ideia de sua partida. Se você começar por volta dos 6 meses e avançar gradualmente, aos 8 meses ele provavelmente brincará sozinho por até quarenta minutos. Você também poderá ajudar seu filho a se acostumar com a ideia do seu afastamento brincando de esconder com ele. Esse jogo reforça a ideia de que, embora ele não possa ver a mãe, ela ainda está ali. Entretanto, não tente isso quando a criança estiver cansada ou irritada. E, se no início ele sentir medo e começar a chorar, espere até mais tarde, ou mesmo um outro dia, e tente novamente.

Quando chegar ao ponto em que você consegue sair do quarto, certifique-se de tê-lo deixado em uma situação segura – no berço ou no cercadinho – ou sob a supervisão atenta de outra pessoa. Sempre que você sair, diga: "Estou indo até [a cozinha/meu quarto]. Estarei ali, se você precisar de mim." Contudo, volte depressa quando seu filho chamar, para que ele aprenda que pode confiar em você. Se você tem uma babá eletrônica ou um *walkie-talkie*, fale nele enquanto está no outro cômodo, apenas para reconfortá-lo, ou diga no aparelho: "Estou aqui na cozinha, amorzinho." Volte e reconforte-o sempre que necessário. Aumente esses períodos de afastamento, passando cada vez mais tempo fora das vistas de seu filho.

Quando tiver de sair de casa, para fazer algo na rua por quinze minutos ou para um dia inteiro de trabalho, seja honesta. Não diga "já volto", se planeja ficar fora por cinco horas, ou pior, "volto em cinco minutos". Embora crianças pequenas não tenham o conceito de tempo, quando você lhe prometer depois que o levará à pracinha em "cinco minutos", ele ficará chateado, porque pensará que é um tempo longo demais.

DO COMEÇO AO FIM: Quando tiver de sair, use sempre as mesmas palavras e gestos. "Vou sair para trabalhar, meu anjinho", acompanhado de um grande abraço e um beijo. Não há problema em dizer: "Vamos à pracinha quando eu voltar", mas tome cuidado para não prometer o que não poderá cumprir. Também é importante saber o que traz mais tranquilidade a *seu* filho. Por exemplo, algumas crianças sentem-se bem se vão até a janela dar tchauzinho, mas outras ficam ainda mais abatidas, porque isso prolonga o processo de afastamento.

Existe um limite delicado entre reconhecer as emoções de uma criança ("Eu sei que você não quer que eu vá...") e declarar a realidade ("... mas a mamãe precisa ir trabalhar"). Lembre-se, com frequência não é o fato de você sair que deixa a criança triste, mas o *modo* como você sai. Se você vai e volta muitas vezes, isto reforça a ansiedade infantil. Com isso, a mensagem transmitida é: "Seu choro me trará de volta."

DICA: Para sua própria paz de espírito, se o seu filho ficar chateado quando você sair, ligue para a babá quando estiver no carro ou chegar ao trabalho. Eu garanto que cinco minutos depois que as mães se afastam, a maioria das crianças já está bem.

Ao voltar, entre em casa dizendo sempre as mesmas palavras: "Já voltei!" ou "Oi querido, cheguei!". Sempre cumprimente seu filho com muitos abraços e beijos, e diga: "Mamãe vai trocar de roupa agora, para poder brincar com você" (havia um programa de TV no qual um personagem, o "Sr. Rogers", sempre começava trocando os calçados, um ritual que dizia às crianças da plateia: "Este é o nosso tempo juntos"). Depois, fique com ele por, no mínimo, uma hora – torne este seu momento especial.

Algumas mães também gostam de ligar antes, para que a babá possa dizer à criança: "Mamãe está vindo para casa." A babá também pode levar a criança até a janela, quando você estiver prestes a estacionar (presumindo que você não mora em uma cidade como Los

Angeles, onde o tráfego torna difícil estimar um horário de chegada!). Curiosamente, muitas crianças, cujos pais trabalham regularmente, acostumam-se com rituais não necessariamente destinados a elas. Em minha própria casa, por exemplo, Sara sabia que no final da tarde, sempre que a babá colocava uma chaleira no fogo, eu estava a caminho.

DICA: Nunca leve um presente ao voltar para casa. Você é o presente.

Organização. Uma vez que crianças pequenas frequentemente têm dificuldade com transições, eu gosto de incorporar rotinas de organização e arrumação ao longo do dia. Em meus grupos, por exemplo, mesmo com crianças de apenas 8 meses, sempre tínhamos a "hora da arrumação" antes de praticarmos música, que era uma atividade mais calma. Além disso, nunca é cedo demais para começar a aprender responsabilidade e respeito.

INTENÇÃO: Ensinar responsabilidade a uma criança e incutir nela o respeito por seus pertences e pelos dos outros.

PREPARAÇÃO: Seu filho deve ter uma caixa, diversos ganchos e, se possível, algumas prateleiras de um armário que ele possa alcançar *sozinho.*

DO COMEÇO AO FIM: Quando seu filho chegar em casa, diga: "É hora de pendurarmos nossos casacos." Você vai até o armário e pendura o seu, e ele segue seu exemplo. Depois que ele brincar em seu quarto e for hora de comer ou preparar-se para um cochilo ou para o sono da noite, diga, por exemplo: "Agora é hora de arrumar tudo." No começo, você precisará ajudar. Em meu grupo, digo: "Eu estou colocando as coisas na caixa", e então as crianças me imitam. Entenda que seu filho pode vir até a caixa e tentar tirar mais brinquedos dela, mas continue dizendo: "Não, nós estamos colocando as coisas *dentro* da caixa, agora. Estamos arrumando tudo." Ele aprende o que é organização pelo reforço constante desse ritual.

Acompanhamento: Aonde quer que seu filho vá, seja para a casa da vovó, para um grupo de brincadeiras ou para a casa do primo, reforce esse ritual de organização.

Cochilos e hora de dormir. Não há nada mais gostoso do que ler um livro e ganhar um aconchego antes de dormir. Os pais geralmente gostam tanto disso quanto as crianças. Em seguida, vem o momento de colocar seu filho para dormir. Algumas crianças precisam de mais apoio que outras – o sono é uma habilidade que as crianças devem *aprender* (veja a página 283). Contudo, mesmo se seu filho tiver um sono pesado e se deitar para cochilar e dormir à noite com relativa facilidade, é importante manter consistentes os rituais da hora de dormir. Os problemas do sono podem surgir de repente, à medida que ele adquire maior mobilidade, normalmente entre o primeiro e o segundo ano. Os sonhos, bem como a impaciência, podem atrapalhar o sono dele. Ele quer logo estar de pé novamente! Abordo os dilemas do sono no Capítulo Oito, mas aqui estão algumas sugestões para o R&R da hora de dormir.

INTENÇÃO: Na hora do cochilo e à noite, seu objetivo é ajudar a criança a se acalmar, indo dos rigores e da emoção das brincadeiras para um estado mais relaxado.

PREPARAÇÃO: Encerre as atividades estimulantes, como TV ou brincadeiras. Guarde os brinquedos (veja o ritual de organização anterior) e anuncie: "Está quase na hora de ir para a cama." Feche as cortinas. Para ajudar seu filho a relaxar o corpo, incorpore o banho da noite como parte do ritual noturno e, se ele apreciar, também uma massagem.

DO COMEÇO AO FIM: Após o banho e o pijama, diga: "Vamos escolher um livro." Se seu filho tem entre 8 e 12 meses e ainda não elegeu seus "favoritos" para leitura, escolha por ele. Decida com antecedência quantos livrinhos você está disposta a ler (ou quantas vezes lerá o mesmo livro) e diga a ele. Seja firme em sua decisão – caso contrário, estará pedindo por problemas (mais informações sobre isso no Capítulo Nove).

Além das estratégias já citadas, as famílias tendem a adaptar esse ritual àquilo que elas e as crianças preferem. Roberta e sua filha, Úrsula, sentam-se em uma cadeira de balanço todas as noites, com o coelhinho favorito de Úrsula aninhado entre as duas. Roberta lê a história, elas se aconchegam por algum tempo e, em seguida, Úrsula vai tranquilamente para seu berço. O filho de Deb, Jack, tem seu "cobertorzinho" e sua hora da historinha, normalmente um CD favorito acompanhado por um livro ilustrado. Quando Jack salta do colo de Deb e quer brincar com seu caminhão, ela lembra gentilmente ao filho: "Nada de brinquedos, Jack – está na hora de dormir".

Algumas crianças também mamam na mamadeira ou no peito antes de dormir. Se isso ajuda a criança a relaxar, tudo bem, contanto que ela não *precise* da mamadeira ou do peito para dormir (veja a história de Leanne nas páginas 283-292) (além disso, mamar antes de dormir é ruim para os dentes). Aos 19 meses, Dudley ainda quer a mamadeira, mas sua mãe o deixa tomá-la antes de irem para o quarto. Assim, ele tem a familiaridade e a segurança da mamadeira, mas ainda é capaz de adormecer sem ela. Dudley também tem outros rituais reconfortantes: ele acena boa noite para a lua e as estrelas pela janela, e, se o papai não está em casa, beija a fotografia dele.

O ritual para dormir deve terminar quando você coloca seu filho no berço. Alguns pais conseguem sair do quarto imediatamente, enquanto outros ficam ali por alguns minutos para pôr uma mão tranquilizadora nas costas do filho, cantar uma canção de ninar, ou oferecer uma massagem nas costas. Se você conhece seu filho, sabe o que o acalma (veja o Capítulo Oito para obter dicas sobre como fazer com que uma criança relutante fique na cama quando o ritual termina).

R&R para ocasiões especiais

Como disse no início deste livro, são inúmeras as situações que surgem no dia, na semana ou no ano de uma família que podem ser melhoradas por rituais conscientes. Como acontece com os rituais diários, um aspecto importante é o significado pessoal. O que funciona para uma fa-

R&R (rotinas e rituais): em busca do equilíbrio

mília pode parecer sem sentido para outra. Além disso, algumas famílias têm necessidades especiais. Em seu livro, por exemplo, Barbara Biziou descreve o "Dia das Boas-Vindas", para comemorar o dia em que um filho adotado entrou para a família. Tenho certeza de que você tem tradições significativas que também são únicas a sua família. A seguir, apresento algumas das ocasiões especiais mais comuns.

Tempo de ficar junto da família. Independentemente de isso acontecer uma vez por semana ou uma vez por mês, é importante ter horários regulares de união em uma família, um momento em que vocês possam compartilhar ideias, emoções, ou simplesmente tirar um tempo para se divertirem. Alguns pais incorporam as tradições de suas próprias famílias, outros criam suas próprias tradições, outros, ainda, fazem uma combinação de novas e antigas tradições.

INTENÇÃO: Promover a cooperação, comunicação e conexão entre a criança e os demais membros da família.

PREPARAÇÃO: Se você tiver também crianças com mais de 4 anos, talvez seja uma boa ideia transformar essas ocasiões em um encontro familiar mais formal, que permite momentos de partilha e perdão, assim como atividades divertidas, como sugerido por Biziou. Se são só você, seu parceiro e seu filho, basta reservar algumas horas por semana durante as quais vocês três estarão juntos. Deixe o ritual de encontro familiar de Biziou inspirá-los, mas adapte-o para seu filho pequeno. Você pode incorporar vários de seus elementos, mesmo com uma criança muito nova. Por exemplo, o "bastão falante" é uma boa maneira de uma criança aprender a ter paciência e habilidade de ouvir.

DO COMEÇO AO FIM: Comece com um anúncio: "Esse é nosso momento especial da família." Acenda uma vela para dar início ao ritual, tomando cuidado para manter a chama fora do alcance de seu filho. Mesmo que você não adote uma reunião familiar completa, você ainda pode designar este tempo e espaço como "sagrados", que nem responsabilidades nem preocupações poderão perturbar. Não comprometa o ritual atendendo ao telefone, fazendo tarefas domésticas ou lidando com assuntos de adultos. Esse é um tempo para estar com seu filho, e pode ser uma refeição, um passeio no parque, ou uma ou duas horas na sala, conversando, brincando, cantando canções (espero que não seja assistindo à TV). Apague a vela no fim desse encontro.

Acompanhamento: Se você tiver uma criança muito nova, digamos com 1 ano de idade, essa ideia pode parecer bobagem. "Ele não vai entender", você dirá. Bem, isso pode ou não ser verdade. Eu sei que, repetindo o ritual de união da família, seu filho não apenas poderá vir a entender sua importância, como também aprenderá a esperar com prazer por ele.

A hora do papai. Como disse na introdução, embora os pais hoje em dia sejam certamente mais participativos que em gerações anteriores, as mães com quem converso ainda acham que os homens presentes em suas vidas – e os avós também se encaixam nisso – têm um longo caminho a percorrer. Em parte, é uma questão de território. Algumas mães simplesmente não querem soltar as rédeas, ou desestimulam inadvertidamente a participação do pai (veja o quadro da página seguinte). Em parte, isso também pode ser uma questão de disponibilidade. Se o pai está fora de casa o dia todo, no escritório, e a mãe está em casa, não há como ele compensar essa diferença. Contudo, mesmo em famílias em que a mãe trabalha, o pai é, com maior frequência, o "ajudante" em vez de um parceiro nos cuidados com a criança (nos casos em que o pai é quem fica em casa, a história é invertida, mas raramente vejo isso).

Nas famílias em que as crianças têm maior equilíbrio de tempo dos pais, isso ocorre porque o pai faz um esforço real para passar um tempo a sós com o filho ou os filhos, e a mãe o apoia nisso. Isso pode não acontecer quando o bebê nasce. Os pais às vezes ficam nervosos ao segurar o bebê; com frequência, eles somente se sentem confortáveis para cuidar quando a criança começa a andar. Martin, por exemplo, era um pai um pouco ausente quando Quinn nasceu. Agora, porém, ele se delicia levando seu filho de 18 meses ao parque todas as manhãs de sábado. Como ele é um grande fã dos Lakers, agenda esses passeios com antecedência para não perder as partidas de seu time. Ainda assim, isso dá uma folga a sua esposa, Arlene, e, tão importante quanto isso, permite que Martin realmente conheça Quinn em primeira mão, não aos olhos de Arlene. Curiosamente, Martin relutou um pouco na primeira vez que levou sozinho Quinn para passear. Apenas *fazendo* isso ele se abriu para transformar a saída em um ritual semanal. Muitos pais são como ele.

INTENÇÃO: Ajudar a criança a ter uma ligação especial com seu pai.

PREPARAÇÃO: Algum planejamento e até mesmo um pouco de negociação podem ser necessários entre mãe e pai, especialmente se ambos trabalham fora. Resolva de antemão os problemas de horário. Uma vez que o pai se comprometer a esse tempo, porém, nada deverá atrapalhá-lo.

DO COMEÇO AO FIM: Diga à criança que esse é seu momento especial com o pai. Como sempre, dizer as mesmas palavras e fazer as mesmas coisas toda vez ajudam a marcar o início desse ritual. Martin, por exemplo, diz a Quinn: "Ok, companheiro, é hora de ir", e nesse momento ele levanta Quinn do chão e coloca-o em seus ombros.

Dificultando as coisas para o papai

Muitas mães comprometem, sem querer, o conforto dos filhos com seus pais, quando:

Dizem ao pai o que ele deve pensar: Greta e o pai estão brincando com um aspirador de brinquedo. "Ela não quer brincar com isso agora", diz a mamãe. "Nós já o deixamos de lado." É importante que o pai estabeleça o que Greta gosta e não gosta.

Criticam o pai na frente da criança: "Isso não é o jeito certo de vestir a camiseta nela."

Enviam à criança uma mensagem de que não é seguro ficar com o pai: ela parece estar sempre pairando por perto quando o pai está com Greta. Se Greta chora, ela imediatamente intervém para "salvá-la" do papai.

Fazem com que ele pareça o bandido da história: sempre que Greta não quer dormir, a mãe chama o pai para resolver o problema. Quando Greta se comporta mal, a mãe diz: "Espere até o papai chegar em casa."

Relutam em abrir mão do papel de responsáveis: o pai está lendo uma história para Greta e a mãe chega, pega a filha do colo do pai e diz: "Ah, eu vou terminar a história."

Quinn, que tem apenas 1 ano de idade, sabe instintivamente que o tempo com o papai é diferente do tempo com a mamãe. Martin adora cantar, por isso no caminho para o parque ele cantarola uma musiquinha que inventou: "Papai e Quinn, Quinn e papai, indo para o parque, porque é sábado." Quinn não pode cantar junto usando palavras, mas Martin diz que o filho já tenta, em sua língua de bebê. Eles ficam no parque por uma hora ou mais, quando, então, Martin diz a Quinn: "Ok, companheiro, é hora de ir para casa. É hora de descansar!" Quando chegam em casa, Martin tira seus tênis com grande alarde. Em seguida, ele tira os tênis de Quinn. O passeio ao parque terminou. Agora é a hora do cochilo.

O tempo com o papai nem sempre precisa envolver brincadeiras. É bom o pai assumir aspectos da rotina diária também. O banho da noite parece ser muito popular entre os pais. Outros homens gostam de preparar o café da manhã. O importante é que praticamente qualquer coisa pode servir como a hora do papai, desde que a intenção do pai seja tornar esse um evento regular e recorrente.

Datas da família. Aniversários, comemorações e outras datas especiais da família são bons motivos para comemorar. Entretanto, aqui vão dois alertas: não sobrecarregue seu filho com uma festa muito grande, muito extravagante ou inapropriada, e não limite suas celebrações a eventos em que a criança é a estrela. Em outras palavras, é bom até para crianças pequenas sair do holofote e aprender a prestar homenagem também a outras pessoas.

INTENÇÃO: Ajudar o seu filho a entender o significado de uma data especial, sem a ênfase habitual no recebimento de presentes.

PREPARAÇÃO: Poucos dias antes do evento, diga a seu filho que um "grande dia" está chegando. Ele tem uma compreensão limitada do tempo, de modo que um aviso com muita antecedência não terá efeito. Se a ocasião é o aniversário dele, convide apenas alguns parentes próximos. Uma boa regra é convidar um amigo por ano de idade. Portanto, se seu bebê está fazendo 2 anos, convide dois amiguinhos. Muitos pais não aderem a essa orientação, mas tente pelo menos limitar o número de crianças àqueles com quem seu filho brinca com frequência – seus companheiros de todos os dias.

Se a ocasião é para comemorar um dia especial para outra pessoa – digamos, o aniversário de um irmão ou de um dos avós – ajude seu filho a compreender o significado desse dia especial. Incentive-o a fazer algo para a ocasião – um desenho, um objeto com bloquinhos de montar, um cartão ditado por ele, escrito por você e assinado com um rabisco das mãozinhas infantis. Se a criança é muito pequena para artesanato, sugira que ele doe um dos seus brinquedos para a pessoa ("É o aniversário da vovó. Você gostaria de lhe dar essa bonequinha?"). Outro ótimo presente para um avô é ensinar seu filho a cantar (ou bater palmas) "Parabéns a você".

DO COMEÇO AO FIM: Quando pais de uma criança com 1 ano de idade fazem um grande churrasco, eu sei que é mais para eles do que para seu filho. As melhores festas de aniversário que têm a criança como foco têm pouca estrutura e curta duração. Elas começam com brincadeiras e terminam com doces, bolo e o soprar das velinhas. Não importa qual seja a ocasião, tente limitar a celebração a duas horas. Eu conheço muitos pais que contratam palhaços e artistas de todos os tipos para festas de bebês, mas vamos combinar, bebês não precisam de entretenimento. Uma mãe me contou recentemente sobre uma festa de 1 ano na qual a criança acabou chorando e teve de sair de sua própria festa! Se você contratar animadores, pelo menos verifique se cantam músicas que as crianças conhecem.

Se você tiver em mente que o objetivo aqui não é apenas celebrar datas importantes, mas também dar às crianças uma sensação de ligação com a família, e começar a aprender bons modos e generosidade, isso guiará suas ações. Se a festa é para a pequena Susie, não se esqueça de fazer com que ela diga "obrigada", ou pelo menos diga por ela, sempre que alguém entregar um presente. Se a festa é para um irmão ou outro parente, ou se é um almoço de Dia das Mães, garanta que Susie fará ou dirá algo importante para o celebrante.

Acompanhamento: Se a festa é para o seu filho, nunca é cedo demais para começar a ensiná-lo a enviar bilhetes de agradecimento. Mesmo que a criança não saiba ler, escrever ou se expressar verbalmente, você pode escrever por ela, ler em voz alta e deixá-la "assinar" com seus rabiscos. O bilhete deve ser curto o suficiente para seu filho entender:

Querida vovó,
Obrigada por vir à minha festinha. Adorei minha boneca nova. Obrigada por me dar esse presente.

Com amor,
Mabel

Feriados. É maravilhoso ver como muitas famílias, hoje em dia, tentam proporcionar aos filhos experiências que retenham o significado original do feriado e tornar essas datas menos materialistas. Obviamente, não é fácil combater o materialismo que tomou conta de nossa cultura.

INTENÇÃO: Comemorar feriados com mais ênfase na razão para a data e menos nos presentes que se ganha.

PREPARAÇÃO: Compre um livro ilustrado que explique o feriado e leia-o para seu filho. Pense em outras maneiras de fazer com que seu filho participe das festas, que não seja recebendo presentes – por exemplo, decorando, fazendo presentes para outras pessoas, ajudando a fazer biscoitos. Use os feriados como um momento para lembrar as crianças de abrirem mão dos brinquedos que não usam mais, dando-os a crianças carentes.

DO COMEÇO AO FIM: Peguemos como exemplo as festas de fim de ano (embora esses princípios se apliquem a qualquer feriado). Independentemente de você celebrar Natal, Hanukkah ou Kwanza, comece o dia em um templo ou igreja ou com amigos. Antes de qualquer outra festividade, reserve um tempo para contar histórias e refletir. Quando as crianças são educadas com valores espirituais, elas se tornam surpreendentemente sensíveis às necessidades dos outros. Ajude as crianças a aprenderem o comedimento também, talvez permitindo que abram apenas um presente na véspera do feriado. De qualquer modo, limite o número de presentes que seu filho ganhará.

Acompanhamento: Veja o Acompanhamento de Datas da Família, na página anterior. As crianças devem escrever bilhetes de agradecimento também para presentes de Natal e outras ocasiões.

R&R para sempre

Pais que criam rituais e rotinas para seus filhos os descrevem como uma "âncora" para a vida diária e para seus próprios valores. Esses eventos e práticas permanecem com a criança, mesmo enquanto ela dá saltos em seu desenvolvimento e se torna cada vez mais independente. Não é apenas uma questão dos rituais em si, mas a forma como os pais pensam sobre eles. R&R traz uma espécie de consciência para a vida diária e para ocasiões especiais que mantém pais e filhos em maior equilíbrio. Nos próximos capítulos, abordo outros tipos de rituais de família, entre eles os rituais que marcam as mudanças no desenvolvimento (desmame), facilitam transições (a chegada de um novo bebê), e até mesmo aqueles que ajudam as crianças a lidar com suas emoções (tempo de afastamento). Reservar tempo para realizar esses rituais e, assim, diminuir o ritmo agitado da vida, não apenas nos ajuda a estreitar nossos laços, mas também torna todo e qualquer momento mais especial.

CAPÍTULO QUATRO

Chega de fraldas:
a luta pela independência

Comparações são odiosas.

— Ditado popular do século XIV

É bom ter um destino para a nossa
jornada, mas é a jornada que importa, não
o destino.

— Ursula K. Le Guin

Quanto antes *não* é melhor

Recentemente, visitei Linda, cuja filha, Noelle, estava com apenas 1 mês de idade. Durante a minha visita, seu filho de 15 meses, Brian, estava brincando com seu melhor amigo, Skylar. Como eu estava no processo de escrita deste livro, prestei atenção especial nos meninos (e, por sorte, a pequena Noelle estava dormindo profundamente durante a primeira hora em que estive lá).

Enquanto os observávamos, Linda explicou que ela e Sylvia, mãe de Skylar, conheceram-se em um seminário para pais quando ambas estavam grávidas, e ficaram entusiasmadas ao descobrirem que residiam tão perto uma da outra. Como era o caso naquele dia, quando uma delas tinha um compromisso ou algo a fazer na rua, a outra geralmente cuidava dos meninos. Por essa razão, seus filhos passavam o tempo juntos desde o nascimento, literalmente. Linda virou-se para mim em determinado momento, enquanto os meninos brincavam, e explicou, quase que se desculpando: "Você sabe, Skylar faz tudo primeiro. Isso é porque ele nasceu três semanas antes do Brian." Depois, com mais que uma pitada de ansiedade na voz, ela logo acrescentou: "Mas Brian está se saindo bem, você não acha?"

Infelizmente, eu encontro muitos pais como Linda. Em vez de aproveitarem cada uma das fases de desenvolvimento e prestarem atenção *ao momento*, eles medem a todo instante o progresso de seus filhos, preocupam-se em excesso e tentam fazê-lo "ir mais rápido". Eles tendem a comparar seus filhos com outras crianças. Seja no grupo de pais e filhos, no parque ou na sala de estar brincando com outras crianças, todos os pais parecem estar em uma competição. A mãe cujo filho anda primeiro alardeia o fato; aquelas cujos bebês ainda não estão andando se sentem mal. Essas se perguntam: "Por que a Karen ainda não está fazendo isso?" ou, como Linda, dão desculpas: "Ele nasceu três semanas depois!"

Há pouco tempo, estive na festa de aniversário de duas crianças de 2 anos, Cassy e Amy, que nasceram exatamente no mesmo dia. Cassy andava por ali com bastante eficiência, enquanto Amy mal era capaz de puxar seu corpinho para se colocar de pé. No entanto, Amy já conseguia dar nome a objetos e chamar o seu cachorro pelo nome. É importante notar também que ela sabia que o veículo grande e barulhento que descia a rua era um "caaão" (caminhão), assim como o "caaão" de brinquedo que a menina tinha em casa. Observando Amy, a mãe de Cassy me perguntou: "Por que Cassy ainda não fala?" Mal sabia ela, mas pouco antes a mãe de Amy me questionara por que a filha ainda não andava. Expliquei a cada uma que, quando uma criança salta à frente no desenvolvimento físico, ela geralmente fica um pouco para trás no desenvolvimento da linguagem e vice-versa.

As comparações são apenas parte do problema que, na verdade, começa já nos primeiros meses. Os pais veem as ocorrências normais do desenvolvimento como realizações dos seus filhos: "Olhe, ele está mantendo a cabeça de pé!", "Oh, ele consegue rolar o corpo!", "Agora ele pode sentar!", "Oooh! Ele está de pé!". Tais comentários sempre me deixam intrigada, porque esses marcos do desenvolvimento não são realmente *conquistas*. Pelo contrário, cada um dos marcos é um modo de a Natureza dizer: "Preste atenção: seu bebê está se preparando para a próxima etapa."

Nada de querer se mostrar

"Olhe", disse a Mamãe Orgulhosa aos seus convidados de fora da cidade. "Ele já sabe bater palmas." Então, quando seu filho ficou simplesmente sentado ali, ela disse, decepcionada: "Ah, ele bateu palmas hoje de manhã."

As crianças não são artistas de circo. Os pais não devem lhes pedir para fazer truques para os avós ou amigos adultos. O filho da Mamãe Orgulhosa pode não ter entendido as palavras da mãe, mas ele certamente ouviu seu tom de voz e viu a decepção em seu rosto, quando ele não respondeu na hora.

As crianças fazem exatamente o que podem fazer, *quando* podem fazê-lo. Se podem bater palmas, elas fazem isso. Elas não se recusam a fazê-lo de propósito. Ao pedir que seu filho faça algo que ele pode ter feito uma vez, você está colocando o seu filho no caminho para o fracasso e desapontamento. E, se por acaso ele realmente fizer o que você deseja quando você pedir, ele poderá receber aplausos, mas então você estará demonstrando apreciação pela capacidade dele de fazer um truque, em vez de aplaudir quem ele é.

Chega de fraldas: a luta pela independência

É claro que parte da pressão acumulada sobre os pais hoje em dia vem dos avós. Uma pergunta como: "Por que a Lucia ainda não senta?" de um pai ou outro parente é suficiente para causar extrema ansiedade em algumas mães ou pais. Ainda pior são os comentários do tipo: "Você não acha que deveria colocá-la apoiada em algo para ela aprender a sentar?" Meu Deus! Isso implica não só que a pequena Lucia deve ser lenta, mas também que a mamãe e o papai não estão fazendo o suficiente.

Claro, é normal pais e avós animarem-se com o aumento das capacidades do bebê em crescimento. E algum grau de comparação é natural e até desejável, *desde que* você observe as outras crianças com olhos não competitivos. Certamente, pode ser reconfortante ver por si mesmo a grande variedade de padrões de comportamento e crescimento existente em faixas "normais" do desenvolvimento. No entanto, quando os pais se interessam *demais* por comparações ou tentam acelerar o processo "treinando" seus filhos, eles fazem uma grande injustiça com as crianças. Em vez de darem ao pequeno uma vantagem, eles tendem a lhe dar ansiedade.

Para reduzir as competições e evitar que os pais coloquem pressão, organizo as brincadeiras em grupo de forma bastante relaxada. Utilizo um formato (veja a página 226) no qual, por exemplo, incorporo ao final de cada sessão um pouco de música, que é uma forma adorável e relaxante de encerrar as atividades. Afasto-me de qualquer coisa que se assemelhe a aula, porque o objetivo é a socialização e não a educação. Porém, pelo que tenho ouvido e observado em outras classes, esse nem sempre é o caso. Em alguns grupos para pais e filhos, em vez de ensinar os pais a observarem sinais de que o filho está prestes a andar, o instrutor orienta mães e pais a segurarem os filhos de pé, supostamente para reforçar suas pernas e, assim, levá-los a ficar de pé mais cedo.

O problema é que, enquanto algumas crianças conseguem ficar de pé (porque já estão em seu tempo para isso), outras não conseguem. Confie em mim, querida, um pai pode passar uma hora inteira, semana após semana, puxando a criança para cima, mas seu bebê irá cair de bumbum no chão sempre que for largado, a menos que esteja pronto para ficar de pé.

Em vez de aceitar isso, o pai, então, compra um aparelho ou dispositivo destinado a fazer uma criança andar "mais cedo". No entanto, o fato de a criança estar preparada não tem nada a ver com ginástica ou engenhocas.

O que acontece depois é ainda mais angustiante. Quando a criança estatela-se no chão, mamãe e papai sentem-se decepcionados. As outras crianças da classe estão "à frente" dela. E como você acha que ela se sente com isso? Na melhor das hipóteses, ela fica confusa: "Por que meus pais estão me puxando para cima o tempo todo e parecendo tão tristes por causa disso?" Na pior das hipóteses, este é o começo de um padrão vitalício que pode prejudicar sua autoestima: "Eu não estou correspondendo às expectativas dos meus pais e não sou amada por quem eu sou, então não devo ser muito boa."

A verdade é que, aos 3 anos, todos fazem praticamente a mesma coisa, não importa o que seus pais tenham feito *por* eles (belo resultado para todas aquelas tentativas de acelerar as coisas, hein?). O desenvolvimento segue o que eu chamo de *progressão natural,* que acontece de forma automática. Algumas crianças se desenvolvem mais rapidamente em termos físicos, enquanto outras fazem progressos mais rápidos em termos mentais ou emocionais. Seja qual for o caminho que tomam, é provável que os bebês sigam seus pais, porque a taxa e padrão de desenvolvimento é, em grande parte, um fenômeno genético.

Isso não significa que você não deve brincar com seu filho ou incentivá-lo. Isso não significa que você se recusará a ajudá-lo quando ele demonstrar interesse em uma nova habilidade. Isso significa, sim, que você precisa ser um guia observador, em vez de um professor agressivo. Eu sou a favor de promover a independência das crianças, mas você deve dar ao seu filho o *tempo* de que ele precisa para ficar pronto. Você deve permitir que o corpo e a mente dele tomem a dianteira, em vez de tentar convencê-lo a se superar.

Neste capítulo, ajudarei você a entender os sinais que deve observar, quando intervir e o que você pode fazer para guiar o curso natural de desenvolvimento do seu filho rumo a uma crescente independência. Muita coisa será abordada aqui – mobilidade, atividades como brincar, comer, vestir-se e treinamento de toalete (nos próximos dois capítulos, abordo o crescimento cognitivo, emocional e social). Ao ler cada seção a seguir, peço que você se lembre do mantra H.E.L.P.

H.E.L.P.

Contenha-se: Espere que seu filho dê sinais de prontidão antes de intervir.

Incentive a exploração: Dê ao seu filho oportunidades de acordo com a prontidão dele – para que ele tente novos desafios e amplie seu repertório.

Defina limites: Fique dentro do "triângulo de aprendizagem" (veja páginas 118-123) da criança, tendo o cuidado de nunca permitir que seu filho tente algo que leve à extrema frustração, a um elevado estado emocional ou ao perigo.

Elogie: Aplauda um trabalho benfeito, uma nova habilidade dominada e um comportamento admirável, mas nunca exagere.

Criança à solta – cuidaaaado!

A força motriz da primeira infância é a mobilidade. Seu filho está em movimento e quer continuar à toda. Na cabeça dele, todo o resto – incluindo alimentação e sono, infelizmente – impede o seu progresso. Mas pense na maravilha que há nisso: nos primeiros 9 ou 10 meses de sua vida, o seu filho já se transformou de um bebê indefeso, com pouco controle sobre seus membros, em uma criancinha que pode correr pela casa naquilo que tiver para levá-lo – os joelhos, o bumbum ou os pés. Além do mais, sua crescente força física lhe dá uma nova perspectiva. O mundo parece diferente quando você pode se sentar, e mais ainda quando você se levanta. E, minhas amigas, quando você pode caminhar sem ajuda de ninguém, então você pode se mover na direção das coisas que gosta e se afastar daquilo que lhe dá medo. Em outras palavras, você está por conta própria!

Tenha em mente que cada passo na escada do desenvolvimento acontece de forma lenta e em seu próprio tempo. Afinal, uma criança não se "senta" realmente aos 8 meses. Durante todo esse tempo, seu corpo está amadurecendo e seus membros ganham força. Em geral, leva dois meses ou algo em torno disso para que o bebê possa avançar do ponto de sentar-se desequilibradamente por conta própria até ser capaz de se colocar na posição sentada. O mesmo vale para o engatinhar. A partir do momento em que seu filho começa a "nadar" deitado sobre a barriga e fazer movimentos de chutes com as pernas, ele está praticando os *componentes* do engatinhar. Ainda levará quatro ou cinco meses para que todas as peças necessárias finalmente se encaixem.

A tabela nas páginas 112-114 mostra os *marcos da mobilidade* – o desenvolvimento típico que transforma bebês em criancinhas que se movem. Obviamente, enquanto a fisiologia do seu filho amadurece, o mesmo ocorre com o senso de si mesmo e sua consciência social, sua capacidade de lidar com o estresse e a separação. Não podemos fingir que as várias áreas do desenvolvimento não têm nada a ver uma com a

---

O dilema do engatinhar

Há muito foi comprovado que algumas crianças passam direto do estágio de sentado para de pé. Hoje, o número dessas crianças está crescendo. A razão para isso, segundo os cientistas, é que hoje os bebês passam menos tempo deitados de bruços, um resultado da preocupação com a Síndrome de Morte Súbita do Lactente (SMSL).

Antes de 1994, quando a campanha *Back to Sleep* (De volta ao sono) foi lançada, a maioria dos bebês era colocada de rosto para baixo para dormir, e desejando ver melhor o mundo, eles aprendiam a se virar – um precursor do engatinhar. Mas agora que os pais são rotineiramente aconselhados a colocar os bebês para dormir de costas, os pequenos já não precisam virar-se.

Dois estudos recentes, um realizado nos Estados Unidos e outro na Inglaterra, concluem que muitos bebês que dormem de costas (um terço, no estudo norte-americano) não viram o corpo nem engatinham no tempo esperado e alguns saltam totalmente o estágio do engatinhar. Mas não se preocupe se seu filho é um deles. Aos 18 meses, praticamente não há diferenças de desenvolvimento entre aqueles que engatinham e aqueles que não engatinham – e ambos começam a andar na mesma idade. Também não há nenhuma validade na crença antiga de que engatinhar é necessário para o desenvolvimento do cérebro.

---

outra. Ainda assim, a capacidade física é um bom ponto de partida. O estado do corpo do seu filho determina se ele pode sentar-se à mesa e comer, que tipos de brinquedos ele pode manipular e como ele se comporta com outras crianças.

Ao ler a tabela, tenha em mente que o controle precoce dos músculos é hereditário. Embora cerca de metade de todos os bebês possa andar aos 13 meses, se você ou seu parceiro andou tarde, é provável que seu filho também avance por esses estágios depois dos amiguinhos. Algumas crianças compensam o atraso, enquanto outras ficam para trás por alguns anos. Aos 2 anos, o seu filho pode não ser tão ágil como alguns de seus colegas que conseguem saltar e correr, mas aos 3 anos de idade, as diferenças, se existirem, serão mínimas.

Independentemente da taxa individual de desenvolvimento do seu filho, ao longo do caminho existirão quedas, decepções e, até mesmo, certa regressão. Se ele cair feio e se machucar hoje, será lógico supor que amanhã poderá sentir alguma hesitação ao se levantar. Mas não se preocupe – logo ele retomará suas tentativas. À medida que o seu filho ficar mais equilibrado sobre os pés descalços, incentive-o a experimentar diferentes tipos de superfícies – isso melhorará o seu controle motor.

> **DICA:** Se o seu filho cair, não se apresse em intervir; primeiro observe se ele está realmente machucado. Sua ansiedade também poderá machucá-lo, ao assustá-lo e abalar sua autoconfiança.

Você perceberá que raramente menciono idades "típicas" para as várias etapas. Isso porque quero que você preste mais atenção ao *processo* que ao resultado final. Mesmo que seu filho esteja "atrasado", ele provavelmente está no tempo certo para ele. Nós, adultos, também temos de fazer as coisas em nosso próprio tempo. Pense, por exemplo, em você mesmo na academia. Para poder dominar um novo equipamento, seus músculos, sua coordenação e seu cérebro têm de pegar o jeito antes de parecer que você sabe o que está fazendo. Da mesma forma, se você iniciar uma nova aula de aeróbica, os movimentos parecerão es-

E-mail de uma mãe sábia

Um modo de lidarmos com os "terríveis 2 anos", como têm sido chamados de modo tão inapropriado, é chamando-os de "os incríveis 2 anos". Eu pensava no meu filho, Morgan, como alguém que sofre de TPM 24 horas por dia, o ano inteiro, e conseguia me identificar com suas birras, crises e "mau" comportamento. Eu lembrava de mim mesma durante a TPM e como me sentia impotente, cheia de hormônios e como minhas emoções estavam lá em cima num minuto e lá embaixo no outro. Imagine ter 2 anos e não ter ideia da razão para sentir o que você sente, e toda essa gente ficando zangada ou frustrada com você – e você nem consegue explicar como se sente ou o que realmente quer, porque não tem a mínima ideia de como se sentir melhor! Tenho 32 anos e sei o que estou passando, mas ainda sinto como se não pudesse lidar com isso. Eu não posso sequer começar a imaginar como uma criança se sente. Assim, apenas rezamos e amamos Morgan enquanto ele passava por tudo isso. Nós já lhe demos muito apoio antes, de modo que amá-lo mesmo com as frustrações, reorientá-lo quando estava em perigo, argumentar da melhor maneira que podíamos e apoiar uns aos outros durante essa etapa foi apenas mais uma progressão simples.

tranhos no início, tanto para sua mente quanto para o seu corpo. Você pode ser um aluno rápido e pegar o jeito com facilidade ou pode precisar de mais prática que os seus colegas. Doze semanas depois, será difícil dizer que seu início foi meio lento.

O mesmo é válido para a criança e para cada novo patamar do desenvolvimento que ela experimenta. Se você observar atentamente, verá os sinais da prontidão dela e poderá incentivar o seu progresso natural. Respeite quem ela é, em vez de ficar ansiosa ou tentar apressá-la; perceba que ela está bem onde deveria estar. Se você acha que seu filho está muito atrás das outras crianças em seu grupo, ou que mesmo após você se conter para intervir ele não parece estar respondendo, leve suas preocupações ao pediatra, em sua próxima consulta. Uma conferência rotineira dos marcos do desenvolvimento indicará se existe algum problema.

Mais uma coisa: *saltos do desenvolvimento agitam muito o ritmo normal das coisas.* Fico muito animada quando recebo e-mails como o do quadro ao lado – essa mãe certamente tem uma ótima atitude. Ainda assim, muitas vezes ouço comentários de pais que veem as mudanças apresentadas por seus filhos como se fossem ruins: "Ele costumava dormir durante a noite. Então ele começou a se levantar e agora não consegue mais permanecer deitado. O que há de errado com ele?" Nada está *errado*. Seu filho está ficando mais velho e mais independente. Ele pode ficar confuso em alguns momentos, mas cabe a você lhe dar oportunidades para usar suas habilidades recém-descobertas (veja dica abaixo).

DICA: Manifestações de mobilidade sem precedentes muitas vezes causam distúrbios do sono. Os membros do seu filho estão agitados pelos movimentos, quase como nos sentimos após uma sessão pesada na academia. Ele não está acostumado. Seu filho pode começar a acordar durante a noite, ficar de pé no berço e chorar pedindo a sua presença, porque ainda não sabe como abaixar. Você precisará ensiná-lo... durante o dia. Coloque-o no berço durante parte do período de brincadeiras da tarde (você já deve estar fazendo isso rotineiramente, de qualquer maneira – veja páginas 84-85). Quando ele levantar, pegue suas mãozinhas, coloque-as nas barras verticais do berço e, com as suas mãos sobre as dele, deslize-as gentilmente para baixo. Enquanto as mãos dele descem, isso o fará curvar os joelhos e sentar. Depois de apenas duas ou três vezes, ele aprenderá.

A realidade é que os bebês passam por fases. No exato momento em que você se acostuma com o jeito como ele está, ele muda novamente. Verdade seja dita, a única coisa que você pode esperar da vida do seu filho é a mudança. Você não pode controlá-lo e não pode (nem deve querer) pará-lo. Mas você pode mudar a sua atitude em relação a isso. Pense em como mudanças podem perturbar um adulto – alguém consegue um novo emprego, um parente morre, ocorre um divórcio ou um novo bebê vem ao mundo. Agora, imagine como é ser um bebê! Aprecie a natureza e a velocidade das mudanças na vida do seu filho e, mais importante, dê uma interpretação positiva a elas. Em vez de exclamar com pesar "Ah, meu Deus! Ele está diferente agora", assimile a maravilha disso tudo.

Marcos da mobilidade

Conquista	Estágios pelos quais as crianças passam	Dicas/comentários
Sentar	Se colocado na posição, senta-se sem ajuda, firmado por seus próprios braços, mas o equilíbrio é ruim; a postura é rígida e robótica, como um bebê Frankenstein sem as costuras.	Coloque almofadas em torno dele, para segurança.
	Estende a mão para pegar um brinquedo, sem cair.	
	Gira o corpo de um lado para outro.	
	Coloca-se na posição sentada sem ajuda.	
Engatinhar	Pratica "natação" de barriga para baixo e chutando – movimentos que usará para engatinhar.	
	Percebe que, se retorcendo, poderá se locomover.	
	Usando os pés para empurrar, ele engatinha para trás.	Esse estágio pode ser muito frustrante; se ele tenta pegar um brinquedo, acaba se afastando dele ainda mais.
	Ele começa a mover-se para a frente com movimentos de torção de corpo.	Depois que ele começar a se mover, deixe as tomadas elétricas cobertas e os cabos fora do seu alcance; não deixe uma criança com menos de 2 anos sem supervisão (veja o quadro da página 117 e outras dicas de segurança na página 124).
	Levanta-se de quatro e balança o corpo.	

Chega de fraldas: a luta pela independência

Conquista	Estágios pelos quais as crianças passam	Dicas/comentários
	Finalmente, os braços e as pernas operam juntos.	Crianças que preferem engatinhar a andar passeiam pela casa toda assim. Mas, se o seu filho pular esse estágio, não fará mal nenhum (veja o quadro da página 108).
Ficar de pé	Na primeira infância, exibe um reflexo de pernas rígidas, que então desaparece. No quarto ou quinto mês, delicia-se ao "ficar de pé" no seu colo, com suas mãos firmes sob as axilas dele.	
	Impulsiona o corpo para colocar-se de pé	Quando ele conseguir impulsionar-se até uma posição de pé, ofereça os seus dedos para ajudá-lo a ficar um pouco mais estável nesta posição.
Mover-se de um lado para outro	Anda segurando-se nos móveis ou na mão de alguém. Solta-se, primeiro com uma das mãos.	Se ele está fazendo isso há dois meses ou mais e ainda não tem confiança suficiente para soltar-se, tente mover os objetos nos quais ele geralmente se segura – digamos, uma cadeira e uma mesa – um pouco mais para longe. Ele terá de reunir coragem para percorrer sozinho aquele espaço.
Dar os primeiros passos	Olhe, mamãe! Sem as mãos! Anda experimentalmente por conta própria, mas cai para a frente se perde o impulso.	Uma vez que o seu filho começa a dar os primeiros passos, mantenha o piso sem obstáculos e garanta que não existam bordas afiadas nas quais ele possa bater a cabeça. À medida que ele fica cada vez mais estável de pés descalços, incentive-o a experimentar diferentes tipos de superfície – isso melhorará seu controle motor.

Conquista	Estágios pelos quais as crianças passam	Dicas/comentários
	Ganha controle crescente dos músculos e é mais capaz de lidar com a cabeça ainda grande demais; não precisará olhar para os pés ao andar.	Fique de olho nele em todos os momentos, garantindo, por exemplo, que todos os objetos (cadeira, andador, brinquedo de empurrar) nos quais ele se segura não sejam leves a ponto de virarem.
Andar	Após mais ou menos um mês dando passinhos, com muitos quilômetros acumulados de prática, ele pode expandir seu repertório: Anda e carrega um brinquedo. Anda e olha para cima. Consegue estender a mão acima da cabeça ao andar. Consegue virar-se, subir e descer rampas, agachar-se e se levantar novamente com pouco esforço.	Libere o caminho, querida. Assim como o Pinóquio, o seu bonequinho transformou-se em um menino (ou menina) de verdade! Se há portas de vidro na sua casa, agora é hora de cobri-las com película – uma criança que já sabe andar, mas que ainda não consegue parar de imediato, pode colidir com uma porta de vidro e se ferir.
Tudo o que você pensar! (Correr, saltar, girar, chutar, dançar, escalar...)	Ele consegue pular, girar e dançar. Ele corre constantemente e até brinca de pega-pega com os amiguinhos. Entra afobado pela casa e tenta subir em tudo e entrar em todos os lugares.	Ele não tem senso do que é ou não é seguro, de modo que você precisará ter olhos atrás da cabeça. Dê a ele oportunidades para escalar, mas aponte aquilo em que ele não pode fazer isso – como o sofá da sala de estar (veja mais sobre mantê-lo *fora* do sofá nas páginas 80-81).

Brincando sozinho

Brincar é a real essência da primeira infância. É durante a brincadeira que ocorre grande parte da aprendizagem e do desenvolvimento mental. Há várias maneiras de brincar – sozinho ou com outras crianças (veja sobre encontros para brincar e grupos de brincadeiras nas páginas 223-229), dentro ou fora de casa, com brinquedos ou com objetos encontrados pela casa. A brincadeira constrói as habilidades motoras, melhora a mente do seu filho e o prepara para o mundo. Brinquedos e atividades devem ser apropriados para a idade (veja a seguir), e os momentos das brincadeiras também devem ser estruturados para incentivar seu filho a se divertir de forma independente e, quando for a hora de fazer outras coisas, ajudá-lo a parar de brincar.

Quando o seu filho estiver com 8 meses, ele deverá ser capaz de brincar de forma independente por quarenta minutos ou mais. Algumas crianças são naturalmente mais independentes do que outras, e algumas precisam mais de companhia. Se o seu filho está com quase 1 ano e ainda precisa de você sempre ao seu lado, isso pode ser ansiedade de separação (que é normal para crianças entre os 8 e os 18 meses de idade). Mas você também precisa se perguntar se lhe *permitiu* tornar-se independente. Você o carrega a todos os lugares? Você sempre se senta com ele quando está brincando? Você precisa do seu filho mais do que ele precisa de você? E será que assim você não está, sem querer, transmitindo ao seu filho a mensagem de que não confia nele sozinho? (veja o quadro da página seguinte).

Comece agora mesmo a enviar uma mensagem diferente. Por exemplo, se o seu filho está brincando no chão, levante-se e vá para o sofá. Aos poucos, afaste-se cada vez mais. Ocupe-se com alguma outra coisa, para não se concentrar exclusivamente nele. Depois de alguns dias, enfim saia do quarto. Comece a aumentar o tempo que seu filho pode brincar sozinho, sabendo que você está no cômodo ao lado (além disso, introduza um objeto de segurança, se ele ainda não tem um; veja páginas 194-196 e 298-302).

Construindo a confiança

O dicionário inclui as seguintes definições de "confiança" – segurança, crença firme, convicção, cuidado, confiabilidade, entrega aos cuidados de alguém. Cada significado da palavra ilumina vários aspectos do vínculo entre mãe/filho. Nós somos os guardiões dos nossos filhos e precisamos construir a sua confiança em nós, para que eles, por sua vez, possam confiar em si mesmos.

A confiança é uma via de mão dupla. Apoiar a capacidade do nosso filho para brincar sozinho permite que ele saiba que merece a sua confiança. Mas, primeiro, você precisa construir a confiança dele em você:

- Preveja as mudanças e pense nelas sob a perspectiva da criança.

- Torne as separações graduais.

- Não coloque mais responsabilidade sobre seu filho do que ele pode suportar.

- Não peça ao seu filho para fazer coisas que ele ainda não consegue.

Alguns pais têm o dilema oposto: seus filhos têm dificuldade para parar de brincar, sair do grupo de brincadeiras, vir para a mesa ou se preparar para dormir. As crianças precisam saber como delinear seu tempo livre – precisam entender que algumas atividades envolvem estimulação, imaginação, sensação e até mesmo sujeira, como ocorre em muitas brincadeiras; outras envolvem sentar-se, ficar quieto ou aconchegar-se, como as refeições ou a hora de deitar para dormir. As crianças que parecem entender isso são aquelas cujos pais dão aos períodos livres uma estrutura previsível, um começo, um meio e um fim.

Começo. Dê início a uma atividade divertida anunciando: "Agora é hora de brincar." Obviamente, você não tem como dizer isso *a cada vez* em que ele for brincar, porque grande parte do dia de uma criança tem a ver com brincar. Porém, tente, tantas vezes quanto possível, destacar o início da hora da brincadeira. Isso demonstra o que acontece também no mundo real – nas casas de outras crianças ou na creche e na pré-escola –, de modo que é bom ir acostumando o seu filho.

Meio. Durante os períodos de brincadeira, ofereça a quantidade mínima necessária de brinquedos. Por exemplo, quando der blocos de montar, não comece dando todo o conjunto de uma vez. No começo, uma criança de 1 ano pode lidar com quatro a seis bloquinhos, e uma de 1 ano e meio pode lidar com dez bloquinhos. Quando ela tiver 2 anos, estará pronta para todo o conjunto, pois já consegue construir uma torre e derrubá-la. Além disso, livre-se dos brinquedos que não são mais usados (veja o quadro da página 120).

Fim. As crianças pequenas não têm noção de tempo, de modo que não adianta nada você dizer: "Em cinco minutos quero que você pare de brincar." Em vez disso, dê um aviso verbal e visual. Enquanto você pega a caixa de brinquedos para guardar tudo, diga: "Está quase na hora de parar." No entanto, se ela estiver muito envolvida, não ignore isso, simplesmente. Talvez ela esteja tentando descobrir se o bloco quadrado pode ir no buraco redondo, e você precisa respeitar sua necessidade de terminar o que está fazendo. Ao mesmo tempo, lembre-se de que você é o adulto; é você quem estabelece os limites. Se a criança continua resistindo a parar ou se recusa a guardar os brinquedos, reconheça o que ela está sentindo, mas seja firme: "Estou vendo que você não quer parar agora, mas é hora do jantar." Finalmente, envolva-o em um ritual de arrumação (veja página 92).

> **Sinais de perigo potencial**
>
> Nunca deixe uma criança sem supervisão, antes dos 2 anos de idade. Coloque-a no berço ou cercadinho, ou deixe outro adulto tomando conta dela. Após os 2 anos de idade, se você sabe que uma área é segura para crianças, seu filho já brincou lá antes e você sabe que ele não estará sujeito a riscos, confiar nele e deixá-lo brincar sozinho por curtos períodos aumentará a confiança do seu filho. Ele também pode dar rápidas saídas do lugar onde você está. Entretanto, independentemente do quanto seu filho seja competente ou cauteloso, vá ver o que está acontecendo se ele estiver em silêncio ou se você ouvir:
>
> - Choro súbito.
> - Ruídos estranhos de coisas arrastadas.
> - Um baque alto, seguido por choro alto e súbito.

DICA: Se você sabe que o seu filho tem dificuldade para abandonar uma atividade ou terminar uma brincadeira, ajuste um cronômetro para o fim da brincadeira e lhe diga: "Quando o aparelho tocar, iremos [o que quer que seja a próxima atividade: comer, sair de casa, aprontar-se para dormir]." Quando o "controle" pertence a um objeto, você não precisa assumir o papel desagradável de chata de plantão.

O triângulo de aprendizagem do seu filho

Naturalmente, brincar não é apenas uma questão de quando, mas também do *quê*. Sugiro que os pais sempre permaneçam dentro do *triângulo de aprendizagem* do filho – isto é, apresentem tarefas físicas e mentais que a criança possa manipular e que lhe dão prazer *sem a necessidade de outra pessoa*. Atividades e brinquedos devem ser apropriados à idade, para estenderem as capacidades do seu filho, mas não devem ser tão difíceis ao ponto de levá-lo com frequência às lágrimas ou à frustração. Isso não quer dizer que não devemos desafiar as crianças, apenas que devemos apresentar dificuldades *razoáveis* e oportunidades para que eles possam solucionar os problemas em situações seguras. Obviamente, um pouco de frustração é bom – é assim que todos aprendem –, mas um número muito grande de derrotas faz com que as crianças desistam. Se você quer saber o que está no triângulo de aprendizagem do seu filho, atente para o que ele pode *fazer*.

Ele consegue se sentar. Ele fica feliz da vida quando é colocado no chão da cozinha, explorando potes e panelas, ou quando está na grama, examinando as folhinhas individuais ou ramos ao seu alcance. Sua destreza manual já está nitidamente melhor agora, e ele tem uma coordenação mão-olho melhor. Na verdade, se antes a boca era usada para explorar o mundo, agora as mãos são seu instrumento mais útil. Ele pode olhar para um objeto, pegá-lo e transferi-lo de um lado para outro. Atividades favoritas incluem brincadeiras como fazer bolinhos de terra, esconder, rolar uma bola e virar as páginas de um livro resistente. Agora, ele também consegue fazer movimentos de pinça com os dedos, o que significa que tende a encontrar migalhas no chão que o seu aspira-

Chega de fraldas: a luta pela independência

dor de pó deixou para trás. O seu pequeno sentirá prazer por usar os dedos como ferramenta para explorar, cutucar e sentir. Embora ele possa pegar coisas, ainda não sabe muito bem como largá-las. Esta é a hora de começar a impor limites com ações, se não com palavras (veja dica na página seguinte).

Ele consegue engatinhar. Seu filho está ganhando um melhor controle sobre todos os seus músculos agora. Ele consegue apontar e fazer gestos, abrir e fechar as coisas, abanar a cabeça, lançar desajeitadamente uma bola e colocar um bloco em cima do outro. Ele gosta de brinquedos musicais com botões, mostradores, alavancas e brinquedos que respondem, como uma caixinha da qual salta um boneco quando aberta, que alguns meses atrás poderia assustá-lo. Agora, ele pode deixar cair coisas e recolhê-las. Em virtude da mobilidade, talvez você o encontre vasculhando um armário cuja segurança você (espero) aumentou (sem objetos cortantes, quebráveis, pesados demais ou pequenos o suficiente para serem engolidos). No entanto, a capacidade de concentração é pequena, e ele passará rapidamente de um para outro brinquedo, porque está mais interessado em ir a muitos lugares que em fazer apenas uma coisa. Ele gosta de derrubar a torre de blocos que você construiu para ele, mas pode não ter a paciência para esperar que mais de dois bloquinhos sejam empilhados. Uma brincadeira simples de esconder ajuda-o a começar a entender a permanência do objeto – a ideia de que o fato de não vermos algo (ou alguém) não significa que o objeto (ou pessoa) não esteja lá. Seu filho adora fazer barulho com coisas e agora já consegue coordenar as duas mãos e, portanto, bater com uma colher em uma panela. No quintal, em um dia ensolarado, espirrando água de um balde (com você ao lado para mantê-lo seguro), ele pode ter os sons e as sensações que deseja. Entretanto, independentemente do que você dê a ele, com a crescente mobilidade e curiosidade, você tem a *impressão* de que a única coisa que lhe desperta o interesse é aquilo que pode machucá-lo ou estragar sua casa. Portanto, este é o momento para se certificar de que a sua casa e jardim são à prova de acidentes (veja o quadro da página 124).

DICA: Quando o seu filho estiver indo na direção de uma tomada, panela quente ou algo frágil, não apenas o alerte ("Não toque nisso") – mas também aja. Lembre-se de que neste estágio as ações falam mais que as palavras. Você tem três opções: (1) distraia o seu filho ("Olhe, amorzinho, um cachorro!"); (2) interrompa (às vezes, chamá-lo é suficiente); ou (3) afaste-o completamente. Dê uma explicação simples: "Isto é perigoso" ou "Está quente" ou "Este é o prato da mamãe, não um brinquedo".

Ele consegue ficar de pé e se movimentar em todas as direções.
Agora, o seu bebê tem uma perspectiva totalmente diferente, porque pode ver o mundo de uma posição ereta, e suas habilidades cognitivas também se ampliaram. Ele pode oferecer um biscoito a você e então retrair a mão e rir – os primórdios de um senso de humor pela provocação. Ele pode deixar cair coisas quando estiver no cadeirão somente para ver o que acontece e também para ver como a mãe reage. Ele considera imensamente interessante o simples colocar-se de pé. A recompensa é ampliada, porque agora é possível pegar coisas em um nível mais alto. Os objetos frágeis em sua casa, que ele sempre considerou interessantes, agora estão *acessíveis*. Tenha cuidado! Novamente, a segurança é fundamental: enquanto seu filho agarra-se a vários objetos para conseguir colocar-se de pé, ele e o objeto podem facilmente cair. Com o senso cres-

---

Casa limpa!

O número de brinquedos que vemos na maioria dos quartos infantis hoje em dia é chocante. Para começo de conversa, além de comprarem coisas demais, os pais nunca se livram dos brinquedos que não interessam mais à criança ou já não são apropriados para o seu desenvolvimento. Coloque brinquedos não usados no sótão para outros filhos que você venha a ter ou doe-os a um orfanato. Eu prefiro a segunda alternativa, especialmente se você envolver os seus filhos no processo. Nunca é cedo demais para ajudar as crianças a verem o benefício das boas ações. Torne isso um ritual, talvez marcando uma data a cada três a seis meses na agenda da família como o "Dia de Doação de Brinquedos". Se o seu filho é pequeno demais ou reluta muito em ajudá-la a separar tudo, faça isso enquanto ele dorme. Ele provavelmente nem perceberá a ausência de determinado brinquedo. Se perceber, devolva-o, porque deveria ser um dos seus favoritos.

cente de autonomia, ele tende a indignar-se caso você interfira, de modo que é particularmente importante lembrar-se do mantra H.E.L.P. Observe-o, mas não interfira, a menos que ele lhe peça para participar ou esteja indo na direção de algo perigoso. Dê oportunidades para que ele explore suas novas capacidades físicas. Coloque música para tocar e o convide a dançar. Os melhores brinquedos são aqueles bem resistentes, nos quais ele pode se segurar, com peças que giram, se abrem e fecham, de modo que possa usar sua destreza recém-descoberta. Agora, você pode lhe mostrar um balanço, mas tenha cuidado. Use um balanço de bebê (protegido) primeiro, até que ele aprenda a se segurar e tenha um maior equilíbrio.

Ele consegue caminhar. Inicialmente, quando seu filho andar rápido, terá problemas para parar. Porém, quando ele estiver razoavelmente estável ao se colocar de pé, dê brinquedos que ele possa empurrar ou puxar (se dados antes, esses brinque-

Brinquedos de menino? Brinquedos de menina?

Eu percebi, no grupo para pais e filhos que conduzo, que mães de meninos – e mães de meninas com menos intensidade – têm ideias muito definidas sobre o tipo de brinquedo que é apropriado ao gênero dos seus filhos. Por exemplo, Robby, de 19 meses, adorava as bonecas na caixa de brinquedos, mas sua mãe, Eileen, sempre intervinha quando ele pegava uma. "Isto é para menininhas, querido." O pobrezinho ficava desolado. Quando conversei com Eileen sobre isso, ela explicou que seu marido ficaria chateado se soubesse que o filho brincava com bonecas.

Acho isso uma besteira enorme. Assim como incentivamos as crianças a brincarem com aquilo que lhes ensina novas habilidades e ampliam o seu desenvolvimento cerebral, devemos encorajá-las a ir além dos estereótipos de gênero. Quando um menino brinca com boneca, ele aprende a demonstrar carinho. Quando uma menina brinca com um caminhão de bombeiro, ela aprende sobre emoção e ação. Por que deveríamos negar a qualquer um deles uma gama completa de experiências? Afinal, quando os bebês de hoje crescerem, eles precisarão ser *tão* carinhosos *quanto* competentes.

dos às vezes são mais rápidos que a criança e poderão causar quedas de cara no chão). Depois que ele estiver andando por um mês ou mais, levantar coisas, levar, trazer e carregar objetos o manterão ocupado e contente, ajudando também a melhorar o equilíbrio e a coordenação mão-olho. Uma boa ideia é lhe dar uma mochila ou sacola pequena, para que ele possa guardar e retirar quantas vezes quiser seus brinquedos favoritos e levá-los aonde for. Agora, ele demonstra uma clara preferência por certos objetos ou atividades, porque entende muito mais sobre tudo. Ao compreender, entre outras coisas, o conceito de posse, ele pode demonstrar mais ciúme de certos brinquedos, especialmente na presença de outra criança. Contudo, ele também pode se tornar o seu pequeno ajudante. Para o ritual de dormir, eu digo: "Escolha o seu livro e então eu vou levá-lo para o banho." Ele pode tirar o pijama de uma gaveta baixa, estender uma toalha e colocar os brinquedos que desejar na banheira. Embora ele possa ligar a torneira, eu não aconselho a incentivar isso. Ele pode se ver tentado fazê-lo quando você não estiver por perto e se queimar com a água quente. Se você tem um balanço no quintal ou há um em uma pracinha próxima, tenha cuidado. Às vezes, os assentos ficam exatamente na altura da cabeça da criança quando ela está de pé, e ao caminhar a criança pode colidir em cheio com o balanço.

Ele consegue caminhar, escalar, saltar e correr bem. Ele é bastante habilidoso com as mãos agora; assim, ofereça muitas oportunidades para parafusar e desparafusar, bater, construir e derramar líquidos. Incentive experiências físicas dando-lhe um tapete de espuma onde possa pular e rolar. Neste estágio, ele também começará a resolver problemas – digamos, mover um banco-escada para perto de um armário quando enxergar um brinquedo alto demais para pegar. Ele também poderá lhe ajudar em pequenas tarefas, como fazer salada ou levar bandejas ou pratos (inquebráveis, é claro) para a mesa. Dê ao seu filho giz de cera, porque agora a tendência é rabiscar, não comê-los, o que ele teria feito em um estágio anterior. Ele poderá manipular quebra-cabeças simples de madeira, do tipo com peças grandes e um pino pequeno no alto, que facilita a manipulação. Uma vez que sua mente também está se desenvolvendo à velocidade da luz, ele se mostra mais confiante e curioso. O que parece "destrutivo" ou "ruim" é simplesmente curiosidade. Seu filho imagina constantemente: "o que aconteceria se eu... jogasse isso longe, amassasse, rasgasse ou pisasse em cima? Será que vai quicar? Será que eu consigo derrubar isso? E o que há aqui dentro?" Agora é a hora de esconder o controle remoto; se não, você descobrirá que foi reprogramado. Ele também poderá decidir usar a abertura de aparelhos eletrônicos como caixa de correio e postar ali uma fatia de pão. Para evitar esse problema, dê a ele miniaturas de tudo o que os adultos usam, como um aspirador de pó ou um carro em miniatura com pedais. Contudo, agora ele também pode "fazer de conta", de modo que pode pegar uma vareta e fingir que está passando o aspirador, ou fingir que morde e mastiga um bloco de madeira, como se fosse comida. Seu filho criativo também levará o telefone à orelha e fingirá conversar com alguém (mesmo se disser coisas ininteligíveis). Minha babá tinha um telefone de brinquedo ao lado do telefone real, e sempre que o telefone de verdade tocava, ela nos entregava o de brinquedo. Era uma ótima forma de nos manter ocupados enquanto ela falava. O seu filho continuará demonstrando possessividade pelas coisas dele, mas agora também é um bom momento para começar a lhe ensinar a revezar e compartilhar (veja páginas 218-222). Brincadeiras na água e caixas de areia são excelentes nesta fase. Pegue a antiga banheira de bebê que você guardou na garagem ou sótão e encha-a com água ou areia. Para brincadeiras na água, nunca o deixe sem supervisão (veja o quadro da página seguinte). Dê a ele garrafas, copinhos e jarras de plástico para tornar a experiência ainda melhor. Para brincadeiras com areia, copos e jarras também são boas ideias, assim como pequenos baldes e pazinhas.

Da amamentação à alimentação independente

Embora alimentos estejam lá embaixo na lista de prioridades do seu filho – ele prefere fazer qualquer outra coisa a comer – este é um período da vida em que as crianças dão um passo extremamente importante, indo da amamentação para a alimentação. Enquanto antes seu bebê se con-

Segurança na primeira infância

A expressão "se mete em tudo" resume esta fase. A boa notícia é que quase tudo é fascinante para o seu filho. A má notícia é que quase tudo é fascinante para o seu filho, incluindo tomadas elétricas, gaveta do DVD player, enfeites da vovó, aberturas de ar-condicionado, olhos dos animais, fechaduras, migalhas e o conteúdo da caixa higiênica do gato, para citar apenas algumas das atrações. Assim, embora não seja preciso muito para divertir a criança, é preciso muito para mantê-la segura. Compre um kit de primeiros socorros. Olhe à sua volta e use seu bom-senso. Aqui está o que evitar e como fazê-lo:

- Tropeços e quedas: mantenha os quartos razoavelmente organizados; coloque proteções nos cantos com bordas agudas; instale grades e portões no começo e no fim de escadas; coloque tapetes antiderrapantes na banheira ou chuveiro, bem como sob os capachos das portas.

- Intoxicações: instale fechaduras de segurança em todos os armários com medicamentos ou substâncias domésticas tóxicas; até mesmo enxaguantes bucais e cosméticos devem estar fora do alcance. (Seu filho não vai morrer por comer ração animal, mas você deveria mantê-la fora do alcance, também.) Se você achar que uma substância tóxica foi ingerida, procure o médico ou ligue para um número de emergência, antes de fazer qualquer coisa. Mantenha uma garrafa de xarope de ipeca em casa, para induzir o vômito em caso de envenenamento.

- Engasgo: remova os móbiles do berço; mantenha baterias do tamanho de um botão e qualquer outra coisa que possa passar por um rolo de papel higiênico fora do alcance.

- Estrangulamento: encurte cordões de cortinas e cabos elétricos ou use pinos ou fita adesiva para mantê-los fora do alcance do seu filho.

- Afogamento: nunca deixe a criança sozinha no banheiro, e certamente não na banheira, nem em uma piscina infantil, piscina pequena ou até mesmo perto de um balde; instale fechos no assento do vaso sanitário.

- Queimaduras: mantenha cadeiras, banquinhos e escadas longe dos balcões e fogões; instale protetores nos botões do fogão; cubra a torneira da banheira com uma proteção ou enrole-a com uma toalha; mantenha aquecedores de água em 50 graus, para evitar queimaduras.

- Choques elétricos: cubra todas as tomadas e garanta que todos os abajures estejam com uma lâmpada encaixada. Aconselho todos os pais a fazerem um curso de primeiros socorros. Se você fez um voltado exclusivamente para emergências com bebês, precisará fazer um outro, pois o seu filho agora já não é mais um bebê. Crianças pequenas precisam de manobras diferentes durante a administração de RCP (ressuscitação cardiopulmonar) e em outras emergências – por exemplo, retirar um objeto preso na garganta.

Chega de fraldas: a luta pela independência

tentava em sugar o seu peito ou a mamadeira, agora ele pode consumir alimentos sólidos. Ele pega a colher quando você o alimenta e, como consegue pegar pequenos pedaços de alimentos sem a sua ajuda, ele está prestes a poder se alimentar de forma independente.

A nutrição é uma questão relativamente simples nos primeiros meses, quando o peito ou a mamadeira suprem todas as necessidades do seu filho. Contudo, à medida que amadurece, ele precisa não apenas de alimentos sólidos para continuar crescendo e se desenvolvendo, mas também deve aprender a comer por conta própria. Isso é complicado pelo fato de que a sua preferência por vários alimentos, seu apetite e a sua capacidade mudarão de mês para mês e até mesmo de um dia para o outro. Acrescente a isso o fato de que você pode ter seus próprios problemas com alimentos, e não será uma surpresa se essa jornada for cheia de altos e baixos. O modo como ela ocorrerá depende de três fatores: a atmosfera (a sua atitude em relação à comida e ao clima que ela cria em sua casa), a experiência da refeição (o prazer emocional e social, ou a angústia das refeições), e a comida (o que o seu filho consome). Eu descrevo cada um desses elementos a seguir. Enquanto você lê, tenha em mente:

> *Você* controla a atmosfera e a experiência da refeição, mas a vida será muito mais fácil se você lembrar que *seu filho* controla a comida.

A atmosfera. Os pais cujos filhos são "bons de garfo" tendem a ser tranquilos. Eles criam uma atmosfera de diversão e bem-estar na hora das refeições. Eles nunca forçam determinado alimento ou insistem para que uma criança que não está com fome continue comendo. Independentemente do quanto as crianças sejam exigentes, esses pais sabem que comer deve ser uma experiência prazerosa. Bons modos são ensinados, mas a preferência alimentar *não* é algo que as crianças aprendem – como em "Ele tem de aprender a comer vegetais!". A fim de criar uma atmosfera acolhedora em sua casa, examine suas atitudes a respeito dos alimentos. Responda a estas perguntas:

COMO ERA A EXPERIÊNCIA DAS REFEIÇÕES EM SUA FAMÍLIA DE ORI-GEM? Cada família tem um *ethos* alimentar – atitudes abrangentes sobre a hora das refeições e o que isso significa –, e as crianças são imensamente afetadas por ele. Como resultado, os conceitos sobre este momento passam de maneira inconsciente de uma geração para a outra. Pode haver grande alegria e prazer com relação à comida, ou ansiedade; uma atitude de abundância ou de escassez; um senso de relaxamento ("Coma apenas até sentir-se satisfeito") ou uma aura de tensão ("Termine tudo o que está no seu prato").

Esteja consciente de sua própria bagagem. Se você cresceu em uma família em que as refeições eram tensas, ou mesmo punitivas, você pode, inconscientemente, criar um clima semelhante em sua própria casa, que certamente não contribui para que o seu filho sinta prazer em comer. Se você era forçada a terminar cada pedaço, pode tentar empregar essas estratégias agora – e eu lhe garanto que este não é o melhor caminho.

VOCÊ ESTÁ ANSIOSA SOBRE OS HÁBITOS ALIMENTARES DO SEU FILHO? A partir do momento em que os humanos começaram a caçar e a armazenar alimentos, os mais velhos tornaram-se responsáveis por colocar a comida na boca dos bebês. Mas eles não podiam *obrigar* as crianças a comer; nem você. Talvez você ache que só "mães ruins" têm filhos que não comem bem. Ou você pode ter sido dolorosamente magra na infância ou sofrido de algum distúrbio alimentar na adolescência. Se você levar qualquer uma dessas ansiedades para as refeições do seu filho, há uma boa chance de a hora das refeições se tornar uma luta contínua, com o seu pequeno aventureiro querendo sair do cadeirão, em vez de querer se alimentar. Quanto mais você tenta forçar um novo alimento, ou encorajá-lo a comer "apenas mais umas colheradas", mais ele perceberá que este é um modo de conquistar o controle. E, acredite, ele vencerá. De fato, há uma boa chance de que a comida se torne um problema durante os próximos anos.

Apesar do estilo de vida mais ativo do seu filho agora, nem sempre ele estará "no clima" para comer, nem gostará necessariamente do que você está oferecendo. Assim, em vez de se tornar obcecada pela comida não consumida, olhe para o seu filho. Se ele estiver alerta, ativo e feliz, provavelmente é porque está obtendo a nutrição que precisa. Estudos mostram que até mesmo os bebês têm a capacidade inata de controlar seu consumo calórico. Alguns dias de alimentação deficiente geralmente são compensados por dias em que a criança come bem. Também pode ser útil olhar ao seu redor e conversar com outras mães. Muitas crianças são enjoadas para comer no segundo e terceiro ano de vida. Ainda assim, elas e seus pais terão boas histórias para contar sobre isso, no futuro.

QUAIS SÃO AS SUAS PREFERÊNCIAS E HÁBITOS ALIMENTARES? Se você não gosta de banana, provavelmente não as dará ao seu filho. Se você era enjoada para comer, ou ainda é, provavelmente seu filho também não terá muito apetite. Ou se você é o tipo de pessoa que eu sou, que gosta de comer exatamente a mesma coisa durante meses, não se surpreenda quando a criança insistir em um regime diário feito de cereais e iogurte. As crianças também podem ser exatamente o oposto de seus pais, uma das minhas filhas é enjoada para comer, mas não a outra. De qualquer maneira, porém, é importante que você esteja ciente das suas próprias manias em relação aos alimentos. Lembro-me de um dia entrar em casa e ver a babá dando couve-de-bruxelas para Sara. Eu senti vontade de vomitar, mas a babá me lançou um olhar de "não diga nada". Sabendo que minha reação afetaria Sara, ela disse: "Tracy, você poderia ir buscar o meu suéter? Acho que o deixei lá em cima." Eu fiquei de propósito um bom tempo lá, para que Sara tivesse tempo de terminar a refeição.

COMO VOCÊ SE SENTE A RESPEITO DE O SEU FILHO COMEÇAR A COMER DE FORMA INDEPENDENTE? A transição da amamentação para refeições mais autônomas pode ser bem-vinda para alguns pais, mas pode ser perturbadora para outros. Certamente, muitas mães (na maioria das vezes, são elas que alimentam os bebês) mal podem esperar para que seus filhos sejam independentes na hora de comer. Elas já fizeram a sua parte amamentando, e enfiar colheres e mais colheres de comida na boca dos pequenos perde rapidamente o encanto. No entanto, algumas mães precisam se sentir necessárias. Por adorarem a intimidade de amamentar, elas inconscientemente se magoam quando o bebê da casa começa a enviar sinais que lhes dizem: "Não quero mais o peito (ou a mamadeira)" ou "Quero comer como gente grande agora".

Eu insisto para que você atente para a sua atitude, porque se o seu filho sentir que você não quer deixá-lo se soltar, isso certamente afetará o esforço dele para a autonomia. Na verdade, desde o momento em que ele tenta pela primeira vez pegar a colher ou o copo de água da sua mão enquanto você o alimenta, ou quando ele pede um gole do seu copo ou garrafa de água, seu filho está dizendo: "Quero fazer sozinho." Cabe a você apresentar a ele muitas oportunidades para aumentar suas habilidades, para que ele possa alimentar-se sozinho algum dia. Mas se você é um daqueles pais ou mães que caem na categoria de "eu não quero que ele se separe de mim", talvez precise investigar um pouquinho suas razões. Ao que, exatamente, você está se agarrando? E por que motivo? Há alguma outra área na sua vida (p. ex., seu parceiro ou seu trabalho) que você está evitando ou não considera satisfatória? Olhe-se no espelho e se pergunte: "Será que estou tentando manter meu bebê dependente porque há alguma coisa que não desejo enfrentar?"

Lembre-se de que a vida com um bebê está sempre mudando e evoluindo. Em um minuto o seu filho depende totalmente de você, mas no minuto seguinte ele não deixa mais que você faça as coisas por ele. Isso foi particularmente difícil para Carolyn, que se sentiu rejeitada por Jeb, de 10 meses, seu terceiro filho. Muito tempo depois que Jeb começou a perder o interesse por mamar e já começara a pegar a colher da mão da mãe, Carolyn conti-

---

Alerta para a alimentação!

Pais ansiosos podem transformar seus filhos em criaturas que não comem, dominadas pela ansiedade. Isso pode significar que seu filho está captando suas preocupações sobre a comida, ou que você está fazendo com que ele fique tempo demais à mesa, se ele:

Mantém alimentos na boca, sem mastigar

Cospe repetidamente a comida

Engasga-se ou vomita

nuava lhe dando comida, com o filho sentado sobre seu joelho, porque isso a fazia sentir-se mais próxima dele e lembrava o ato de amamentar. Contudo, Jeb não aceitava isso. Ele se contorcia e saía do colo da mãe, tentando com toda a disposição lhe tirar a colher da mão. Cada refeição era uma luta. Eu expliquei a Carolyn que, embora ela desejasse reter o passado e aqueles momentos tranquilos da época da amamentação, isso não era possível. Seu "bebê" não era mais um bebê, mas uma criancinha com mente própria e capacidades físicas mais sofisticadas. Preferindo ver esta progressão natural como rejeição a ela, esta mãe precisava perceber que o comportamento de Jeb era apenas o seu modo de pedir o que desejava: independência. Ela precisava ceder. "Você tem razão", Carolyn reconheceu, "mas isso me deixa muito triste. Com meus filhos mais velhos, eu chorei quando foram para a escola e, ainda assim, me senti feliz porque correram para a sala de aula sem se agarrarem a mim ou sequer olharem para trás."

Certamente, eu consigo entender Carolyn e outras mães que tentam parar o tempo. Mas o importante é cuidar, e não sufocar. Em muitos pontos durante a vida dos nossos filhos, precisamos lhes dar não apenas amor, mas também liberdade.

A experiência da refeição. Como eu apontei no capítulo anterior (veja páginas 86-88), as R&R das refeições são muito importantes. Sentar-se à mesa do jantar ajuda a criança a entender o que os adultos fazem nas refeições e o que ela mesma tem de fazer. Na verdade, a experiência da hora da refeição é tão importante quanto *o que* é servido. E quanto mais a criança é exposta à natureza social das refeições, melhor ela se tornará em se sentar quietinha, alimentar-se e desfrutar da ocasião. Comer é uma habilidade social e, ao ver os pais e os irmãos, se ele os tiver, seu filho aprenderá também a ter paciência e boas maneiras.

COMECE A INCLUIR O SEU FILHO DESDE CEDO. Tão logo ele consiga se sentar, estará pronto para unir-se à família na mesa de jantar. Quando ele pegar a colher da sua mão pela primeira vez, esta será a sua dica para incentivá-lo a comer sozinho.

JANTE COM ELE. Se você não estiver com fome, faça um lanche – alguns vegetais cortados, uma fatia de pão – e sente-se à mesa com ele. Isso torna a refeição um processo mais interativo do que se você apenas ficar sentada, tentando enfiar comida na boca do seu filho. Isso também tira um pouco do foco e da pressão sobre ele. Vocês estão juntos nessa!

NÃO COLOQUE UMA TIGELA CHEIA NA FRENTE DELE... a menos que você queira a comida no seu colo ou espalhada por toda a cozinha. Em vez disso, sirva na bandeja alguns alimentos que podem ser consumidos com as mãos (veja a seguir), para que ele possa pegar por conta própria. Coloque a tigela no seu prato e o alimente enquanto ele tenta se alimentar sozinho.

TENHA QUATRO COLHERES À MÃO, DUAS PARA ELE E DUAS PARA VOCÊ! Quando começam a consumir alimentos sólidos, as crianças mordem a colher e a agarram. Dê a ele a primeira colher. Depois, use a segunda para lhe dar comida. Antes que você perceba, ele estará batendo com a primeira e agarrando a segunda. É aí que as colheres número três e quatro vêm a calhar. Use uma colher para substituir a outra conforme ele for pegando cada uma delas.

TENTE SERVIR A MAIOR PARTE DA REFEIÇÃO NA FORMA DE ALIMENTOS PARA COMER COM A MÃO. Isto não apenas dará mais liberdade a você, mas fará com que seu filho se sinta uma criança "grande", que come sozinha. Não se surpreenda quando a maior parte do que ele comer for parar no chão. Ele está aprendendo e, durante os primeiros meses, pouco vai terminar dentro de sua boca. Prevenir é o melhor remédio. Invista em um babador grande, com um bolso para pegar a comida que cai. Coloque uma lona sob a cadeira ou o cadeirão onde seu filho está. Acredite, se você não reagir à bagunça, que faz parte da exploração deste novo mundo de alimentos sólidos, ele provavelmente superará o estágio de pintar com os dedos usando a comida mais rapidamente do que se você continuar tentando pará-lo ou mantê-lo limpo. Dos 15 aos 18 meses de idade, a maioria das crianças consegue manusear uma colher. Não interfira, a menos que ele tente enfiar a colher no ouvido!

NÃO BRINQUE COM A COMIDA E NÃO ASSOCIE COMIDA COM BRIN-CADEIRA. Tudo que você faz serve de exemplo para seu filho. Então, se você brincar de "aviãozinho" (colocar a comida na colher e dizer "olha o aviãozinhooooo"), por exemplo, quando ele comer em outros locais achará que não há problema se a comida voar pelo ar. Se você lhe der um brinquedo para diverti-lo durante as refeições, ele pensará que a hora de comer é sinônimo de hora de brincar. Ou, se você ligar a TV para distraí-lo, ele pode se comportar melhor, mas não saberá realmente o que está comendo e não aprenderá com a experiência.

INCENTIVE OS ESFORÇOS DO SEU FILHO E ELOGIE ADEQUADAMENTE QUANDO ELE EXIBIR BOAS MANEIRAS; QUANDO NÃO EXIBIR, NÃO PENSE NA HORA QUE A CULPA É SUA. Lembre-se de que as crianças não nascem já sabendo como se comportar; elas estão aprendendo. Certamente, você deve ensiná-las a dizer "por favor" e "obrigado", mas não se torne uma diretora escolar. Elas aprenderão a etiqueta sobretudo pela imitação.

DEIXE QUE ELE SE LEVANTE QUANDO TIVER TERMINADO. Você sempre saberá quando seu filho tiver perdido o interesse pela comida. Primeiro, ele vira a cabeça e aperta os lábios. Se ele está comendo com as mãos, pode começar a jogar pedaços no chão ou amassar coisas com mais veemência que o casual (amassar um pouco é normal). Se você deixá-lo sentado e continuar apresentando

---

Hora de um copo com canudinho? Pense no H.E.L.P.

- Contenha-se até vê-lo demonstrar vontade de beber do seu copo, xícara ou garrafa de água.

- Incentive-o a experimentar beber sozinho, mas saiba que até ele aprender a controlar o fluxo, todo o líquido sairá pelos lados da sua boquinha.

- Limite a bagunça, colocando um babador de plástico ou revestindo o piso com plástico sob a cadeira dele. Limite a sua própria frustração, lembrando que ele precisa de prática (alguns pais deixam seus filhos de fraldas para alimentá-los, mas eu não recomendo isso. Pessoas civilizadas comem vestidas e, como veremos no Capítulo Seis, o que ensinamos em casa é o que as crianças fazem em outros lugares).

- Elogie apenas quando ele conseguir de fato beber o líquido. Não diga "muito bem" quando ele simplesmente levantar o copo e derramar todo o líquido.

O leite integral, e nada além de leite integral!

Entre 1 ano e 1 ano e meio, independentemente de o seu filho tomar leite materno ou fórmulas infantis, introduza o leite integral. Crianças devem tomar pelo menos 700 mL de leite por dia para a obtenção de vitaminas, ferro e cálcio necessários. Comece com uma mamadeira por dia durante os primeiros três dias, duas mamadeiras durante os próximos três dias e, finalmente, três mamadeiras por dia. Queijo, iogurte e sorvete podem substituir o leite integral. Reações alérgicas incluem excesso de muco, diarreia e olheiras. Se ele for alérgico ou se você deseja dar a ele leite de soja, converse com um nutricionista ou pediatra.

comida, eu lhe garanto que ele logo esperneará, começará a se contorcer para fora da cadeira ou cairá no choro. Não deixe chegar a esse ponto.

A comida. Como apontei anteriormente, este é o domínio do seu filho. É claro que você precisa ajudá-lo a fazer a transição de mamar para comer, dando-lhe oportunidades para aprender a comer sozinho e para consumir os mesmos tipos de alimentos que o resto da família. O problema, porém, é que tudo isso acontece precisamente ao mesmo tempo em que o seu filho está aprendendo que é um ser individual, que pode mover-se sozinho e, mais importante, que pode dizer "não". A verdade é que você pode até dar à criança uma refeição digna de reis, mas o que entra naquela boquinha cabe, no fim das contas, somente a ela. Você pode se surpreender ao saber que as crianças pequenas precisam de menos calorias do que normalmente pensamos: de 1.000 a 1.200 por dia. A maior parte disso vem dos 500 a 750 mL de leite materno ou de fórmulas infantis que consomem – e, *após* 1 ano a 1 ano e meio, do leite integral (veja o quadro acima) – mesmo enquanto você introduz alimentos sólidos. Aqui estão outros pontos a ter em mente.

DESMAME COMO MEDIDA PREVENTIVA. A maioria dos pediatras americanos geralmente sugere o desmame do bebê aos 6 meses. Em vez de prestar atenção ao calendário, sugiro que você observe o seu filho e comece a lhe dar alimentos sólidos (veja o quadro acima) mais cedo. Em primeiro lugar, se esperar muito tempo, seu filho pode acostumar-se tanto a engolir líquidos que rejeitará sólidos; acostumá-lo a mastigar será, então, um processo muito mais problemático.

Desmame – o que e quando

Alguns pais (e alguns livros) fazem confusão com o termo *desmame*. Eles acham que isso significa negar o peito ao bebê. Na realidade, o desmame é a transição de uma dieta líquida para alimentos sólidos. Seu bebê provavelmente estará pronto para o desmame quando:

- **Estiver com 5 ou 6 meses de idade.**
  Embora os bebês de gerações anteriores de americanos fossem desmamados já na sexta semana (uma prática ainda comum na Europa), a Academia Americana de Pediatria atualmente recomenda iniciar o processo por volta dos 6 meses. Nesse período, o seu bebê pode sentar-se e controlar a cabeça; seu reflexo de projeção da língua desapareceu; seus intestinos podem digerir alimentos sólidos mais complexos; e as alergias são menos comuns.

- **Ele parece mais faminto durante o dia, mama mais ou toma uma mamadeira extra e/ ou acorda no meio da noite e toma uma mamadeira cheia.** Isso sugere que ele precisa de alimentos sólidos, pois não está obtendo calorias suficientes do leite materno ou de fórmulas infantis.

- **Ele demonstra interesse pelo alimento que você está consumindo.** Ele pode observar você atentamente e, em seguida, com a boca aberta ou a mão estendida, pedir para provar. Ou, se você está mastigando, ele pode tentar enfiar o dedo na sua boca (em determinadas culturas, as mães mastigam os alimentos e, então, os dão aos seus filhos).

Além disso, o desmame pode ajudar a prevenir perturbações do sono. Na verdade, muitas vezes recebo telefonemas de mães cujos bebês de 6 ou 7 meses de idade – crianças que normalmente dormem direto a noite inteira – começaram a despertar no meio da noite. Para acalmá--lo, a mãe lhe oferece o peito ou a mamadeira (não é uma recomendação que eu faria, mas lidaremos com isso no Capítulo Oito, páginas 283-292). Se a criança faz apenas um "lanchinho" por alguns minutos, acredito que o despertar resulta de ansiedade ou de um pesadelo – ele está sugando apenas para sentir-se melhor. Porém, se ele faz uma mamada completa, provavelmente é porque necessita de mais calorias.

É óbvio que as perturbações do sono causadas pelo aumento da mobilidade e pelos temores recém-descobertos são comuns e inevitáveis durante os primeiros anos. Entretanto, perturbações do sono causadas

Alergias alimentares

Estima-se que 5 a 8% dos bebês e crianças pequenas com menos de 3 anos tenham alergias alimentares legítimas. Prováveis culpados incluem frutas cítricas, claras de ovos, cordeiro, frutas silvestres, alguns queijos, leite de vaca, trigo, nozes, produtos de soja, cenoura, milho, peixe e marisco. Isso não significa que você não deva apresentar nenhum desses alimentos; basta estar ciente das reações em potencial. As alergias são frequentemente herdadas, mas às vezes surgem mesmo quando não há histórico familiar. Alguns estudos indicam que 20% ou mais das crianças deixam de apresentar sensibilidades a alimentos, mas não é porque os pais as acostumam dando-lhes mais do alimento ao qual reagem. De fato, com frequência ocorre o oposto: a alergia alimentar torna-se mais perigosa e, em vez de superá-la, a criança tem um problema vitalício.

Com a introdução de apenas um alimento novo por semana, se qualquer sinal de alergia aparecer, você saberá o que a causou. Caso seu filho pareça ser sensível a um alimento novo, pare de servi-lo imediatamente e não o reintroduza por pelo menos um mês. Se ele ainda mostrar alguma reação, consulte um médico e espere pelo menos um ano para tentar novamente.

As reações adversas aos alimentos são bastante graves, com a pior delas sendo o choque anafilático, uma reação alérgica que afeta vários órgãos ao mesmo tempo e pode ser fatal. Sintomas mais leves geralmente aparecem primeiro e podem piorar com o tempo:

- fezes moles ou diarreia;
- erupções cutâneas;
- inchaço ou edema na face;
- espirros, coriza ou outros sintomas semelhantes aos de resfriados;
- dores por gases ou outros sintomas estomacais;
- vômitos;
- coceira nos olhos e lacrimejamento.

pela falta de calorias *podem* ser prevenidas. Se você perceber que seu filho está comendo mais vezes durante o dia, tome isso como um indicador. Em vez de amamentá-lo com mais frequência ou lhe dar uma mamadeira adicional antes de dormir, ofereça as calorias adicionais que ele precisa na forma de alimento sólido.

DICA: Existem muitos alimentos infantis de alta qualidade disponíveis no mercado, mas, se você deseja prepará-los, cozinhe a vapor ou ferva vegetais frescos e frutas, e use um processador de alimentos ou liquidificador para transformá-los em purê. Congele em bandejas de gelo, o que lhe dará porções pequenas e convenientes, e no dia seguinte transfira os cubos para um saco plástico e descongele como necessário. Nunca adicione sal à dieta de um bebê.

LEMBRE-SE DE QUE O DESMAME É UM PROCESSO GRADUAL. No quadro "Dos líquidos aos sólidos: um plano inicial de seis semanas", nas páginas 138-139, apresento uma amostra da rotina de desmame, começando aos 6 meses de idade. Ela serve apenas como sugestão. Eu descobri que a maioria dos bebês digere peras com facilidade, e é por isso que este é o primeiro alimento que geralmente introduzo. Entretanto, se seu pediatra sugerir começar com cereal de arroz, faça isso.

Você verá que eu adiciono apenas um novo alimento por semana, que é sempre introduzido pela manhã (veja na página anterior o quadro sobre alergias alimentares). Na semana seguinte, este alimento transforma-se na refeição do meio-dia, e um novo alimento é adicionado na hora do café da manhã. Na terceira semana, seu filho estará comendo alimentos sólidos três vezes ao dia. Nas semanas seguintes, aumente as quantidades e a variedade. Mantenha um registro alimentar, anotando a data e a quantidade de cada novo alimento que introduzir. Isso será útil para você e para o seu pediatra, caso ocorram problemas. (Na página 140 você verá minhas sugestões para alimentos a serem introduzidos a cada mês. Se você as seguir, simplesmente anote as datas e as quantidades ao lado de cada alimento e pronto, aí está o seu registro alimentar!)

INTRODUZA PRIMEIRO OS ALIMENTOS PARA COMER COM A MÃO. Purês são ótimos, mas à medida que o seu filho começa a expandir sua dieta e demonstra que consegue tolerar alimentos variados, dê-lhe a mesma quantidade em uma forma mais adulta – alimentos que ele pode comer sozinho e que exigem um pouco mais de esforço que substâncias pastosas. Por exemplo, depois de perceber que ele consegue comer peras, dê-lhe peras descascadas, cortadas em pedacinhos e levemente cozidas. Agora que ele já apresenta aquele movimento de pinça altamente eficiente, ele pode não apenas pegar alimentos, mas também colocá-los na boca. Quando perceber sua capacidade para fazer isso, seu bebê sentirá o maior prazer em se alimentar sozinho. É bom acostumá-lo com a textura dos alimentos. Mesmo sem dentes, uma criança de apenas 7 meses pode "mastigar" com as gengivas certos alimentos e engoli-los com segurança. Ou, ainda, você pode lhe dar pedaços do tamanho de uma mordida, que derretam na boca.

Corte alimentos que podem ser comidos com a mão em pedaços pequenos, de 0,5 cm ou, para alimentos muito macios, um pouco maiores. Com vegetais, como cenouras, brócolis ou couve-flor, bem como com frutas crocantes como peras e maçãs, você precisará cozinhá-los antes. As possibilidades são infinitas. A maior parte do que você serve para o jantar pode ser utilizada como alimento para o seu filho. Algumas ideias: cereais, pequenos pedaços de panqueca, a maioria dos vegetais e frutas moles (como frutas vermelhas, banana e pera maduras), pequenos pedaços de atum, peixe cozido sem espinha e pedacinhos de queijo.

> **DICA:** Até que seu filho tenha 1 ano de idade, apenas para o caso de ele ser alérgico, evite clara de ovo, trigo, frutas cítricas (exceto toranja) e tomate. Após 1 ano de idade, você pode acrescentar frango desfiado, ovos mexidos ou cozidos e frutas moles à lista de alimentos de comer com as mãos, mas, pelo menos até 18 meses, continue tendo cuidado com as oleaginosas, que são difíceis de digerir e causam engasgos com facilidade, assim como marisco, chocolate e mel.

FAÇA PARA O SEU FILHO ALIMENTOS APETITOSOS, MAS FÁCEIS DE PREPARAR. Embora crianças não discriminem muito quando se trata de comida, nunca é cedo demais para apresentar a elas o prazer da variedade e da aventura. Não pretendo sugerir que você passe horas suando em torno de um fogão quente preparando algo que seu filho poderá jogar no chão, apenas sugiro que você seja criativa. Corte o pão em formatos divertidos ou coloque a comida no prato formando o desenho de um rosto. Tente dar ao seu filho alimentos saudáveis e uma dieta equilibrada, mas nunca o force a comer, nem se envolva em uma batalha. Se o seu filho gosta de apenas dois ou três itens, use-os para suavizar outros alimentos. Por exemplo, se o purê de maçã é um dos favoritos, experimente-o com brócolis. E se isso não funcionar, lembre-se de que ele não vai morrer por falta de variedade ou por comer pouco legumes (frutas apresentam muitos dos mesmos elementos nutritivos).

Posso dar uma dieta vegetariana ao meu filho?

Pais vegetarianos com frequência me perguntam se não há problema em colocar crianças ou bebês em uma dieta vegetariana. Principalmente quando os produtos lácteos e ovos são eliminados, a maioria das dietas vegetarianas não alcança as exigências diárias mínimas. Além disso, os vegetais são ricos em fibras, mas podem não fornecer vitamina B suficiente, calorias encontradas nas gorduras ou ferro na quantidade necessária, todos fundamentais para o crescimento da criança. Para maior segurança, consulte o seu pediatra; talvez seja válido consultar também um nutricionista.

DEIXE SEU FILHO COMER EM QUALQUER ORDEM E COMBINAÇÃO. Quem disse que purê de maçã vem depois do frango, ou que não se pode mergulhar o peixe no iogurte? As crianças aprendem as regras ligadas à alimentação à mesa e começam um dia a imitá-las. Mas, no começo, deixe seu filho comer do jeito que desejar.

LANCHES NUTRITIVOS TAMBÉM SÃO COMIDA. Antes de se preocupar porque o seu filho não está comendo o suficiente, considere o que ele come entre as refeições. Algumas crianças não conseguem consumir uma

Dos líquidos aos sólidos: um plano inicial de seis semanas

Semana/idade	7 h	9 h	11 h
Nº 1 26 semanas (6 meses)	O bebê acorda, amamente ou dê mamadeira	4 colheres de chá de pera; termine amamentando ou dando mamadeira	Amamente ou dê mamadeira
Nº 2 27 semanas	Amamente ou dê mamadeira	4 colheres de chá de batata-doce (ou qualquer novo alimento); termine amamentando ou dando mamadeira	Amamente ou dê mamadeira
Nº 3 28 semanas	Amamente ou dê mamadeira	4 colheres de chá de abóbora (ou qualquer novo alimento); termine amamentando ou dando mamadeira	Amamente ou dê mamadeira
Nº 4 29 semanas	Amamente ou dê mamadeira	$\frac{1}{4}$ de uma banana (ou qualquer novo alimento); termine amamentando ou dando mamadeira	Amamente ou dê mamadeira
Nº 5 30 semanas (7 meses)	Amamente ou dê mamadeira	4 colheres de chá de purê de maçã; termine amamentando ou dando mamadeira	Amamente ou dê mamadeira
Nº 6 31 semanas	Amamente ou dê mamadeira	4 colheres de chá de vagem; 4 colheres de chá de pera; termine amamentando ou dando mamadeira	Amamente ou dê mamadeira

13 h	16 h	20 h	Comentários
Amamente ou dê mamadeira	Amamente ou dê mamadeira	Amamente ou dê mamadeira	Comece introduzindo apenas um alimento pela manhã; peras são fáceis de digerir.
4 colheres de chá de pera; termine amamentando ou dando mamadeira	Amamente ou dê mamadeira	Amamente ou dê mamadeira	Agora, as peras vão para o almoço; novo alimento introduzido pela manhã.
4 colheres de chá de batata-doce; termine amamentando ou dando mamadeira	4 colheres de chá de pera	Amamente ou dê mamadeira	O alimento sólido da semana anterior é deslocado para o almoço; agora os sólidos são dados três vezes ao dia.
4 colheres de chá de batata-doce, 4 colheres de chá de abóbora; termine amamentando ou dando mamadeira	4 colheres de chá de pera; termine amamentando ou dando mamadeira	Amamente ou dê mamadeira	Quantidade da refeição do meio-dia aumentada.
4 colheres de chá de batata-doce, 4 colheres de chá de pera; termine amamentando ou dando mamadeira	4 colheres de chá de abóbora, ¼ de banana; termine amamentando ou dando mamadeira	Amamente ou dê mamadeira	Quantidades do almoço e jantar aumentadas.
4 colheres de chá de abóbora, 4 colheres de chá de maçã; termine amamentando ou dando mamadeira	4 colheres de chá de batata-doce, ¼ de banana; termine amamentando ou dando mamadeira	Amamente ou dê mamadeira	Conforme novos alimentos são adicionados, dê dois tipos de sólidos em cada refeição; as quantidades aumentam, dependendo do apetite da criança.

Mais Segredos da Encantadora de Bebês

Registro de introdução de alimentos

6 meses	7 meses	8 meses	9 meses	10 meses	11 meses	1 ano
Maçã	Pêssego	Arroz integral	Abacate	Ameixa seca	Kiwi	Trigo
Pera	Ameixa	Pão doce	Aspargo	Brócolis	Batata	Melão
Banana	Cenoura	Pão francês	Abobrinha	Beterraba	Mandioquinha	Laranja
Abóbora japonesa	Ervilha	Frango	Iogurte	Macarrão sem ovos	Espinafre	Melancia
Abóbora paulista	Vagem	Peru	Ricota	Cordeiro	Ervilha-torta	Amora
Batata-doce	Cevada		Queijo tipo cottage	Queijos suaves	Berinjela	Framboesa
Arroz			Cream cheese		Gema de ovo	Morango
Aveia			Caldo de carne		Toranja	Milho
						Tomate
						Cebola
						Pepino
						Couve-flor
						Lentilha
						Grão-de-bico
						Tofu
						Peixe
						Carne de porco
						Vitela
						Clara de ovo

grande refeição de uma vez só; elas se saem melhor "beliscando" várias coisas durante o dia. Não há problema nisso, especialmente se você dá ao seu filho lanches saudáveis, como vegetais ou frutas levemente cozidos, biscoitos salgados ou pedaços pequenos de torrada com queijo derretido. As crianças se sentem naturalmente atraídas por lanches com carboidratos, como biscoitos, mas isso também é uma questão de como *você* apresenta os alimentos. Se você preparar lanches rápidos e saudáveis, fazendo com que pareçam especiais e apetitosos ("Hmmmm, eu preparei maçã para você!"), seu filho comerá de boa vontade. Ao fim do dia, quando somar tudo, você pode se surpreender com o fato de ele ter consumido mais nutrientes do que você pensava.

DESDE O INÍCIO, DEIXE-O PARTICIPAR DO PREPARO DOS ALIMENTOS. Quando seu filho chega ao estágio do "eu faz", você não poderá dissuadi-lo; assim, é melhor tê-lo como aliado. Crianças de apenas 15 meses podem ajudar a mexer, cortar manualmente a alface em pedaços, decorar biscoitos e preparar lanches. Além disso, preparar alimentos desenvolve habilidades motoras finas e, mais importante, incentiva o *relacionamento* da criança com a comida.

EVITE ROTULAR ALIMENTOS COMO "RUINS". Você sabe o que dizem sobre coisas proibidas.

Exemplo de cardápio

Este é apenas um guia, não uma norma. Pensei em uma criança de 1 ano de idade, mas o que seu filho come depende do peso, temperamento e capacidade estomacal dele.

Café da manhã
¼ a ½ xícara de cereal
¼ a ½ xícara de fruta
½ ou ¾ de xícara de leite materno ou fórmula infantil

Lanche da manhã
¼ ou ½ xícara de suco de fruta
vegetais cozidos ou queijo

Almoço
¼ a ½ xícara de ricota
¼ a ½ xícara de vegetal amarelo ou cor de laranja
½ ou ¾ de xícara de leite materno ou fórmula infantil

Lanche da tarde
¼ a ½ xícara de suco
4 biscoitos salgados com queijo

Jantar
¼ de xícara de ave ou carne vermelha
¼ a ½ xícara de vegetal verde
¼ de macarrão, arroz ou batata
¼ de xícara de fruta
½ ou ¾ de xícara de leite materno ou fórmula infantil

Ceia
½ ou 1 xícara de leite materno ou fórmula infantil

Crianças cujos pais evitam religiosamente biscoitos e outros doces com frequência anseiam por comer essas coisas e tendem a se tornar pequenos pedintes quando saem de casa. E não presuma que o seu filho é pequeno demais para entender. Acredite, se você demonizar certos alimentos, ele captará a mensagem e fará o contrário.

NUNCA ADULE OU SUBORNE UMA CRIANÇA COM COMIDA. Com muita frequência, um pai cujo filho está prestes a tocar algo proibido ou a ter uma crise de birra tenta evitar o comportamento com "Aqui, pegue um biscoito". Este pai não apenas está recompensando o comportamento (veja o Capítulo Sete para boas ideias sobre como lidar com essas situações), mas também está preparando a criança para ver alimentos como moeda de troca, não como um produto agradável. Todos os seres humanos têm um relacionamento vitalício com a comida. Ao prestar atenção à forma e ao momento em que oferecemos comida aos nossos filhos, nós apoiamos seu prazer por alimentar-se e sua apreciação pelo sabor, e lhes permitimos também desfrutar das interações sociais.

Vestindo-se para arrasar

Minha coautora e eu pensamos em dar a esta seção o título de "Vestido para matar", porque é assim, provavelmente, que você se sente quando o seu filho foge com a camiseta sobre a cabeça e colide de imediato com um bem precioso da família. Certamente, os dias de trocas de fraldas e da colocação descomplicada de roupas em geral acabam quando a criança aprende como é divertido estar em movimento. Deitar-se em uma cômoda para ser trocado não atrai a maioria das crianças pequenas. Algumas demonstrarão revolta absoluta diante dessa possibilidade. Aqui estão algumas formas de lidar de frente com problemas potenciais, usadas por alguns pais:

Apronte tudo antes. Preparação é o segredo. Você não quer perder tempo pegando tudo enquanto o seu filho fica se mexendo. Tire a tampa da pomada contra assaduras, estenda a fralda e tenha os lenços de limpeza à mão.

Escolha o momento certo. Seu filho não deve estar com muita fome, muito cansado ou muito envolvido em brincadeiras. Se ele está prestes a concluir algo em que está entretido e você o arranca e o afasta dali, não espere vê-lo contente.

> **DICA:** Muitos pais permitem que as crianças brinquem de pijama após o café da manhã, mas chamá-las mais tarde para se vestir pode causar confusão, especialmente se ela está envolvida na brincadeira. Ela ouve: "é hora de se vestir", mas, na sua mente, ela já está vestida! Eu recomendo incluir o "vestir-se" como a conclusão do ritual do café da manhã. A criança termina a refeição, escova os dentes e troca o pijama por roupas de brincar, a fim de se preparar para o dia.

Anuncie o que você está fazendo. Como você sabe, não acredito em criar armadilhas para crianças ou pegá-las de surpresa. Diga ao seu filho o que está acontecendo. "Está na hora de se vestir" ou "Eu vou trocar sua fralda agora".

Não apresse o processo. Embora você deseje "acabar logo com isso", apressar-se não facilitará ou tornará a troca mais rápida. Com crianças Sensíveis, Irritáveis e Enérgicas, você realmente estará pedindo para ter problemas se tiver pressa. Em vez disso, pense nesse momento como uma boa oportunidade para manter contato com seu filho. Afinal, vestir--se é um ato muito íntimo. Estudos sugerem que as crianças cujos pais fazem contato visual direto têm menos problemas com disciplina mais tarde. Esse é um momento natural para olhar nos olhos um do outro.

Torne o ato de se vestir divertido. Converse com seu filho enquanto o troca. Continue explicando o que está fazendo. Uma boa maneira de entretê-lo e ensiná-lo é cantando: "É assim que vestimos nossa blusa, nossa blusa, nossa blusa. É assim que vestimos nossa blusa para sair e brincar." Use suas próprias palavras e invente suas próprias melodias. Uma mãe que conheço era muito talentosa para recitar espontaneamente poemas simples, adequados à ocasião: "Uni-duni-tê, salamê minguê, já estamos colocando a camiseta em você!" Você já sabe o que distrai seu filho; aplique todos os seus esforços nisso. Se ele começar a se contorcer ou a chorar, esse é o *único* momento em que eu recomendo que você tente adulá-lo. Primeiro, tento uma forma de brincadeira de esconder, me curvando, "aparecendo" de repente e exclamando: "Estou aqui!" Se ele tenta se virar, digo com voz alegre "Mas aonde é que você vai?", e o viro novamente. Se ele começar a chorar, você pode então tentar distraí-lo com o que eu chamo de "brinquedo do não-não", algo que você lhe dá como um agradinho especial somente enquanto o troca. Proclame com animação: "Oh, veja o que mamãe achou!"

(Eu sei que sempre aconselho os pais a "começarem do jeito que pretendem continuar", mas esta é uma exceção. Embora você permita que seu bebê examine seu relógio, que é herança de família, mais tarde ele não pensará nisso como um dos seus brinquedos. As crianças parecem saber que os brinquedos não-não servem apenas para os momentos de troca de fraldas ou roupas. Além disso, a troca de fraldas e as dificuldades para vestir são geralmente um estágio de curta duração. A bisavó ficaria feliz em saber que seu relógio está sendo usado para ajudar vocês dois a passarem mais facilmente por esse estágio.)

DICA: Compre roupas largas com cintura elástica, botões grandes e fechos de velcro. Camisas que podem ser abotoadas ou com zíper também são mais fáceis. Se você comprar camisetas, certifique-se de que a abertura para a cabeça tem botões na lateral ou é grande ou elástica o suficiente para colocar e tirar com facilidade.

Deixe a criança participar. Em algum ponto entre os 11 e 18 meses, seu filho começará a mostrar interesse por tirar a roupa (geralmente puxando uma meia). Elogie e incentive o esforço dele: "Que menino bonzinho!

Agora você pode ajudar a mamãe a tirar a sua roupa"* Para garantir o sucesso, desça a meia até a metade do pé e puxe um pouquinho no dedão, para que ele tenha algo em que segurar. Em seguida, deixe que ele tire o resto da meia. Com uma camiseta, puxe os braços dele para fora e deixe que ele puxe a camiseta sobre a cabeça. À medida que ele se tornar mais capaz, deixe-o fazer isso sozinho. Torne tudo divertido. "Eu puxo esta meia, e agora é a sua vez. Você puxa a outra e tira."

Em algum ponto, por volta dos 2 anos de idade (ou alguns meses a mais ou a menos), seu filho também demonstrará interesse para se vestir. As primeiras tentativas geralmente são com as meias. Assim como você fez antes, incentive e ajude um pouquinho; coloque metade da meia e deixe que ele puxe o resto. Quando ele tiver dominado isso, dobre o cano da meia até o calcanhar e deixe que ele coloque os dedos dos pés e puxe a meia toda para cima sozinho.

Repita essas etapas com as camisetas. Inicialmente, ajude-o a colocar a camiseta na cabeça, segure as mangas para fora e deixe-o pôr os braços para dentro delas. No fim, ele pegará o jeito e fará sozinho. Se a camiseta tiver um desenho na frente, mencione que a imagem fica para a frente. Se ela for lisa; mostre ao seu filho que a etiqueta deve ficar para trás.

E-mail de uma babá sábia

Alguns anos atrás, fui babá de duas crianças, de 2 e 3 anos de idade. O mais velho de repente começou a ter dificuldade para se vestir de manhã. Isso se tornou uma luta frequente, até que eu o fiz sentir que se vestir era sua escolha. Por exemplo, eu perguntava se ele gostaria de vestir a meia esquerda ou a direita, tornando todo o processo um desafio interessante para ele e sua ideia, em primeiro lugar. Demorou mais tempo no início, mas depois se tornou um jogo para nós dois.

---

* Não exagere nos elogios. Lembre-se da mãe (página 66) que fez tanta festa por seu filho puxar a meia que esta logo se tornou a atividade favorita do menino. Ele não conseguia entender por que sua mãe, depois de inicialmente parecer louca de alegria por seu grande feito, parecia aborrecida quando ele tirava a meia em cada oportunidade possível.

Considere alternativas se a perspectiva de estar no trocador gera uma forte atitude negativa. Fraldas podem ser facilmente trocadas no chão ou no sofá. Já vi pais que tentam trocar fraldas com a criança de pé, mas não gosto muito dessa ideia. É mais difícil conseguir um ajuste seguro, e seu filho tem mais chances de fugir antes que você termine.

Divida as tarefas em partes menores. Uma mãe em geral sabe o que perturba seu filho. Se é tipicamente estressante trocar a fralda do seu filho ou vesti-lo, prepare-se. Às vezes, passar por esses momentos difíceis é uma questão de estar em dia com suas próprias habilidades para lidar com dificuldades. Lembro-me de Maureen, que sabia que sempre que era hora de vestir Joseph, seu bebê Enérgico, ela enfrentaria uma batalha. Invariavelmente, Joseph tentava rolar ou fugir, ou agarrava sua camiseta, tornando mais difícil para a mãe fazê-la passar por sua cabeça. Na semana anterior, ela tinha tentado enfrentar Joseph, mas isso apenas tornou o menino mais resistente, e o pesadelo da troca piorou. Do mesmo modo, adulá-lo não ajudou. Portanto, essa mãe esperta dividiu o processo, tentando apenas uma peça de roupa a cada quinze minutos. Desde que não mantivesse Joseph parado por muito tempo e anunciasse seu objetivo a cada etapa ("Só precisamos vestir a camiseta"), ele conseguia suportar o processo. Dentro de um mês, o menino tornou--se surpreendentemente mais cooperativo.

É evidente que essa foi uma estratégia de último recurso. Caso seu filho seja como Joseph, reconheça que se vestir é desconfortável para ele – pelo menos por enquanto. Estender o processo dessa forma pode ajudá-lo a sentir-se mais confortável. Sim, querida, *vai* demorar mais, e forçará você a começar a se preparar mais cedo. Mas, particularmente com crianças relutantes, se você se apressar, terá de enfrentar uma batalha várias vezes por dia. Acredite, se você respeitar as necessidades do seu filho, ele passará por esse estágio de dificuldade com mais rapidez do que se você brigar com ele a cada passo do caminho.

Dê ao seu filho o direito de se pronunciar sobre o assunto. Seu filho, que acabou de conquistar a autonomia, não gosta de se vestir, porque isso o imobiliza e também porque ele não está no controle. Apesar de vestir-se não ser opcional (veja a seguir), você pode oferecer a ele uma opção limitada em relação a quando, onde e o que:

Quando: "Você gostaria de se vestir agora ou depois que eu lavar a louça?"

Onde: "Quer que eu troque suas fraldas no trocador ou no chão?"

O que: "Você quer usar sua camiseta azul ou a vermelha?" (Se ele não conhece as cores, simplifique, segurando as duas camisetas na frente dele: "Esta ou esta?")

Obviamente, se você tem de correr atrás dele pela casa por uma hora ou se ele faz birra, uma abordagem racional não funcionará. É melhor você levar a sério meu próximo ponto.

Lembre-se de que você sabe o que é melhor. Independentemente dos métodos que você usar para tornar seu filho mais cooperativo e dos truques que você usar para agilizar o processo, o fato é que o seu filho não tem uma opção no que se refere às fraldas e a se vestir. Prolongar a exposição a uma fralda suja causa assadura. No fim das contas, você precisa se manter firme e o seu filho *precisa* cooperar ou, pelo menos, ceder, quando a fralda tiver de ser trocada.

Quando as mães ou pais permitem que seus filhos pequenos corram por aí nus e pensam: "Ele não me deixa vesti-lo", eu sinto vontade de gemer. Vestir-se, como comer, também tem um componente social embutido. Ninguém sai à rua se não estiver vestido. Aponte isso para o seu filho: "Nós não podemos ir para o parque até você se vestir" Até mesmo em uma piscina ou na praia: "Você não pode voltar a brincar até vestir uma roupa seca."

DICA: Não troque as roupas do seu filho em público. Só porque ele ainda não pode falar, isso não significa que ele considera o ato de vestir-se um espetáculo público. Afinal, você gostaria de trocar de roupa no supermercado, no parque ou na praia, na frente de outras pessoas? Acho que não; nem o seu filho. Se você não puder encontrar um toalete, vá até o seu carro. Se não tiver outra opção, pelo menos use um cobertor ou casaco para cobri-lo.

Tenha um ritual para encerrar. Mesmo que seja simplesmente dizendo: "Estamos vestidos" ou "Agora estamos prontos para ir ao parque", isso permite que a criança saiba que o pesadelo acabou. Ela vê a causa e efeito: *Eu aguentei, estou vestida e agora posso brincar.*

Incentive seu filho a participar dos cuidados com a roupa. Instale ganchos para pijamas, roupões, casacos e outros itens usados com frequência para que ele possa pegar e guardar certas roupas sozinho. As crianças também adoram jogar roupas sujas no cesto da lavanderia. Esses rituais de cuidados ensinam ao seu filho que algumas roupas são guardadas para o dia seguinte, enquanto outras vão para a lavagem.

Vestir-se é uma habilidade que ele continuará aperfeiçoando. O que eu fiz acima foi lhe dar algumas ferramentas para ajudá-la nos primeiros passos. Você precisa ser paciente e observar os indícios que ele lhe envia, para ter mais ideias. Quando ele se esforçar, ajude-o. Mas quando ele disser "Eu faz", deixe-o fazer. Mesmo que você esteja com muita pressa em uma determinada manhã, se ele aprendeu a vestir pelo menos algumas peças sozinho, você não vai querer que ele regrida. A menos que queira uma batalha com ele, não tente tomar conta das coisas. Em vez disso, atrase-se um pouco desta vez e aprenda que, na próxima, você terá de planejar seus horários de outra forma. Como eu aponto repetidamente, as crianças não sabem ver a hora e certamente não se preocupam com o seu atraso. Elas se preocupam apenas com a sua própria independência.

A fronteira final: fraldas nunca mais

O espaço pode ser a fronteira final em *Jornada nas Estrelas*, mas, na sua casa, livrar-se das fraldas é a fronteira final que o seu filho cruzará enquanto progride até a grande divisão que separa os bebês das crianças. Ao mesmo tempo, se você é como muitas pessoas que conheço, esta questão também será marcada pela confusão. Quando eu cheguei aos Estados Unidos pela primeira vez, fiquei surpresa ao descobrir que o treinamento no penico era um assunto pesado. Os pais muitas vezes me sufocavam com uma enxurrada de perguntas: *Quando fazemos isso? Como fazemos isso? Que tipo de assento é melhor? Que tipo de dano irreparável podemos causar se começarmos cedo demais? E se começamos tarde demais?*

O mais surpreendente para mim é o número de crianças americanas que ainda usam fraldas aos 3 ou 4 anos. É claro, eu não acredito em forçar os pequeninos a fazer qualquer coisa que seus órgãos não estejam preparados para fazer, mas, ao mesmo tempo, precisamos apresentar oportunidades para que as crianças aprendam. Infelizmente, muitos pais se sentem confusos por duas questões: o comportamento que precisa ser ensinado e a progressão natural (marcos do desenvolvimento que acontecem de forma automática). Por exemplo, bater *não* é absolutamente parte da evolução natural da primeira infância e, ainda assim, alguns pais dão desculpas para esse comportamento: "Ah, ele vai superar isso." Não, querida, ele não vai. *Você terá de ensiná-lo.*

Treinamento no penico

A aptidão física para o treinamento no penico depende, em parte, dos músculos esfincterianos do seu filho. As mães sabem que parte do corpo é essa, especialmente aquelas que fizeram exercícios de Kegel após o parto. Para vocês, pais, na próxima vez em que forem ao banheiro, tentem parar o fluxo de urina no meio – seus músculos esfincterianos o ajudarão nisso. Acreditava-se, anteriormente, que esses músculos somente amadureciam aos 2 anos, mas as pesquisas atuais estão divididas sobre essa questão. De qualquer modo, o treinamento é uma questão *tanto* de aptidão física *quanto* de prática. Com crianças deficientes que não têm controle, conseguimos treiná-las avaliando o tempo certo para colocá-las no vaso sanitário. Nesse caso, a orientação combinada com a prática consegue superar a imaturidade.

Na verdade, a maior parte das conquistas da infância é uma combinação de dois fatores, maturidade física e orientação dos pais. Isso é fácil de entender quando se trata de construir uma torre com blocos. Quando a criança amadureceu a ponto de ser capaz de segurar um bloco e colocar outro sobre ele, ela pode, teoricamente, construir uma torre. Mas se você nunca lhe der alguns blocos para começar e lhe permitir experimentar por conta própria, ela nunca aprenderá.

É a mesma coisa com o uso do vaso sanitário. Uma criança de 3 ou 4 anos cujos pais esperam que aprenda por conta própria já tem controle sobre os músculos do esfíncter (veja o quadro da página anterior), mas pode nunca demonstrar interesse em usar o vaso, a menos que receba o tipo certo de orientação, incentivo e oportunidades suficientes para aprender. É tarefa dos pais ensinar.

Sente-se, filhinho!

Eu prefiro o redutor de assento sanitário que se coloca sobre o assento normal do vaso, em vez de unidades isoladas que alguém precisa limpar. Os primeiros são mais fáceis de transportar quando estamos em viagem. Mas tome cuidado com qualquer um dos dois métodos. As crianças podem facilmente escorregar ou ficar presas no vaso, e as duas coisas podem ser uma experiência assustadora para uma criança que já tem medo de ser engolida por uma simples tigela! Use um banquinho-escada como descanso para os pés. O seu filho se sentirá mais firme se os pés dele não ficarem balançando.

Há quase tantas teorias por aí sobre o treinamento para o vaso sanitário quanto há famílias. Como sempre, eu recomendo uma abordagem moderada, em que os pais incentivam, em vez de pressionarem a criança. Você deve estar atenta e munir-se de informações, de modo que identifique a melhor "janela" para começar o treinamento para o penico – quando o corpo e a mente do seu filho estiverem prontos e, ainda assim, *antes* de começarem as inevitáveis lutas pelo poder entre pais e filhos. Para a maioria das crianças, o momento ideal para começar é entre 18 meses e 2 anos. Dito isso, porém, eu insisto que você observe o *seu* filho. Deixe que o acrônimo H.E.L.P. seja o seu guia.

H – Contenha-se até ver sinais de que o seu filho está pronto. Quando as minhas filhas eram pequenas, nunca perguntei a ninguém: "Com que idade eu as treino para usar o penico?" Em vez disso, eu *observava* as minhas meninas. Usar o penico envolve uma sensação. Se você observar com cuidado, notará quando o seu filho começar a perceber essa sensação. Algumas crianças param tudo o que estão fazendo. Elas ficam imóveis, parecem concentradas e, então, subitamente recomeçam o que estavam fazendo. Ao defecarem, elas podem contrair o rosto ou ficar vermelhas pelo esforço. Algumas crianças escondem-se atrás de um sofá ou cadeira para fazerem isso. Ou elas apontam para a fralda e dizem: "Xi!" Preste atenção aos sinais do seu filho. Aos 21 meses, a maioria das crianças se torna consciente das suas funções corporais, mas isso pode acontecer já aos 15 meses (as meninas com frequência amadurecem antes, contudo isso não é uma regra geral).

> ## Truques para o treinamento
>
> Aqui estão duas sugestões criativas de mães cujos filhos agora são adultos:
> Uma, mãe de quatro filhos, não usou um assento para treinar os filhos. Em vez disso, ela colocava as crianças sentadas de trás para a frente no assento. "Assim, elas podiam ver o que saiu delas, e isso as fascinava. Eu tinha dificuldade para tirá-las do banheiro. Foi assim com cada um dos meus filhos, o treino foi rapidinho."
> A outra tornou o treinamento divertido, colocando cereais flutuando no vaso sanitário e incentivando o filho a "praticar tiro ao alvo".

E – Incentive seu filho a relacionar funções corporais com palavras e ações. Ao perceber que seu filho está desenvolvendo uma consciência maior, expanda o vocabulário dele. Por exemplo, quando ele apontar para a fralda, diga: "Você está molhado. Quer que eu o troque?" Se ele puxar as calças e começar a tirá-las, diga: "Deixe-me trocar você agora. Você está com cocô na fralda."

Sempre que você trocar a fralda, diga com ênfase: "Ah, isto está bem molhado. Está cheio de xixi." Ou, se ele fizer cocô, deixe-o assistir enquanto você dá a descarga. Eu sei que, com fraldas descartáveis, é fácil simplesmente enrolá-las e jogar no lixo, mas agora pode ser um bom momento para mudar esta prática, a fim de que o seu filho veja realmente para onde vai o cocô. Se você não é tímida, também pode permitir que o seu filho a acompanhe até o banheiro e explicar: "É aqui que fazemos pipi [ou use a linguagem que for mais confortável em sua casa]."

Agora é hora de apresentar também as ações. Invista em um minivaso sanitário ou assento adaptável para o vaso sanitário comum (veja o quadro da página 150) e comece fazendo com que a boneca ou bichinho de pelúcia dele vá ao banheiro. Se ele parecer receptivo e tentar sozinho, comece colocando-o logo de manhã cedo no vaso, assim que ele despertar. Fale com ele, distraindo-o com um brinquedo ou joguinho de bater as mãos. Outro bom momento para tentar uma breve sessão no penico é em torno de vinte minutos depois que ele beber algo. De qualquer modo, torne a situação divertida, não estressante. Novamente, leia para o seu filho e o divirta com um brinquedo ou jogo de bater palminhas. Distraí-lo assim faz com que ele relaxe e esteja mais propenso a ir ao banheiro. Em comparação, se você apenas se sentar com ele e esperar, isso parecerá uma exigência da sua parte.

Vestuário para o treinamento no vaso sanitário

O que um bebê bem vestido para o treinamento no vaso sanitário deve usar? Aqui estão alguns pontos a lembrar:

- **Fraldas.** As fraldas descartáveis são tão absorventes que hoje as crianças nem sempre sabem quando estão molhadas. Apesar de fraldas de pano darem mais trabalho, a longo prazo elas são mais práticas, porque o seu filho pode reconhecer quando ela está suja ou molhada e pode largá-las mais cedo.

- **Calças de treinamento.** Como as fraldas descartáveis, as calças de treinamento são muito absorventes. Tão logo a criança começa a reconhecer aonde deve ir e a sensação que acompanha a premência, e é capaz de se segurar até chegar ao banheiro, ela está no caminho certo. Talvez você opte por pular totalmente a etapa das calças de treinamento.

- **Roupas íntimas de menino/menina grande.** Quando ele estiver indo ao vaso sanitário ou penico pelo menos três vezes por dia, experimente vesti-lo com roupas íntimas de "menino grande" (ou "menina grande") durante o dia. Se ele tiver um "acidente", não faça disso um escândalo. E nunca reclame com ele! Basta trocá-lo, lavar seu bumbum e vestir roupas limpas.

L – Limite o tempo do seu filho no vaso sanitário. Não mais do que 2-3 minutos, no início. Se você tornar estressante a experiência de usar o vaso sanitário, estará comprando briga. Portanto, respire fundo e limite também a *sua* frustração com o processo. Relaxe e seu filho também relaxará. *Não se trata de obter algo do seu filho – diz respeito apenas a ensiná-lo.* Se ele fizer xixi ou cocô, ótimo. Parabenize-o (veja, a seguir, sobre elogios) e coloque em palavras o que aconteceu: "Muito bem. Você fez xixi no vaso sanitário." Quando tirá-lo, diga: "Prontinho." Se ele não conseguir fazer nada, não aja como se estivesse decepcionada. De um modo casual, tire-o do vaso e não diga nada. Finalmente, limite o sofrimento do pequeno não o colocando no vaso com muita frequência, quando ele despertar de mau-humor ou em qualquer outro momento em que ele apresentar resistência.

P – Passe o papel higiênico e agradeça a Deus! Elogie bastante seu filho quando ele realmente der algo para o vaso sanitário, *não* quando ele apenas sentar ali. Este é o *único* momento em que eu lhe dou permissão para elogiar desmedidamente, com o maior entusiasmo. "Viva! Você fez xixi no vaso!" Eu gritava e batia palmas como louca quando uma das minhas meninas conseguia usar o vaso. "Agora vamos dar descarga... tchauzinho, xixi." Não é preciso muito para que a criança veja isso como um ótimo jogo. Tenho certeza de que mais de uma vez uma das minhas filhas pensou: "Ei, a mamãe ficou doidinha, mas isto é di-

Os quatro Ps essenciais do sucesso com o penico

Penico – Um que seja do tamanho dele.

Paciência – Nunca apresse o processo ou demonstre desapontamento quando ele não fizer xixi ou cocô; todas as crianças progridem em seu próprio ritmo.

Prática – Seu filho precisa do máximo de prática possível.

Presença – Fique perto dele e incentive-o.

vertido!" Por falar nisso, elogie muito, mas não explique demais. Por exemplo, eu ouvi mães dizendo: "Bom, daqui por diante você sempre fará xixi aqui". Em vez disso, mantenha seus cumprimentos leves e alegres – no nível da criança.

Com calma e paciência, você conhecerá os hábitos do seu filho, e aos poucos ele estará mais propenso a se abrir para a experiência. Lembre-se também de que a personalidade dele exerce um grande papel no nível de receptividade que ele demonstra. Algumas crianças anseiam pela recompensa de verem a mãe ou pai loucos de alegria cumprimentando-as pelo sucesso no vaso; outras não dão a mínima.

Uma palavra final sobre a independência

Seu bebê cresce constantemente, pouco a pouco. Peço que você tenha paciência enquanto ele cresce. Ambos serão mais felizes se você confiar no processo, em vez de tentar apressá-lo. Receba com alegria cada novo avanço e apoie com paciência os estágios mais difíceis. Reconheça a diferença entre o que você pode controlar e o que está sob o controle da natureza. Às vezes, os saltos do seu filho rumo à independência parecerão súbitos e drásticos, como o momento em que ele se coloca de pé pela primeira vez. Porém, todos os dias, mesmo quando você não percebe as mudanças mais sutis, o corpo dele se torna gradativamente mais forte, com maior coordenação. Enquanto isso, ele também está acumulando experiência, assimilando novas visões e sons, ampliando cada uma das habilidades que adquire. Enquanto tudo isso está acontecendo, seu intelecto está em desenvolvimento. Sua mente, como um pequeno computador, carrega e classifica cada informação que lhe chega. Embora ele se *comunique* com você desde o nascimento, agora será capaz de literalmente falar a mesma língua. No próximo capítulo, examinaremos como esse processo incrível desenvolve e solidifica ainda mais o relacionamento entre pais e filhos.

CAPÍTULO CINCO

Conversa de bebês: mantendo um diálogo com o T.L.C.

Palavras são a droga mais poderosa usada pela humanidade.

— Rudyard Kipling

Escuta, ou tua língua te manterá surdo.

— Provérbio indígena norte-americano

Continuando o diálogo

Se ser um bebê é como viajar por terras estranhas (uma analogia que eu uso com frequência), ser uma criança pequena, que mal saiu das fraldas, é como ser um aluno de intercâmbio. Você começa a aprender a linguagem só por estar lá, assimilando trechos de conversas, em princípio entendendo mais do que consegue falar. Você consegue passar o dia muito melhor que os visitantes que estão no país há apenas uma semana, e é bem menos provável que você vá receber um prato de macarrão quando, na verdade, só queria saber onde era o banheiro. Contudo, não faz tanto tempo desde sua chegada, de modo que você não tem muitas palavras além do básico, e ainda é meio frustrante quando deseja algo ou tenta expressar uma ideia mais sofisticada. Felizmente, porém, crianças pequenas têm o benefício de guias permanentes, que falam a língua, conhecem o país e seus costumes e podem ajudá-las a melhorar seu vocabulário e a entender tudo – esses guias são chamados de *pais*.

Nós somos os guias turísticos de nossos filhos durante o processo incrível pelo qual eles aprendem a falar e se tornam membros ativos da família, além de participantes da

---

Quando meu filho começará a falar?

A taxa de desenvolvimento da linguagem é determinada por diversos fatores. Conforme discutimos no Capítulo Um, a natureza e a educação operam juntas. Alguns fatores incluem:

- Exposição à linguagem e interação com os falantes (conversas constantes e contato visual incentivam as crianças a falar).

- Gênero (meninas parecem desenvolver as habilidades da linguagem antes dos meninos).

- Outros ganhos do desenvolvimento que se tornam prioritários (as habilidades da comunicação podem sofrer atraso quando a criança começa a andar ou a expandir seu repertório social).

- Ordem de nascimento (crianças mais novas cujos irmãos tendem a falar por elas podem falar mais tarde; veja o quadro da página 167).

- Predisposição genética (se você ou o seu parceiro falaram tarde, o mesmo poderá acontecer com seu filho).

Observação: *Às vezes, as crianças que começam a falar podem ter retrocessos, se ocorre uma mudança súbita na casa – uma nova babá, um novo bebê, alguém doente, viagens dos pais ou a volta deles ao trabalho.*

Conversa de bebês: mantendo um diálogo com o T.L.C.

vida em si. A linguagem não apenas é a chave para a comunicação, como também abre um mundo de independência e atividade. Ela permite que uma criança faça perguntas ("Que isso?"), peça coisas ("Biscoito"), afirme-se ("Eu *faz* isso"), formule ideias ("Papai foi, mamãe fica") e, naturalmente, se recuse a cooperar ("Não!"). Por meio da linguagem, as crianças aprendem o que devem fazer ("Desculpe-me") e outras gentilezas sociais, como bons modos ("Por favor") e gratidão ("Obrigado"). Elas também podem recrutar outros para seus esforços ("Mamãe, vem!").

Isso não acontece da noite para o dia. O desenvolvimento da linguagem, assim como a crescente aptidão física de uma criança, é um processo lento e contínuo. Cada nova etapa soma-se à anterior e prepara para a seguinte. Primeiro, a criança gesticula para identificar objetos ou pedir por eles. O balbuciar, que eu chamo de "infantilês" (linguagem de bebês) é, de fato, precursor das primeiras palavras. "B-b-b-boh" torna-se "boh" e, mais tarde, "bola". Por isso é tão importante falar com as crianças – elas aprendem pela repetição.

Nem mesmo os cientistas conseguem explicar o complexo processo que permite às crianças imitar os sons, transformá-los em palavras, dando significado a elas, juntando umas às outras e, finalmente, usando-as para formar pensamentos sofisticados. Uma coisa que sabemos, com certeza, é que os pais não *ensinam* as crianças a falar; o que fazem é mostrar. Além disso, como em todos os processos do desenvolvimento, a criança começa a se preparar para falar muito antes de a primeira palavra sair de sua boca, o que, de fato, é emocionante, mas, com certeza, *não* é a primeira vez que conseguimos nos comunicar com ela.

Em meu primeiro livro, salientei a importância do diálogo: falar *com* os bebês, em vez de falar *para* eles. Seu filho fala em seu infantilês nativo, usando seu corpo e sua voz para expressar necessidades; você fala em sua língua, seja ela qual for – português, inglês, francês, coreano, espanhol. Você escuta, conversa com ele e ele escuta o que lhe é dito. Você responde a ele e o respeita como um pequeno ser individual que ele é. Você começa a conhecê-lo, começa a entender o infantilês e, portanto, consegue atender melhor às necessidades de seu filho. Enquanto ele cresce, o diálogo continua. E, agora, chegou a hora de administrar uma dose generosa de T.L.C.

O que é T.L.C.?

Crianças de todas as idades precisam de ternura, delicadeza e carinho, mas eu tenho outro significado em mente, que poderá ajudá-la a orientar seu filho durante os anos críticos do desenvolvimento da linguagem. As letras servem como um lembrete sobre os principais elementos da comunicação: **T**alk (Falar), **L**isten (Escutar), **C**larify (Esclarecer). Abaixo, apresento um breve resumo do T.L.C., seguido de descrições detalhadas de cada componente e o que ele envolve. Naturalmente, as três partes não são entidades separadas; elas funcionam juntas. Em cada diálogo com seu filho, você fala, escuta *e* esclarece, mesmo quando não está pensando sobre isso. Meu objetivo é iluminar o processo (a partir da página 168, você encontrará sugestões específicas, à medida que os vários estágios do desenvolvimento da linguagem se revelam).

T.L.C.: uma visão panorâmica

T –*Talk* (Falar) sobre qualquer coisa e sobre tudo. Descreva seu dia, as atividades dele e as coisas presentes no ambiente.

L – *Listen* (Escutar) atentamente as expressões verbais e não verbais, para que ele se sinta ouvido e também aprenda a prestar atenção nele mesmo.

C – *Clarify* (Esclarecer) repetindo a palavra correta ou expandindo ideias, sem repreender ou fazer com que a criança sinta que o que diz está "errado".

T –Talk (Falar). A fala constrói uma ponte entre os pais e a criança. Como apontei anteriormente, a magia da linguagem é que os pais não precisam realmente ensinar a criança a falar; elas aprendem quando falamos com elas. Sim, nós ajudamos as crianças a aprender os nomes das

Conversa de bebês: mantendo um diálogo com o T.L.C.

cores, dos objetos e das formas, mas a maior "instrução", até mesmo para conceitos como esses, ocorre organicamente, nas trocas que ocorrem nas atividades cotidianas. Pesquisas demonstram que bebês com os quais os pais dialogam durante atividades comuns do dia a dia têm vocabulários mais amplos aos 3 anos do que aqueles que escutam menos conversas diárias. Além disso, o efeito de integrar as conversas durante o dia inteiro os acompanha até a escola, onde continuam com melhor desempenho que seus colegas, em termos de compreensão de leitura.

A maior parte das pessoas tem consciência de que existem dois tipos de fala: a não verbal e a verbal. Conexões *não verbais* incluem olhares amorosos, um tapinha carinhoso na mão, um abraço, um beijo, segurar a mão, afagar o cabelo do seu filho durante um passeio de carro. Embora não sejam ditas palavras, seu filho pode sentir que você reconheceu sua presença, que você está lá para ele, que se preocupa. Expressões *verbais*, que incluem "paternês" (veja o quadro da página 160), assumem a forma de um diálogo contínuo, canções, jogos com palavras, histórias e livros. O truque é ter consciência, durante o dia, da importância de falar com seu filho – quando você está indo até a pracinha, preparando o jantar, colocando-o na cama.

Não é preciso esperar até que seu filho possa responder. Mesmo quando ele apenas balbucia, pronunciando uma série de coisas sem sentido, você pode conversar com ele. Em vez de ignorar vocalizações incompreensíveis, incentive-o, lançando-lhe algumas frases pontuais como: "Você está absolutamente certo", ou "Concordo totalmente." Faça como quando ele era um bebê mais novinho (imagino que tenha feito), atribuindo palavras às sílabas sem sentido pronunciadas por ele. Imagine-o no cadeirão quando ele acabou de comer. Ele diz: "Gugagababaga" e você responde com uma pergunta: "Quer que eu tire você daí?" Ou, se ele está tagarelando e é quase hora do banho, você pode dizer: "Ah, você está pronto para o banho?" Esse diálogo cotidiano não apenas ajuda a traduzir o infantilês para seu idioma, como também reconhece as primeiras tentativas de seu filho se comunicar, validando os esforços dele.

Pais que não fazem isso desde que o filho nasceu – muitos se acham "tolos" falando com bebês – com frequência me perguntam: "Mas *sobre o que* eu falo com um bebê?" Fale sobre o dia dele ("Estamos indo ao parque"), sobre o que você está fazendo ("Estou preparando nosso jantar agora"), sobre qualquer coisa existente no ambiente natural dele ("Ah, olhe o cachorrinho!"). Mesmo se você pensa que isso é demais para uma criancinha, ele provavelmente entende mais do que você imagina.

Além disso, não há como saber exatamente quando uma criança captura um novo conceito. Pense na última vez em que você aprendeu algo novo. Você leu, estudou, fez perguntas e revisou materiais diversas vezes. Em algum ponto, você disse a si mesmo: "Ah, agora eu entendi. É isso o que o texto está dizendo." É a mesma coisa com seu filho e sua aquisição da linguagem.

Você também precisa descobrir que tipo de fala é mais eficaz com *seu* filho. Dependendo do temperamento e daquilo que está ocorrendo com ele em seu desenvolvimento, talvez seja preciso mudar sua abordagem. Por exemplo, enquanto um bebê Sensível responde bem a abraços, um bebê Livro-texto, que está começando a andar, talvez tente evitar seus braços, porque está mais interessado em explorar. Ou, ainda, enquanto um bebê Anjo poderia sentar-se quietinho para escutar uma explicação lógica para não poder comer sorvete antes do jantar, tentar argumentar com um bebê Irritável com frequência resulta em choro alto.

Aqui se fala paternês

Um tipo de expressão verbal que os estudiosos chamam de "maternês" ou "paternês" provou ser muito benéfico para o desenvolvimento das habilidades de linguagem em crianças pequenas. Os cientistas sugerem que o paternês pode ser o modo de a natureza ajudar as crianças a aprender a falar, porque cuidadores de todos os tipos – mães, pais, avós e até mesmo irmãos mais velhos – tendem a usar essa linguagem automaticamente quando estão próximos a crianças pequenas, já que chama a atenção delas. Qualquer pessoa que fale o paternês:

- É brincalhona e animada.

- Olha diretamente nos olhos da criança.

- Fala lentamente e sua voz é cantarolada.

- Enuncia claramente.

- Salienta uma palavra na sentença ("Você viu aquele *gatinho*?").

- Repete palavras com frequência.

Em vez disso, talvez seja preciso distraí-lo. Ao lidar com seu filho Enérgico, se você perceber que ele fica muito frustrado quando tenta lhe dizer algo, ele apenas ficará mais aflito se você o levar ao colo, apontar para vários objetos e perguntar: "Você quer isso? Ou será que é isso aqui? Ou aquilo ali?" Em vez disso, coloque-o no chão e diga: "Mostre o que você quer" (aliás, essa é uma boa prática com *qualquer* criança que esteja se esforçando para transmitir uma mensagem).

Por falar nisso, minha visão de *falar* não inclui televisão ou computadores. Um bebê que passa muito tempo na frente da TV pode ser capaz de cantar uma musiquinha do Barney, porque consegue imitar o que ouviu, mas a melhor instrução da linguagem ocorre durante sua interação diária com seu filho. Quanto aos computadores, que realmente *são* interativos, ninguém sabe ainda como afetam as mentes jovens. Obviamente, isso não impede que a indústria de *software* crie programas para crianças com 3 anos ou menos, de modo que seu uso pode ser tentador (de acordo com uma empresa de pesquisas, a demanda por títulos voltados para bebês é o segmento de mais rápido crescimento no mercado para jovens). Eu, pessoalmente, não gosto de ver uma criança com menos de 3 anos sentada na frente de um computador, mas percebo que muitos pais aceitam a ideia de que o equipamento prepara as crianças para um mundo tecnológico e que pode acelerar a aprendizagem. Acredito que as crianças se adaptam à tecnologia sem nossa ajuda. Além disso, não existem provas de que o uso precoce do computador apresenta benefícios. Entretanto, se você tem um computador e comprou um aplicativo educativo, pelo menos sente-se para usar o teclado *com* seu filho. Limite, também, o tempo no computador; veja isso como apenas uma de muitas ferramentas para a aprendizagem.

Dito isso, volto à minha sugestão mais insistente: mantenha uma conversa contínua desde o momento em que seu filho acorda. Não existe algo como falar *demais* com uma criança (exceto quando ela está tentando se acalmar e cair no sono). É disso que as crianças pequenas precisam, e é assim que aprendem. Nas páginas 162-163, ofereço um "roteiro", tirado do meu próprio dia a dia com um bebê. O objetivo é

Mais Segredos da Encantadora de Bebês

simplesmente mostrar as oportunidades contínuas que temos para falar com nossas crianças. Baseie seu roteiro em seu estilo pessoal e no que acontece quando você passa tempo com seu filho.

L – Listen (Escutar). Com uma criança pequena (ou um bebê), escutar significa prestar atenção tanto às palavras como à linguagem corporal. Agora será mais fácil escutar seu filho, já que os sinais são mais óbvios. Ao mesmo tempo, as necessidades dele também são mais complexas. Ele não se contenta mais em se aconchegar em seus braços, deseja explorar, descobrir o que são as coisas e o que ele consegue fazer com elas. Mesmo antes de ele conseguir pronunciar as palavras, preste atenção em seus sinais. Se você responder a seus sinais, ele confiará em seus indicadores

Diálogos do dia a dia

Abaixo, apresento algumas frases usadas em conversas com uma criança pequena ao longo de um dia. O truque é dividir em sentenças curtas o que você faz a cada momento do dia.

Manhã

Bom dia, Vitória, minha florzinha! Você dormiu bem? Senti sua falta. Ok, vamos levantar. Ah, temos de trocar suas fraldas. Você está molhada. Consegue dizer "molhada"? Isso mesmo: molhada. Vamos trocar a fralda para ficar limpinha e confortável. Quer segurar o creme enquanto a Tracy troca você? Ok. Tudo pronto! Vamos dizer "oi" para o papai. Diga: "Oi, papai." Ok, agora podemos tomar o café da manhã. Eu vou colocar você em sua cadeira. Lá vamos nós! Vou pegar seu babador. O que vamos comer? Você quer banana ou maçã? Tracy está fazendo seu cereal. Esta é sua colher. Hmmmm... está bom, não acha? Tudo feito. Vamos encher a lava-louça. Quer me ajudar? Sim? Ótimo... então ponha isto aqui lá dentro. Isso mesmo – assim mesmo.

Idas à rua

Precisamos comprar comida. Temos de fazer compras. Vamos dar uma saída. Vamos calçar seus sapatos. Deixe-me vestir seu casaco. Assim mesmo. Aqui estamos, no carro. Pode dizer "carro"? Carro. Que bom! Estamos indo até o mercado. Deixe-me colocá-la no carrinho. Ah, olhe lá todos aqueles vegetais. Está vendo as bananas amarelas? Consegue dizer "banana"? Banana. Legal! Aqui estão as vagens. Vamos colocá-las em nosso carrinho. Muito bem, terminamos. Temos muita comida agora. Vamos até o caixa. Tracy tem de pagar àquela moça ali. Quer dizer "oi" para ela?

corporais (a fome, p. ex.) e em sua capacidade para afetar seu ambiente (pedindo um brinquedo que está em uma prateleira alta).

Escute enquanto ele fala sozinho no berço ou quando está brincando independentemente. Deixadas por conta própria, as crianças tendem a praticar novos sons ou novas palavras e, mais tarde, a falar sobre o que aconteceu em seu dia. Escutar as conversas do seu filho enquanto ele estiver sozinho ajudará você a descobrir onde ele está, em termos de desenvolvimento, e o quanto já entende.

Além disso, ao demonstrar atenção, você também ensina seu filho a escutar. Desligue a TV antes de tentar uma conversa. Garanta que você não esteja ao telefone (veja o quadro da página 164) ou lendo o jornal, enquanto responde às perguntas do seu filho.

Obrigada. Tchau! Olhe todas as nossas sacolas. Precisamos guardá-las no carro. Tchauzinho, supermercado!

Brincando

Venha cá, agora, vamos brincar. Onde está sua caixa de brinquedos? Ah, você quer brincar com sua boneca? Consegue dizer "boneca"? Boneca. Muito bem! O que vamos fazer com a boneca? Será que devemos colocá-la no carrinho? Devemos cobri-la? Vamos envolvê-la com um cobertor para deixá-la quentinha. Ai, ela está chorando! Pegue-a, dê um abraço. Ela está melhor? Ah, a boneca está com fome? O que vamos dar a ela? Ela quer mamar? Pode dizer "mamar"? Sim, mamar. Olhe, a boneca está cansadinha. Quer levá-la para a cama? Vamos colocá-la na caixa de novo para ela dormir. Boa noite, bonequinha. Você consegue dizer "boa noite"?

Hora de dormir

Vamos nos aprontar para dormir. Primeiro, escolha um livro. Ah, você quer este aqui? Boa escolha. Consegue dizer "livro"? Isso mesmo: livro. Muito bem. Venha e sente-se no meu colo. Vamos virar as páginas. O nome deste livro é *Urso Marrom*. Você consegue encontrar o urso marrom? É isso mesmo. Você consegue dizer "urso"? Vamos virar a página. Você pode encontrar o pássaro azul? Bom, este é o pássaro azul. Terminamos, agora. Vamos guardar o livro. Boa noite, livro. Diga: "boa noite". Vou deitar você, agora. Mas, primeiro, dê um abraço na Tracy. Hum, eu amo você. Aqui está seu cobertor. Boa noite e Deus abençoe você. Se precisar de mim é só chamar. Vejo você de manhã.

Ajude-o também a desenvolver as habilidades de escuta. Ligue o rádio ou aparelho de som e diga: "Vamos ouvir música." Chame a atenção dele para os sons do dia a dia: cães latindo, pássaros cantando, caminhões que passam na rua. Isso o ajudará a entender o que seus ouvidos lhe dizem.

Finalmente, escute a *você mesma*, e, se preciso, ajuste o que transmite a seu filho. O tom e o timbre de sua voz, a cadência de sua fala, seus hábitos de comunicação podem estimular a audição de seu filho – ou não. Por exemplo, você pode estar acostumado a dar ordens a pessoas em seu trabalho e usa um tom abrupto semelhante em casa. Você pode falar alto ou baixo demais. Ou ainda, seu tom pode ser monótono. Já vi alguns pais que declaram duas ideias muito diferentes, como se fossem intercambiáveis – por exemplo, "coloque isso na mesa, Molly" e "Não empurre, Molly. Gabby estava aí primeiro". Uma vez que tudo soa parecido, seus filhos, com frequência, têm problema para discernir entre significado e emoções. Pior ainda, talvez você fale aos gritos, o que definitivamente faz com que as crianças desliguem a atenção ou se retraiam, e nenhuma dessas reações leva a um bom diálogo.

Finalmente, devo acrescentar que o ritmo frenético da vida da maioria dos pais modernos torna a escuta um desafio ainda maior. Uma vez que temos tanta pressa, apressamos nossos filhos. Queremos gerar soluções, mesmo antes de ouvir o que eles têm a dizer. Assim como

---

Telefone – Atenção = Interrupção

Eu fico maluca (e não tenho dúvida de que outros adultos também se sentem assim) quando estou ao telefone com uma amiga que fala comigo e, ao mesmo tempo, adverte o filho pequeno: "Espere, Benjamin, não suba aí!" As crianças pequenas (e também as maiores) são oportunistas quando não têm nossa atenção, e telefonemas, em particular, parecem enviar um sinal: "Hmmmm... mamãe está ao telefone – eu preciso dela." A peraltice preferida de minha filha era enfiar-se na caixa de carvão sempre que o telefone tocava.

A verdade, querida, é que a maioria dos telefonemas pode esperar até que nossos filhos estejam cochilando ou na cama. Se o telefone tocar, não tenha medo de dizer: "Johnny está acordado. Não é um bom momento para falar." Se for absolutamente urgente, pelo menos prepare a criança, dizendo: "Mamãe precisa falar no telefone agora." Dê a ele seu brinquedo favorito ou uma atividade para mantê-lo ocupado. Faça com que o telefonema seja breve e talvez você consiga terminar a conversa sem interrupções.

pais estressados tendem a usar substitutos (veja página 284) como uma chupeta para silenciar um bebê que chora, pais ocupados de crianças pequenas tendem a ligar a TV. As crianças se desligam e, em um piscar de olhos, elas desaprendem a ouvir (isso é mais aparente quando entram na adolescência!).

Em resumo, escutar é um modo certo de aumentar a autoestima de seu filho. Essa também é a base para a confiança, solução de problemas e resolução de conflitos. Escutar é uma habilidade particularmente importante no mundo atual, cheio de distrações. Ao escutar, você mostra que está disponível a seu filho – naquele momento –, que tem consciência de sua presença, está interessada e se preocupa.

C – Clarify (Esclarecer). Isso nos lembra de reservar alguns minutos para confirmar e/ou expandir o que os nossos filhos nos dizem. A forma como as crianças pequenas ouvem as coisas e aquilo que elas dizem primeiro são bem diferentes. Precisamos incentivá-los a usar a palavra certa, mesmo quando têm seu próprio modo de expressar uma ideia. Quando minha Sara dizia "Maa saaa", eu dizia, "Ah, você quer uma mamadeira com chá?" (na Inglaterra, nós damos chá diluído às crianças, assim como as mães americanas oferecem suco a seus bebês). Também precisamos ajudar os bebês a entenderem os aspectos sociais da fala, a etiqueta da comunicação. Por exemplo, quando uma criança fala alto demais, dizemos: "Este é um momento para usarmos nossa voz baixa." Pais conscientes esclarecem o dia inteiro, muitas vezes sem pensar nisso. Na festa de aniversário de 1 ano que eu mencionei no Capítulo Quatro (páginas 103-104), sempre que nossa pequena tagarela, Amy, dizia "caão", um dos seus pais inevitavelmente reforçava: "Sim, é um caminhão."

Independentemente de seu filho criar suas próprias palavras ou, como Amy, estar começando a formá-las, se ele tem uma versão própria de uma palavra real, você precisa escutar com cuidado os indicadores no contexto, para decifrar o significado. Então, ofereça seu palpite e esclareça. Porém, não copie a palavra usada por *ele* para o objeto. *Repita a palavra corretamente*. Por exemplo, seu filho aponta a janela do carro

Esclarecendo emoções não verbais

Você não precisa esperar que seu filho diga palavras para esclarecer. Ele envia os seguintes indicadores não verbais para lhe dizer como se sente. Ele então olhará para você, em busca de uma resposta. Use seus sinais e o contexto para "decifrá-lo" e, então, esclarecer para ele: "Estou vendo que você está [zangado, triste, orgulhoso, feliz]."

Indicadores que lhe dizem se estou infeliz, relutante ou zangado:

Meu corpo fica rígido.

Jogo a cabeça para trás.

Eu me jogo no chão.

Bato a cabeça.

Mordo algo com força, como o sofá.

Choro/grito com raiva.

Indicadores que lhe dizem que estou contente e provavelmente cooperarei com você:

Sorrio e/ou rio.

Balbucio contente.

Bato palmas.

Sacudo meu corpo da cintura para cima e dou gargalhadas.

e diz: "Cassoo." Uma vez que você presta atenção e percebe que há um cachorro na calçada, sabe que ele quer dizer "cachorro", de modo que você diz: "Sim, querido, *é* um cachorro. Muito bem! Cachorro. Talvez a gente veja outro cachorro daqui a pouco." Assim, você reforça e elogia. Você também pode *reformular o que ele disse como uma pergunta*. Se ele diz "dedê", você diz: "Quer sua mamadeira?" Os dois métodos servem para corrigir uma criança sem implicar que ela esteja errada ou, pior, envergonhá-la.

Outra forma de esclarecer é *expandindo*. Quando ele chamar um cachorro pelo nome, você acrescenta: "Sim, é um cachorro preto e branco." Quando ele pedir a mamadeira, diga: "Está com sede?" Você estará confirmando que ele relacionou um som apropriado a um objeto, reforçando seu uso da linguagem e dando um passo além. Logo, "cassoo" se tornará "cachorro" e "dedê" se transformará na palavra "mamadeira", mais avançada. Embora ainda possam se passar meses ou mesmo um ano antes de ele entender o significado de "preto", "branco" ou "sede", ou poder formar frases mais longas, como "cachorro preto e branco" ou "Estou com sede", você estará ajudando a programar seu pequeno computadorzinho para ideias e descrições mais complexas.

Quando uma criança está começando a falar e parece lutar para encontrar uma palavra, dê um jeito de ajudá-la. Da mesma forma, quando seu filho estiver usando palavras que apenas você entende, é uma boa ideia ajudar um avô ou um estranho a entender ("Ela está pedindo a mamadeira"). Entretanto, quando ele tiver idade suficiente para terminar suas próprias sentenças ou se fazer entender, não fale por ele.

Além disso, esclarecer *não* significa sobrecarregar a criança com informações. Alguns pais, muito focados no sucesso do filho e ansiosos por ampliar o conhecimento dele, com frequência dão tantas informações que me vejo forçada a recordar a antiga piada na qual uma criança de 3 anos pergunta à mãe: "De onde eu vim?", e a mulher rapidamente se lança a uma detalhada explicação sobre "plantar uma sementinha na barriga da mamãe". A criança, confusa, sem entender uma palavra do que a mãe havia dito, responde: "Mas o Johnny veio da Filadélfia."

Eu já vi incontáveis exemplos da vida real de explicações excessivas. Recentemente, eu estava em um restaurante que recebe bem as crianças. Uma mãe estava parada junto ao caixa, pagando a conta, e seu filho parecia hipnotizado pelas balas atrás do balcão de vidro. "Bala", disse ele. "Não, você não pode comer essa bala", disse a mãe, em um tom muito ríspido. "Tem muito corante nessas balas, e o açúcar o deixará agitado." Ah, por favor, dê um tempo! (Uma

---

Segundo filho demora mais para falar?

Segundos filhos com frequência falam mais tarde que primogênitos, porque seus irmãos esclarecem *por* eles. Em nossa família, Sophie balbuciava, olhava para mim e, então, se eu não respondia rapidamente, ela se virava para Sara, como se dissesse: "Será que ela não entende o que eu estou dizendo?" Então Sara interpretava: "Ela quer o cereal."

Enquanto Sara continuasse decodificando a fala da irmãzinha, Sophie nunca precisaria usar palavras de verdade. Quando percebi que Sophie não estava aprendendo a falar, eu disse a Sara: "Você é realmente uma boa irmã [o que era verdade, *parte* do tempo], mas precisa deixar Sophie pedir algo por si mesma."

Quando Sara parou de falar por ela, Sophie progrediu de praticamente nenhuma palavra para sentenças completas, em muito pouco tempo. O fato é que ela havia adquirido uma habilidade linguística muito maior do que jamais imaginaríamos – mas simplesmente optara por não a usar (mais sobre relacionamentos entre irmãos no Capítulo Nove).

abordagem melhor teria sido desviar totalmente a atenção da criança da bala e lhe oferecer uma alternativa saudável, por exemplo: "Olhe, querido, eu tenho uma banana e uma maçã na sacola. O que você quer, banana ou maçã?" Mais sobre isso no Capítulo Sete.)

Dicas do T.L.C.

Alguns lembretes importantes

Sim!
Preste atenção nos sinais não verbais, além dos sinais verbais.
Olhe nos olhos dele, seja para falar com ele ou ouvi-lo.
Fale com frases curtas e simples.
Incentive-o a se expressar, fazendo perguntas simples e diretas.
Faça jogos com palavras, nos quais você e ele possam interagir.
Exercite os limites e a paciência.

Não!
Não fale alto demais, baixo demais, rápido demais ou qualquer coisa demais, por falar nisso.
Não envergonhe seu filho por não pronunciar as palavras corretamente.
Não fale ao telefone quando seu filho estiver falando com você.
Não se ocupe com tarefas domésticas nos horários designados para a criança.
Não interrompa seu filho.
Não use a TV como babá.

Infantilês e muito mais

Embora alguns livros relatem que a maioria das crianças diz a primeira palavra com 1 ano, isso nem sempre é verdade. Algumas já falam, mas outras não. Há ainda aquelas que adquiriram 20 palavras ou mais com essa idade. Algumas crianças passam de modo sistemático pelos estágios apresentados a seguir, enquanto outras (geralmente crianças com irmãos mais velhos – veja o quadro da página 167) falam muito pouco até os 18 meses ou mais e, então, começam a falar subitamente em sentenças completas, como se estivessem guardando tudo.

As crianças captam a ansiedade dos pais acerca da linguagem – na pior das hipóteses, isso pode silenciá-las – e, por isso, é fundamental aceitar o ritmo particular de desenvolvimento do seu filho. Ofereço algumas orientações, por idade (veja a tabela da página 183), porque sei que os pais sempre cogitam se seus bebês estão na faixa de "normalidade". Mesmo assim, eu gostaria de enfatizar que *existe uma imensa variação na aquisição da linguagem.* Deixe seu filho ser o guia que realmente importa. Seu progresso pode ser suave e contínuo, ou ocorrer em grandes saltos. Em vez de ficar obcecado sobre o que é típico para determinada idade, determine sozinho *pela observação* em que estágio ele está.

> ### Estudo surpreendente
>
> Bebês adoram sons. Em experimentos nos quais a sucção produzia um som, bebês *de apenas 1 mês de idade* sugavam com mais força para que o som continuasse. No fim, eles se entediavam, mas, quando um novo som era produzido, eles "despertavam" e voltavam a sugar rápido. Eles podiam perceber diferenças sutis nos sons. Na verdade, diferentemente dos adultos que conseguem distinguir apenas sons em seu próprio idioma, os bebês conseguem distinguir inicialmente todos os sons, um talento que desaparece por volta dos 8 meses.

Ele fala infantilês. Os bebês realmente vêm ao mundo com a capacidade de diferenciar sons (veja o quadro acima). A fascinação de seu filho por sons é o passaporte dele para o mundo da linguagem. Ele balbucia incessantemente no início. Veja bem: ele não está apenas brincando, mas experimentando, vendo que ruídos sua língua e lábios podem produzir. É também interessante que até mesmo enquanto balbucia ele o faz nos tons e cadência de seu próprio idioma. Um bebê de 9 meses nascido nos Estados Unidos e que apenas balbucia já parecerá "americano", se comparado com, digamos, um bebê sueco, que tende a emitir sons em um crescente cantarolado, muito parecido com o idioma do país.

A linguagem não verbal de seu filho também melhora agora, e você experimentará um intercâmbio real (ou um cabo de guerra) entre vocês dois. O rosto dele é como um livro aberto – ele irradia alegria no sorriso, ostenta suas conquistas com orgulho, faz beicinho quando está triste e lhe diz, com expressão de menino arteiro, que se meteu em alguma encrenca. Ele entende muita coisa agora, bem mais do que consegue expressar. Ele também pode ler melhor *suas* expressões faciais. Um olhar duro ou uma alteração no tom de voz podem ser suficientes para fazê-lo congelar no lugar ou torná-lo ainda mais determinado a desafiá-la!

Diga: "Onde está Enrico?" e ele apontará para si. Pergunte: "Onde está a mamãe?" e ele apontará para você. Ele pode acenar um adeusinho quando alguém vai embora, balançar a cabeça para indicar um "não" e abrir e fechar a mão, que em infantilês significa "Quero isso!". Quando ele aponta para um objeto, pode ser para chamar sua atenção para aquele objeto ou lhe dizer que deseja aquilo. De qualquer forma, dê um nome ao objeto. "Sim, Enrico, isso é um gato." Às vezes, identificar um objeto é o bastante para satisfazer a curiosidade insaciável dele, e é o que ele deseja que você faça.

Durante o dia inteiro, escute o infantilês do seu filho, responda a seus indicadores não verbais e também dê um significado aos sons que ele faz. Quando ele disser: "Mm, mmm, mmm, mãh", ponha uma palavra nesse murmurar, dizendo: "Mm, mmm, mmmm, mãh... mamãe." Essa pode ser uma forma precoce de esclarecimento.

Use fantoches e bonecas macias para melhorar as conversas. Compre livros atóxicos, com páginas de papelão, porque ele desejará provar o livro, além de escutar a história. Ao ler para ele, dê o nome dos objetos ("Está vendo a florzinha bonita?"). Depois de algumas semanas com o mesmo livro, peça que ele lhe mostre a florzinha bonita. Ele também adorará o som das rimas de cantigas de ninar e das brincadeiras com palavras.

Você ficará surpresa com a rapidez com que ele aprende, por exemplo, o jogo "De que tamanho?". Um dia, enquanto você pergunta "De que tamanho é o Bobby?", puxe os braços dele acima da cabeça e lhe mostre a resposta: "Deste tamanho!" Pouco tempo depois, ele não precisará mais de sua ajuda para a resposta. Ajude-o a aprender sobre as partes do corpo, também. Pergunte: "Onde está o nariz do Bobby?", apontando, diga: "Aqui está", e, antes que você se dê conta, ele também apontará para o próprio nariz. Minha babá brincava de "Bochecha, bochecha, queixo" com minhas amiguinhas e comigo, quando eu era criança, apontando para partes do rosto e recitando em voz rítmica e cantarolada: "Olho, nariz, bochecha, bochecha, queixo... bochecha, bochecha, queixo, nariz, olho." Até mesmo uma brincadeira simples como esconder ensina às crianças uma regra importante da comunicação: as pessoas se revezam. E um dia seu filho agarrará um cobertor, esconderá seu rosto ou irá para trás de uma cadeira, como se dissesse: "Vem cá, é hora de brincar!"

Você precisará reforçar continuamente o significado de palavras e ideias, especialmente se há perigo envolvido. Por exemplo, se seu filho se aproximar de uma chaleira, diga: "Cuidado, Tammy, está quente." Ele se distrairá com outra coisa, mas alguns momentos depois, poderá chegar perto da chaleira de novo. Não é que não entenda o que você diz, mas não se lembra. Diga, apenas: "Lembre, está quente." Quanto mais uma criança escuta algo repetido, mais ela se recordará. Na Inglaterra, as crianças aprendem que chaleiras são quentes muito antes do que aprendem isso na América, porque elas veem o objeto todos os dias, o dia inteiro!

Ele consegue dizer algumas palavras. Dominar vários sons tornará mais fácil para uma criança aprender suas primeiras palavras, o que pode começar a acontecer já aos 7 ou 8 meses, ou mesmo aos 18. Os primeiros sons que os bebês do mundo inteiro fazem são as consoantes *d, m, b* e *g* e a vogal "a"; *p, h, n* e *w* vêm pouco depois. Os bebês combinam esses primeiros sons para fazer "dada-dadada" ou "mamamamama".

É interessante notar que as palavras para "mãe" e "pai" também são surpreendentemente semelhantes entre as culturas: *mama* e *dada, mati* e *tati* etc. Os pais presumem naturalmente que o filho está finalmente "chamando" por eles, mas Alison Gopnik, Ph.D., Andrew N. Meltzoff, Ph.D., e Patricia K. Kuhl, Ph.D., autores de *The Scientist in the Crib,* levantam um ponto interessante: "Não está inteiramente claro se os bebês dizem 'mama' e 'papa' porque é assim que seus amados pais chamam a si mesmos ou se os pais chamam a si mesmos 'mama' e 'papa' porque é isso que os bebês dizem, de qualquer maneira."

Os autores também apontam que as pesquisas realizadas nos últimos 20 anos foram bem esclarecedoras sobre as primeiras palavras dos bebês. Os bebês realmente dizem "mama" e "papa" (naturalmente, isso não aborda realmente a questão do que veio primeiro!). Além disso, eles dizem muitas palavras que os adultos não percebem, talvez porque não esperamos por elas, palavras como "gone" ("foi"), "there" ("lá") e "uh-ho", "more" ("mais") e "what's that?" ("que é isso?") [bebês de países cuja língua materna é o inglês]. A psicóloga Gopnik, que fez diversas experiências para descobrir o que os bebês querem dizer quando usam cada uma dessas palavras, descobriu que eles usam "gone" para descrever objetos que desapareceram, "there" para notar sucesso (deixar cair um bloco em um balde, puxar uma das meias) e "uh-ho" para o fracasso (derramar algo ou cair). Eu fiquei encantada, mas não surpresa, por saber que os bebês britânicos dizem "oh dear" e "oh bugger" (expressões de frustração ou aborrecimento) para comentar o que lhes acontece.

Inicialmente, as palavras têm significados idiossincráticos que apenas seu filho (e seus irmãos mais velhos – veja o quadro da página 167) pode decifrar (como o "ma-sassa" da minha Sara). Isso pode ou não significar o que *você* acha que significa, de modo que você pode discernir o significado a partir do contexto. Em algum momento, porém, ele começará a entender o real significado da palavra e o aplicará a diversas situações. Isso é uma conquista e tanto. Uma coisa é dizer uma palavra, outra coisa é usá-la corretamente para dar nome a um objeto e perceber que, apesar da diferença óbvia, dois objetos podem ter o mesmo nome. Amy, por exemplo, que aprendeu a dizer "cão" também era capaz de reconhecer que os veículos grandes e barulhentos que desciam a rua tinham o mesmo nome que os brinquedos com que ela brincava em casa. Não surpreende que o entendimento infantil dessa ideia incrivelmente complexa – que as palavras representam coisas – com frequência

Conversa de bebês: mantendo um diálogo com o T.L.C.

ocorra por volta da mesma idade em que eles se envolvem em jogos imaginários, que também exigem o entendimento das representações simbólicas.

Quando seu filho está nesse estágio, sua mente está se expandindo rapidamente. Ele é como um computador e você precisa ajudar, inserindo novos dados. Ele está tentando entender o que seu vocabulário recém--adquirido realmente significa. Isso pode ser frustrante, às vezes, para você e para seu filho. Ele pode saber exatamente o que deseja e não ter a palavra para isso. Ajude-o, dando nomes a tudo o que ele apontar. Ou, ainda, ele pode usar uma palavra, como "copo", e você pensar que ele quer *ver* um copo no armário e brincar com ele, mas o pobrezinho está apenas com sede. Se você achar que ele está pedindo o copo, dê-lhe. Se ele protestar, diga: "Ah, você deve estar com sede." Sirva um pouco de água no copo e dê um gole a ele.

As primeiras palavras das crianças variam, embora as favoritas incluam *beber, comer, beijar, bicho, banho, sapato* e *suco* – todas estão presentes no dia a dia das crianças. Às vezes, esse pequeno criador principiante de palavras compreende uma imediatamente. Lembre-se, porém, de que, assim como um adulto precisa ouvir uma palavra mais de uma vez, reler sua definição e vê-la em uso várias vezes para realmente aprendê--la, a maioria das crianças pequenas também precisa de um pouco de prática com suas primeiras palavras. Nesse caso, minha filosofia é a mesma que utilizo com os alimentos: experimente quatro ou cinco vezes,

O quê? Nada de "papá"?

Para grande decepção do papai, uma criança pequena subitamente começará a chamar todo mundo, desde o tio até o homem das entregas, de "Papá". Ser capaz de imitar uma palavra não significa necessariamente que a criança a entende. Até fazer o salto cognitivo, "Papá", como muitas primeiras palavras, terá um significado especial para a criança. Contudo, levará algum tempo para que a palavra represente aquele cara que chega em casa todas as noites e corre atrás de seu menino pela sala.

Alguns pais têm uma queixa um pouco diferente. Como um deles me disse, há pouco tempo: "Alexandra sabe dizer 'mamã'; então por que não diz 'papá' também?" A verdade é que Alexandra praticamente nunca escuta a palavra "papá", porque todos chamam seu pai pelo primeiro nome. "E como sua filha poderia aprender a dizer *Papai*", eu perguntei, "a menos que escute você ser chamado assim?"

Mais Segredos da Encantadora de Bebês

para acostumar-se. Não se frustre se ele não repetir a palavra; apenas aceite que seu filho ainda não está pronto.

Comece a dar nome também para emoções. Mostre-lhe uma foto e diga: "Esta menininha parece triste." Ou "Você consegue dizer qual das crianças está triste?" Pergunte o que deixa seu filho triste. Explique que as pessoas às vezes choram quando estão tristes. Veja se ele consegue fazer uma expressão triste (veja também as páginas 248-249).

DICA: Reaja apropriadamente quando seu filho expressar uma emoção. Quando um pai ou uma mãe pensa que o "beicinho" de uma criança é engraçadinho e, portanto, responde rindo ou abraçando-a porque ela parece adorável, isso causa confusão na cabeça dela. Pior ainda, logo você não saberá se ela está fazendo beicinho para expressar infelicidade ou para ganhar sua atenção (veja também as páginas 260-261).

Lembre-se de que *tudo* é interessante para um bebê; cada nova experiência é somada a seu aprendizado. Dê palavras às coisas e atividades durante o dia (veja meu roteiro nas páginas 162-163). Fale com ele constantemente, em sentenças curtas: "Olhe, lá vai o carro vermelho." Seu filho também poderá responder a perguntas simples ("Onde você pôs o ursinho de pelúcia?") e a comandos de uma só etapa ("Traga seus sapatos para a mamãe"). Ele se sentirá importante e orgulhoso, quando resolver problemas simples e executar os comandos com sucesso. Dê a ele muitas oportunidades nos momentos do dia a dia: "Traga-me seu livro sobre o coelhinho", "Coloque os brinquedos que você quer na banheira", "Escolha um livro".

Ele joga o jogo do nome. Todas as indicações de nomes e as conversas que você vem mantendo nos últimos meses subitamente valerão a pena, com uma explosão virtual de palavras. Se você tem mantido um diário das primeiras palavras, já deve ter ouvido em torno de 20 ou 30, mas agora poderá perder-se na contagem, enquanto seu filho parece apontar

Conversa de bebês: mantendo um diálogo com o T.L.C.

para tudo *e* dar seu nome. Em dois ou três meses, o vocabulário dele pode aumentar de 20 palavras para mais de 200 (e, quando ele estiver com 4 anos, para mais de 5 mil). Aquilo que ele não conhecer, perguntará a você, e, enquanto antes você não podia contar com a capacidade dele para recordar novas palavras, agora ele a deixará atordoada com sua memória.

Os cientistas enunciam diversas teorias para as causas da súbita explosão da expressão verbal. A maioria concorda que ele significa um novo estágio do desenvolvimento cognitivo e que uma criança precisa ter aprendido entre 30 e 50 palavras para que ele ocorra. Claramente, qualquer criança que jogue esse jogo de nomes já reconhece que os objetos em seu ambiente têm nomes e já aprendeu a perguntar: "Que isso?" Ele também tende a captar tudo o que escuta, e quero dizer *tudo mesmo*. Cuidado com o que você diz, a menos que queira escutar seu queridinho exclamando: "Mas que merda!" (ou pior), em vez de "xi". Eu, que exclamava com frequência "Jesus Cristo!" quando estava frustrada, não tinha ideia de que Sara sequer percebia isso. Um dia, no supermercado, uma mulher em nossa frente deixou cair um frasco de alvejante e, enquanto ele se espatifava no chão, Sara soltou um sonoro "Jesus Cristo!" Minha vontade foi de me enfiar embaixo do balcão.

Seu filho provavelmente começará a juntar palavras em sentenças simples: "Mamãe acordou", "Dá biscoito", "Papai foi". Você pode até ouvi-lo falando sozinho enquanto está envolvido em brincadeiras ou pouco antes de dormir, enquanto está adormecendo. Nós geralmente nem pensamos na linguagem, porque ela desliza sem esforço de nossas bocas. Pense, porém, que grande feito isso é para crianças pequenas – saber o bastante não apenas para usar mais que uma palavra de cada vez, mas também colocar as palavras na ordem certa e usá-las para processar seus pensamentos em voz alta.

DICA: Às vezes, as crianças passam por um estágio de ecolalia – copiar incessantemente tudo o que escutam. Em vez de responderem a uma pergunta como "Você quer biscoito de chocolate ou de coco?", elas repetem "biscoito de chocolate ou de coco". Embora eu acredite em incentivar as crianças a falar, nesse caso, uma abordagem melhor seria simplesmente pedir para seu filho apontar o que deseja.

Muitas crianças também começam, agora, a categorizar objetos. Por exemplo, se você colocar um grupo de brinquedos na frente delas e pedir que coloquem alguns à sua direita e outros à sua esquerda, elas imaginarão alguma forma de categorizá-los – todos os carros em uma pilha, todas as bonecas na outra. E, embora seu filho talvez tivesse chamado todos os animais de quatro patas de "cachorrinhos" antes, agora ele percebe que também existem "vacas", "ovelhas" e "gatos". Um bom jogo para reforçar esse entendimento é pedir que ele dê o nome de todos os animais que conhece, ou de todos aqueles que vivem no zoológico ou em uma fazenda.

Apesar da torrente de palavras que se derrama da boca de seu filho, esse também pode ser um período de frustração. Ele pode ter problemas para pronunciar certas palavras, pode travar no meio da conversa e não saber como chamar alguma coisa. Ele fará muitas perguntas. E uma de suas palavras favoritas será "não!".

DICA: "Não!" não é necessariamente um sinal de que seu pequeno é um obstinado. De fato, talvez ele nem sequer saiba o que isso significa. Crianças pequenas em geral dizem "não" porque é uma palavra que escutam frequentemente. Portanto, uma forma de reduzir essa aparente negatividade é observando sua própria cascata de "nãos". Outro modo é garantir que você fale e escute seu filho e lhe dê a atenção de que ele precisa.

Esse é o momento certo para ensinar boas maneiras. Quando ele pedir algo, lembre: "Diga por favor." Diga "por favor" *por* ele, primeiro. Enquanto você estende o objeto que ele deseja, diga "obrigada" também por ele. Faça isso 50 vezes por dia, repetindo a mesma sequência, e isso se tornará facilmente parte do discurso social de seu filho.

DICA: Se você ensinou seu filho a dizer "Com licença" quando ele interrompe uma conversa, no momento em que ele fizer isso, não lhe diga "Espere um minuto até eu terminar." Primeiramente, ele não sabe o que significa "um minuto". E, em segundo lugar, você está enviando uma mensagem confusa. Afinal, ele seguiu sua regra e então você a mudou, pedindo-lhe para esperar. Em vez disso, elogie-o por ser educado e escute o que ele tem a dizer. O outro adulto com quem você está falando entenderá.

Nesse estágio, quando seu filho estiver começando a expandir seu vocabulário e a expressar ideias cada vez mais complicadas, "esclarecer" tem importância crucial. Embora eu jamais sugira sentar-se para "ensinar" uma criança, tente estruturar a hora da brincadeira para que ele tenha oportunidades de manipular formas e trabalhar com cores. Não comece perguntando a ele sobre as cores. Em vez disso, aponte-as casualmente – a banana amarela, o carro vermelho. Jogos de combinar cores também são bons. Dê-lhe uma camisa vermelha e diga: "Será que você pode encontrar meias vermelhas para combinar com isso?" As crianças podem combinar cores antes de poderem dar nomes a elas. Além disso, introduza conceitos como "macio" e "duro", "plano" e "redondo", "dentro"

Encolhidinhos com um bom livro (e uma criança agradecida)

Até mesmo os bebês adoram "ler". Comece a ler cedo para uma criança, e os livros se tornarão seus amigos. Não leia os livros, apenas. Mude seu tom de voz e atue como as personagens da história. Fale sobre eles, também. Os melhores livros para crianças com menos de 3 anos têm:

Um enredo simples: crianças pequenas gostam de identificar objetos, mas, à medida que crescem, elas conseguem acompanhar a sequência de uma história simples.

Durabilidade: especialmente para crianças com menos de 15 meses, garanta que a impressão é atóxica e que as páginas são resistentes.

Boas ilustrações: cores vivas e ilustrações claras e realistas são melhores para crianças pequenas; à medida que crescem, elas podem lidar melhor com criaturas fantásticas.

e "fora". Usar essas palavras ajuda seu filho a ver que os objetos têm determinadas qualidades.

Ele ainda gostará de brincar com certos jogos de "bebês" e recitar rimas infantis que conheceu quando era mais novo, mas agora ele entende muito mais. Ele começará a repeti-las, até mesmo a recitá-las sozinho. Nessa idade, as crianças adoram ritmo e repetição. Elas também adoram música e aprendem as letras das canções com facilidade. É ainda melhor quando gestos acompanham as palavras – as crianças gostam de imitar movimentos adultos. Boas escolhas incluem: "A Dona Aranha", "Cabeça, Ombro, Joelho e Pé" ou "Cinco Patinhos".

Jogos de contar também são ótimos, e ajudam a melhorar o entendimento sobre números. Recite: "Um, Dois, Feijão com Arroz, Três, Quatro, Feijão no Prato", ou cante com ele "Um, Dois, Três Indiozinhos".

Tenha mais atenção ainda para sintonizar com seu filho agora. Como sempre, deixe-o tomar a dianteira. Fale sobre coisas nas quais ele esteja interessado – coisas que olha e coisas com as quais brinca. Palavras associadas com sua rotina diária são aprendidas primeiro. Além disso, faça perguntas que o ajudem a desenvolver sua memória e a pensar sobre coisas do passado e do futuro ("Não nos divertimos no parquinho ontem?", "A vovó vem nos visitar amanhã. O que devemos fazer de almoço para ela?"). Mais importante, ao envolver-se com alegria em uma conversa, você transmite a ele o senso de que a comunicação é uma habilidade maravilhosa e preciosa.

Ele fala pelos cotovelos. Em algum momento, entre 2 e 3 anos, o seu filho conhecerá muitas e muitas palavras, e falará em sentenças de três e quatro palavras. Ele pode cometer muitos erros gramaticais, dizendo "lápises" em vez de "lápis" ou "eu caiu" em vez de "eu caí", mas não se preocupe: você não é professor dele. Ele aprenderá a forma correta mais por imitação que por suas correções. Nesse período, ele já capturou a importância da linguagem como ferramenta social, como uma forma de se expressar e de obter o que deseja. Ele pode usar palavras, brincar com elas, deleitar-se com elas. Ler, recitar poesia e cantar são passatempos que eles adoram e continuarão afiando suas habilidades com a linguagem. O faz de conta se torna mais presente agora, enquanto ele tece narrativas em suas ações. Dê-lhe roupas de fantasia e compareça aos chás de bonecas que sua filha montar. Forneça muitos tipos diferentes de objetos que imitem suas versões adultas, como um estetoscópio, uma maleta e outros artigos de "gente grande". Você pode dar giz de cera, e ele o usará para desenhar ou lhe dirá que está "escrevendo". Na verdade, sua escrita *parecerá* mais com a de um adulto agora que há alguns meses.

Algumas crianças pequenas começam a gostar de livros com o alfabeto nessa idade, mas não se sente com seu filho para tentar fazer com que ele aprenda o alfabeto. Lembre-se de nosso mantra do H.E.L.P.: contenha-se até *ele* mostrar interesse em aprender. O mais importante não é fazer com que ele identifique as letras visualmente, mas reconhecer os sons que elas fazem. Você pode fazer disso uma brincadeira: "Vamos procurar coisas que começam com a letra *B*. Bã, bãh, bãh... estou vendo... uma bola! O que você encontrou?"

Agora, se você incluiu livros como parte do ritual da hora de dormir, (e, se não, por que não incluiu?), seu filho adorará ler. Não se surpreenda se ele pedir o mesmo livro todas as noites, durante muitos meses. Se você tentar saltar algumas páginas, ele a repreenderá: "Não, não é assim! Agora vem aquela parte sobre a galinha!" Com o tempo, ele poderá até mesmo lhe dizer que ele "vai ler" para você. E não se surpreenda ao perceber que ele memorizou cada página.

Falar ou não falar

As crianças são infinitamente encantadoras ao longo do processo de adquirir a linguagem – e, às vezes, como minha história sobre Sara no supermercado ilustra, uma fonte de profundo constrangimento. As crianças que se saem melhor têm pais que praticam muito T.L.C. – eles falam, escutam e esclarecem. Eles passam tempo com seus filhos. Eles não falam

Mais Segredos da Encantadora de Bebês

em tatibitate – porque assim a criança aprenderia a pronunciar *mal* as palavras. Eles são pacientes, permitindo que a criança se desenvolva no ritmo que lhe é confortável. Além disso, embora estejam muito empolgados com o progresso do filho, eles não o fazem apresentar-se como uma foquinha treinada ("Querido, cante sua nova musiquinha para a tia Mabel!").

Como o quadro da página 183 menciona, é importante ter em mente os sinais que podem indicar perda auditiva ou um atraso do desenvolvimento. Contudo, existem muitos casos em que não há nada errado com a criança em termos físicos, mas ela ainda não começou a falar, quando as estatísticas dizem que já deveria estar fazendo isso. Recentemente, Brett, uma mãe muito esperta que trabalha fora, me contou de uma experiência assim. Jerome, na época com 15 meses de idade, não estava tentando formar palavras, como a maioria de seus coleguinhas. Brett não estava alarmada, porque sabia das imensas variações na forma como as crianças se desenvolvem. Mesmo assim, seu instinto lhe dizia que algo estava "errado". O mistério foi resolvido quando Brett chegou mais cedo do trabalho certo dia. Sabendo que aquela era a hora em que Jerome e sua babá geralmente estavam no parquinho, Brett foi até lá direto do escritório. Observando a interação entre seu filho e sua querida e muito atenta babá, Brett percebeu o que estava errado. A babá brincava com Jerome, mas não falava muito com ele. E, quando fazia isso, era muito baixinho e com monossílabos. Embora Brett adorasse a babá, ela percebeu que precisaria encontrar outra pessoa que se envolvesse em conversas animadas com seu filho. Literalmente alguns *dias* depois de a nova babá começar a ficar com o menino, ele rapidamente iniciou a formar palavras.

A moral dessa história é garantir não apenas que você mantenha um diálogo contínuo com seu filho, mas também que outros adultos na vida dele façam o mesmo. Se você quer saber se a babá está conversando com seu filho, ou se as conversas são suficientes na creche, é bem simples descobrir a verdade. Peça para a babá vir quando você estiver em casa e observe. Entretanto, eu não gosto das câmeras de vigilância.

Isso envia a mensagem de que você está "espionando" a pessoa em quem confia para cuidar de seu filho. Além disso, creio que é preciso estar presente e envolvido para observar. Faça o mesmo com a creche. Um casal, que havia recentemente matriculado o filho em uma creche, ia até lá três dias por semana, até sentir-se satisfeito com o nível de cuidados e conversas. Em qualquer situação, seja honesto com os profissionais da creche: "Eu só quero garantir que você e Katie conversem bastante." É seu direito insistir. Na verdade, não falar com uma criança é como deixar de alimentá-la. O primeiro deixa o corpo sem alimento; o outro deixa o cérebro sem nutrição.

Eu também já vi lares em que a mãe fala com a criança incessantemente e o pai diz que "não sabe como fazer isso". Uma mulher me contou que quando seu marido se queixou "Charlie não gosta de mim", ela disse: "Isso é porque você não fala com ele. Como vocês podem se conhecer se não conversam?" A resposta do pai foi: "Bem, eu não sou muito de falar". Ao contar isso para mim, a esposa admitiu: "Isso é verdade. Eu falo por nós dois."

Se me perguntarem, direi que isso é inaceitável. Papai, você precisa começar a falar com seu filho bem antes de poder jogar bola com ele. Assuma a rotina de ler livrinhos à noite. Um livro é um bom ponto de partida para conversas. Assim, não leia, apenas; converse sobre o que está lendo. Em outros momentos do dia, fale sobre qualquer coisa que você esteja fazendo. Digamos que você esteja planejando lavar o carro

---

É melhor falar dois idiomas do que um?

As pessoas me perguntam com frequência sobre idiomas estrangeiros e se é boa ideia expor crianças a mais de um idioma. Se em sua casa se falam dois idiomas, por que não? Embora às vezes o desenvolvimento da linguagem possa sofrer um pequeno atraso, estudos indicam que crianças bilíngues se saem melhor em tarefas cognitivas mais tarde. Entre 1 e 4 anos de idade, as crianças são mais receptivas a aprender mais de um idioma. Se eles são falados de um modo gramaticalmente correto, elas podem aprender os dois simultaneamente e serão fluentes aos 3 anos. Assim, se você e seu parceiro têm línguas maternas diferentes, cada um deverá falar em seu próprio idioma. E se você tem uma babá estrangeira que não fala bem seu idioma, é melhor que ela também fale em seu idioma nativo.

sábado de manhã. Diga: "Billy, olhe, estou me aprontando para lavar o carro. Está vendo? Estou colocando sabão no balde. Agora, estou enchendo o balde com água. Você quer pôr a mão na água? Vamos colocar você em seu carrinho para poder olhar. Está vendo o papai lavando o carro? Vê toda a espuma que o sabão faz? Olhe os esguichos da água. A água está fria." E assim por diante. Não importa o tema – trabalho, tarefas no jardim, a partida de seu time de futebol – fale sobre o que aconteceu, sobre o que está acontecendo agora e o que acontecerá a seguir. Quanto mais você falar, mais natural parecerá e mais fácil será.

Como repeti ao longo de todo este capítulo, *todos* que lidam com uma criança que está aprendendo a falar devem manter o fluxo de conversa. Como o relatório *From Neurons to Neighborhoods* (veja a página 18) conclui: "Quanto mais falamos com as crianças, mais elas mesmas falam e mais elaborada a fala se torna." Antes que você se dê conta, seu pequeno estudante de intercâmbio estará tão fluente que seu infantilês se tornará uma recordação distante. Como você verá no próximo capítulo, seu filho precisará dessas habilidades de linguagem enquanto se aventura da segurança da família para o mundo real.

Conversa de bebês: mantendo um diálogo com o T.L.C.

Desenvolvimento da fala: o que observar

Apresento esta tabela porque sei que os pais gostam de saber em que ponto seus filhos estão. Entretanto, existem imensas variações em termos de desenvolvimento de uma criança para outra; eu aconselho você a usar os dados abaixo apenas como um *guia geral*. Lembre-se, também, de que muitos dos chamados "falantes tardios" geralmente já compensaram o atraso por volta dos 3 anos.

Idade	Marcos da fala	Sinais de alerta
8-12 meses	Embora algumas crianças comecem a dizer "mamã" ou "papá" aos 7 ou 8 meses, por volta de 1 ano de idade a maioria pode vincular esses termos à pessoa certa. Elas também podem responder a comandos de uma etapa ("Por favor, dê isso para mim").	A criança não responde a seu nome; não balbucia grupos curtos ou longos de sons, nem olha para as pessoas que falam com ela. Ela também não aponta nem faz sons para obter o que deseja.
12-18 meses	Como primeiras palavras, a criança diz substantivos simples ("bicho", "bebê"), os nomes de pessoas especiais e algumas palavras ou expressões que indicam ação ("quer", "dar"); ela pode ser capaz de obedecer a comandos de uma ou duas etapas ("Vá até a sala e pegue seu brinquedo").	A criança não diz nem uma palavra ou duas, ainda que incorretamente.
18-24 meses	A criança pode ser capaz de dizer até dez palavras diferentes, bem como muitas "palavras" sem sentido.	A criança não diz mais que algumas poucas palavras com clareza; aos 20 meses, ela ainda não consegue obedecer a uma solicitação simples ("Venha para a mamãe"); ela não responde a questões simples com um "sim" ou "não".
24-36 meses	A criança tem uma palavra para quase tudo; combina palavras em sentenças para expressar pensamentos e sentimentos; embora a gramática possa ser imperfeita, o vocabulário é bastante extenso; a criança consegue manter conversas com adultos.	A criança usa menos de 50 palavras e não produz combinações de palavras; ela não consegue entender significados diferentes ("cima/baixo") ou seguir comandos de duas etapas; não percebe sons do ambiente, como a buzina de um carro.

CAPÍTULO SEIS

O mundo real: ajudando o seu filho a ensaiar as habilidades para a vida

Ao longo dos anos, comecei a apreciar o impacto que minhas primeiras experiências tiveram sobre a forma como entendo o mundo e atuo nele.

— Nancy Napier, Ph.D.,
Sacred Practices for Conscious Living

Me ajuda!/Me solta!

- Peggy, 10 meses, berra no colo do pai. É o primeiro dia de sua mãe de volta ao trabalho e Peggy, que adora o pai, ainda assim parece desesperada enquanto a mãe cruza a porta. A menina não tem certeza se voltará a vê-la um dia.
- Gary, 15 meses, parece maravilhado enquanto a garçonete serve água nos copos sobre a mesa. É sua primeira vez em um restaurante. Quando ele estende a mão para o copo mais próximo, a mãe tenta ajudá-lo, mas ele exclama: "Não!"
- Julie, 2 anos, está parada na porta de uma grande sala, espiando as crianças que correm por ali, saltando em tapetes e brincando com grandes bolas. É o seu primeiro dia na aula de exercícios para crianças. Ela quer se juntar aos outros, mas em vez disso, segura a mão da mãe com força.
- Dirk, 1 ano, anda no pátio de concreto e olha ao redor por um momento. É sua primeira ida ao parquinho. Ele vê o balanço, o trepa-trepa e a gangorra, mas apenas solta a mão da babá ao bater os olhos na caixa de areia, porque é parecida com a de seu próprio quintal.
- É a primeira vez de Allie, 18 meses, no zoológico-fazenda. Ela consegue dizer "béé-béé" ao ver a foto de uma ovelhinha e reconhece que a criatura é aquela que também aparece em seu livro favorito. Ainda assim, ela não sabe muito bem se chora ou se ousa tocar o animal.

A primeira infância, mais do que qualquer uma das outras passagens da vida, é marcada por um número sem precedentes de "primeiras vezes", muitas das quais já discutimos aqui – primeiro passo, primeira palavra, primeira mordida em um alimento para comer com a mão, primeiro xixi no vaso sanitário. Contudo, todas essas primeiras vezes acontecem dentro das paredes seguras e familiares da casa. Aquelas descritas no parágrafo anterior ocorrem no mundo real e exigem um comportamento mais adulto. Compreensivelmente, crianças pequenas com frequência recebem essas primeiras vezes com ambivalência. É o que eu chamo de dilema "me ajuda/me solta": elas querem explorar, mas também querem ter certeza de que aquilo que conhecem nunca ficará muito distante. Elas querem independência, mas também desejam saber que o pai ou a mãe está bem ali, a cada passo assustador do caminho.

O momento em que as coisas ocorrem é o que torna esse período tão desafiador. Ao mesmo tempo que seu filho desenvolve a capacidade intelectual para compreender que você – a figura mais indispensável em sua vida – pode realmente deixá-lo, ele desenvolve a capacidade física para se aventurar sozinho. Ele quer se afastar de você... Pensando bem, talvez não queira. Quando ele era bebê, você respondia a cada chamado rápida e automaticamente (espero). Agora, porém, ele precisa suportar sua ausência ocasional e se acalmar. Ele precisa fazer a transição monumental de centro do universo para integrante de um grupo e sentir empatia. O grande e cruel mundo lá fora espera que ele tenha paciência e controle, que compartilhe e espere sua vez. Nossa, que horror!

Se você não consegue imaginar o seu pequeno dando esses enormes passos para longe de você e rumo a um comportamento mais civilizado, fique tranquila, querida, porque isso não ocorre da noite para o dia. O desenvolvimento social (a capacidade para interagir em uma variedade de novas experiências e com pessoas que não são da família) e o desenvolvimento emocional (a capacidade para exibir autocontrole diante desses desafios e para se acalmar quando as coisas não saem como esperado) avançam lentamente e no ritmo único do seu filho. No entanto, enquanto essas mudanças monumentais acontecem, o conflito me ajuda/me solta pode ser difícil tanto para a criança quanto para seus pais.

Obviamente, algumas crianças são mais competentes em termos sociais que outras. Algumas conseguem se acalmar com maior facilidade. Os estudiosos suspeitam que o desenvolvimento tanto da personalidade quanto da linguagem são fatores importantes – é evidente que se você tem uma criança calma e gentil que pode pedir o que deseja e lhe dizer como se sente, ela terá maior facilidade para se separar de você, encarar novas situações e se tornar parte de um grupo. Contudo, não importando o temperamento do seu filho, seu nível de desenvolvimento da linguagem, ou as habilidades de enfrentamento que ele adquiriu por conta própria,

O mundo real: ajudando o seu filho a ensaiar as habilidades para a vida

as habilidades emocionais e sociais são conquistadas a duras penas pela maioria dos bebês. Assim como eles não vêm ao mundo sabendo como usar uma colher ou o vaso sanitário, eles não vêm com um desejo de compartilhar ou sabendo como controlar seus instintos mais básicos e se acalmar quando as coisas ficam feias. Nós precisamos orientá-los.

Experimente isto em casa: ensaios para a mudança

Tudo o que diz respeito a ser uma criança pequena é a preparação para uma vida adulta. Cada nova situação e novo relacionamento é uma lição. Se nós esperamos que as crianças pequenas lidem com o mundo real, precisamos dar a elas as ferramentas para isso e também muitas oportunidades para praticarem. Isso não significa que você deve acelerar o processo e inscrever o seu pequeno em aulas de natação para prepará-lo para o primeiro dia no clube da praia. Tampouco significa que você deve colocá-lo em um curso para ensiná-lo a ter habilidades sociais. Em vez disso, você começa as lições em casa. Para cada desafio que seu filho irá encontrar na vida, você deve planejar o que chamo de *ensaio para a mudança*.

Ensaios para a mudança

Um relacionamento *ou* uma situação pode ser um ensaio para a mudança – um contexto menos intimidador e mais manejável que dá ao seu filho a prática e as habilidades que ele precisa para lidar com circunstâncias comparáveis no mundo real.

Relacionamento com você → com outros adultos → com amigos
Jantar em família → Restaurante
Brincar no quintal → Parquinhos e praças
Banho e brincadeiras com água em casa → Piscina, praia
Ter um bichinho em casa → Fazendas com animais e zoológicos
Passeios de carro e rápidas idas à rua → Fazer compras
Viagens curtas e dormir na casa dos avós → Viagem longa e hotel
Encontros para brincar → Brincadeiras em grupo → Pré-escola

Um ensaio é a execução sem público, um momento em que os atores experimentam o roteiro e aperfeiçoam seus movimentos. O que defino como ensaio para a mudança é quase a mesma coisa: um modo de dar ao seu filho a prática das habilidades que ele precisa para lidar com várias situações no mundo real, incentivando-o a experimentá-las primeiro em casa. Um ensaio para a mudança pode preparar a criança para relacionamentos, atividades – ou ambos. Crianças pequenas que podem experimentar comportamentos mais adultos nos braços seguros, conhecidos e controlados da família (comer à mesa, compartilhar, ser gentil com um bichinho) tendem a ter mais facilidade com experiências desconhecidas fora de casa, novas pessoas, viagens e transições. No quadro da página anterior você verá vários exemplos, mas provavelmente poderá pensar em outros.

Para dar ao seu filho a prática que ele precisa, aja como o diretor, que marca e supervisiona os diversos ensaios. O segredo de uma produção de sucesso – a cooperação e a disposição do seu filho para aprender – baseia-se no vínculo entre vocês dois. Em outras palavras, se o seu pequeno tem um vínculo seguro com você, ele se disporá a aparecer para os ensaios, decorará o roteiro, experimentará novas habilidades e desenvolverá seus talentos. É um paradoxo interessante: quanto mais ele sente que você estará sempre disponível, mais fácil será experimentar uma *persona* nova e mais independente. Além disso, se você lhe der oportunidades para praticar momentos emocionais difíceis e para ensaiar *com* você primeiro, ele conseguirá ver que é competente e conseguirá lidar com as situações sozinho, inicialmente com você ao lado dele e, finalmente, por conta própria.

Afinal, você é o centro do universo do seu filho. É normal que ele corra para você quando está cansado, esconda o rosto no seu colo quando uma situação parece difícil demais, olhe para você para avaliar sua reação ou fique chateado quando você sai. Isso tudo faz parte da primeira infância. Contudo, sempre que ele vê que você *está* lá para ele e que você *realmente* volta quando sai, isso promove a confiança que tem não apenas em você, mas também no mundo. *Ah, mamãe disse que voltaria – ela voltou, então acho que o mundo é um lugar bom.*

> "Uma criança pode não se preocupar com quem corta seu cabelo ou pega seu dinheiro na loja de brinquedos, mas se preocupa demais com quem a pega no colo quando está insegura, a conforta quando se machuca e compartilha momentos especiais em sua vida."
>
> — *From Neurons to Neighborhoods*
> (veja página 18 para a fonte)

Obviamente, sempre haverá um ou outro esquecimento das falas e perda do momento adequado para dizê-las. Contudo, cada ensaio leva seu filho a uma competência maior. No final deste capítulo, ofereço exemplos concretos que irão auxiliar você a marcar e dirigir ensaios para a mudança que podem ajudar a preparar o seu pequeno para três importantes tipos de primeiras vezes:

PRIMEIROS TEMORES: Prática de técnicas para se acalmar quando enfrenta emoções fortes.

PRIMEIRAS SAÍDAS: Prática do comportamento em público para restaurantes e outras novas experiências.

PRIMEIRAS AMIZADES: Prática de habilidades sociais em relacionamentos com colegas.

Independentemente da situação

Os ensaios bem-sucedidos para a mudança...

Envolvem preparação e planejamento.
São realistas, levando em consideração aquilo com que *a criança* consegue lidar.
Acontecem quando a criança não está cansada ou de mau-humor.
Introduzem novas ideias e habilidades aos poucos.
Aumentam gradualmente em duração ou intensidade.
Reconhecem os sentimentos da criança.
Mostram às crianças, pelos exemplos que os adultos dão, como devem se comportar.
Terminam (ou os pais deixam o local), se possível, antes que a criança fique frustrada ou perca o controle.

Primeiros temores: identificando emoções e praticando comportamentos para se acalmar sozinho

Quase todas as crianças têm temores de alguma espécie – da separação, de objetos ou animais, de outros adultos e de outras crianças. Uma vez que é impossível apontar exatamente o que torna uma criança apreensiva – seu temperamento, um trauma, a influência de um adulto ou de outra criança, algo que ela tenha visto ou ouvido –, é difícil descobrir as razões para determinada reação emocional. O melhor que podemos fazer como pais, portanto, é ajudar nossos filhos a reconhecer esses sentimentos, deixá-los saber que podem falar sobre eles e incentivá-los a aprender como se acalmar. De fato, um dos marcos do processo de independência de crianças pequenas é a capacidade para lidar com novos desafios e, quando amedrontadas por eles, com suas emoções.

Incentive seu filho a ensaiar uma grande variedade de emoções. Se em casa você tenta deixar seu filho feliz o tempo todo, ele levará um choque ao descobrir a fria realidade do mundo. Portanto, você precisa permitir ensaios emocionais, reservar um tempo para que seu filho identifique e aborde *todos* os sentimentos, incluindo aqueles que rotulamos de "negativos" como tristeza e desapontamento. De que outra forma ele aprenderá a lidar com mágoas futuras e com as inevitáveis frustrações que fazem parte da infância? Igualmente importante, quando as crianças não se sentem confortáveis expressando esses sentimentos, elas nunca aprendem a dominar suas emoções – a senti-las, suportá-las e permitir que passem. (Veja páginas 174 e 248-249 sobre dar nome às emoções.)

Regra do comportamento emocional

Para aprenderem como dominar suas próprias emoções e se acalmar, as crianças precisam vivenciar *todos* os sentimentos, mesmo aqueles que *você* pode considerar difíceis de testemunhar, como tristeza, frustração, desapontamento e medo.

Lembre-se de que o seu filho a observa para se orientar, mesmo quando você nem percebe que dá o exemplo. Para uma criança que vê você como o começo e o fim de sua existência, suas emoções importam muito. Os bebês de mães deprimidas, por exemplo, com frequência captam o sentimento das mães e também parecem tristes. Os bebês também podem "se contaminar" com o medo e a ansiedade dos mais velhos. No caso de Cheryl, por exemplo, ela insistia: "Kevin chora de medo sempre que minha sogra tenta levá-lo ao colo."

Entretanto, após algum tempo na casa de Cheryl observando Kevin, notei que o garotinho estava mais do que disposto a deixar que *eu* o levasse ao colo, de modo que suspeitei que a história não estava bem contada. Cheryl, uma estilista de sucesso que tentara engravidar durante vários anos, teve Kevin quando estava com 40 anos. Agora, o menino era o seu foco principal. Enquanto ele brincava tranquilamente no chão, elogiei: "Kevin é envolvente e curioso – e sim – é também um pouco tímido. Mas depois de alguns minutos, ele parece se acostumar com estranhos." Finalmente, perguntei: "Você acha que *você* talvez se sinta desconfortável quando o seu filho está feliz nos braços de outra pessoa? Será que ele não está captando a *sua* ansiedade?" Ela chorou; obviamente, eu atingira um ponto dolorido. A mãe de Cheryl havia morrido de câncer, seis meses antes. Ela ainda estava de luto, mas não queria admitir isso. Ela *disse* que adoraria sair mais de casa, algo que poderia fazer se a sogra cuidasse de Kevin, mas estava claro que sentia o oposto.

Sugeri uma série de ensaios. Cheryl poderia pedir que a sogra viesse nos dias em que Kevin reunia amiguinhos para brincar, para que o menino se acostumasse com ela em situações cotidianas. Além disso, para a próxima vez que sua sogra viesse visitá-los, aconselhei: "Sente-se *com* ela no sofá. Coloque Kevin entre vocês duas. Não faça alarde, afaste-se gradualmente para o outro lado do sofá. Então deixe a sala por períodos cada vez maiores." Uma criança pequena pode ter uma natureza tímida; ela pode precisar de tempo para se acostumar com as pessoas. Mas ela também precisa saber que sua mãe está bem.

Em todas as situações, em casa ou na rua, as crianças obtêm dicas emocionais de nós, e é por isso que os pais são tão importantes *e* influentes. Uma criança de apenas 6 ou 7 meses se move na direção de algo e se volta para olhar a mãe, como se fosse dizer: "Tudo bem até aqui?" e um olhar mais severo pode detê-la. Os psicólogos chamam isso de *referência social* e já realizaram alguns estudos fascinantes que indicam seu poder. Em um desses estudos, as mães foram instruídas a olhar para duas caixas vazias, uma vermelha e outra verde. Olhando dentro da caixa vermelha, elas diziam em tom monótono: "Ah." Olhando dentro da caixa verde, elas exclamavam "Oh!" em tom muito animado. Invariavelmente, quando indagadas sobre a caixa de sua preferência, quase todas as crianças escolhiam a caixa verde.

Esteja disponível para o seu filho. Embora os diretores não subam ao palco com os atores, eles ficam por perto, no caso de haver algum problema. Entretanto, com muita frequência as cenas se desenrolam como a seguinte: uma mãe invade um grupo e larga seu filho no chão. Ele logo agarra a perna dela e ela simplesmente o afasta, dizendo: "vai ficar tudo bem, Jonah – agora vá brincar". Nesse meio-tempo, a criança está absolutamente em pânico. A mãe dá desculpas: "Ah, ele está cansado", "Ele não tirou seu cochilo" ou "Eu acabei de tirá-lo da cama."

Quando ele continua chorando, ela finalmente olha para mim, envergonhada e confusa, desesperada por um conselho. "Abaixe-se no chão *com* seu filho primeiro", eu lhe digo. "Se você agir como se estivesse ali para ele, poderá levantar-se... mas faça isso aos poucos." Pior ainda são as mães que "fogem" sorrateiramente dos filhos. Quando o pequeno olha para trás, o pânico se instala, porque a mamãe não está mais lá. Será que podemos culpá-lo?

Seu estilo de criação também pode afetar a disposição do seu filho para seguir em frente. Cuidado com o poder da referência social e das mensagens que você envia ao seu filho. Será que você está incentivando-o a explorar ou, sem querer, impedindo-o de ir em frente? Você está passando a mensagem de que acredita nele, de que sabe que ele é capaz de lidar com suas emoções?

Pense novamente nas três mães que você conheceu no Capítulo Dois (páginas 70-72). À medida que observam seus filhos brincando em grupo, cada uma delas envia uma mensagem completamente diferente ao seu filho. Quando a pequena Alicia tropeça em um brinquedo e cai, ela olha para a mãe (Dorrie, a Controladora) com uma expressão um pouco confusa, que diz: "Será que me machuquei?" Dorrie olha de relance e diz: "Você está bem", sentencia. Talvez Dorrie esteja tentando "endurecer" a filha, uma declaração que ela faz com frequência para as outras mães. Contudo, Alicia parece decepcionada; a criança acha que fez algo errado. Conversas como esta negam os sentimentos da menina; com o tempo, ela poderá não confiar em suas próprias percepções e, em vez disso, tornar-se dependente das opiniões de outros.

Clarice (a Capacitadora) está sempre se inclinando na direção de Elliott. Mesmo que ele esteja brincando tranquilamente, o rosto da mãe transmite uma leve ansiedade. A mensagem não verbal que ela passa para o filho é totalmente diferente daquela enviada por Dorrie: "Seria melhor se você ficasse ao meu lado; não tenho muita certeza de que você está bem." Com o tempo, a superproteção de Clarice pode suprimir o desejo de explorar de Elliott. Sem confiar em suas capacidades, ele pode deixar de fazer coisas.

Em acentuado contraste, Sari (a mãe que usa o H.E.L.P.) é calma e equilibrada em relação ao filho. Quando Damian olha para ela, a mãe sorri, reconfortando-o, mas continua falando, transmitindo ao menino a mensagem de que ela acha que ele está bem. Quando ele cai, ela avalia rapidamente a reação do menino, mas não corre para ele. Assim, ele se levanta sozinho e fica bem. Quando ele se envolve em problemas com outras crianças, ela o deixa resolver por conta própria, a menos que ele comece a bater ou morder, ou seja vítima de agressividade de outras crianças.

Enquanto uma Controladora como Dorrie tende a pressionar o filho e uma Capacitadora como Clarice tende a superproteger, uma mãe

HELPer, como Sari, mantém o equilíbrio delicado entre apoiar a crescente independência do filho e, ao mesmo tempo, garantir a ele que, se for preciso, ela estará lá. Como resultado, suspeito que Damian se tornará o tipo de criança que confia em seus indicadores internos e em seu próprio julgamento e, portanto, poderá resolver problemas com confiança.

Ajude seu filho a lidar com as emoções quando ele não parecer capaz disso. O temperamento afeta o funcionamento emocional e social de uma criança, mas não é uma sentença para toda a vida. Embora algumas crianças tenham mais problemas para controlar seus impulsos que outras, algumas sejam inerentemente mais tímidas e outras tenham uma disposição naturalmente mais áspera, que não as inspira a cooperar com outros, *a intervenção dos pais faz diferença*. Uma estratégia é dar ao seu filho testes da realidade sobre o seu comportamento, sem tentar mudar quem ele é. Pense desta forma: se você estivesse dirigindo o grupo de teatro da escola, não questionaria o bom-senso de corrigir a atuação de um ator ou de lhe mostrar o melhor modo de se movimentar pelo palco. É o mesmo com o treinamento emocional e social. Se você tem um filho Sensível, por exemplo, e ele tem um coleguinha de brincadeiras difícil de lidar, você diz: "Eu sei que leva algum tempo para você se habituar a ficar na casa do Juan, então fique com a mamãe até estar preparado para brincar." Se você tem um filho Enérgico que bate em você para ganhar a sua atenção, você diz: "Ai! Isso doeu! Eu sei que você está eufórico, mas não pode bater na mamãe." Se o seu pequeno Irritável está puxando sua perna com impaciência e você ainda está jantando, diga: "Eu sei que é difícil você ter paciência, mas mamãe ainda não terminou de comer. Quando eu terminar, irei brincar com você." Essas frases corretivas em casa servirão bem para o seu filho no mundo real (abordarei o treinamento em mais detalhes no próximo capítulo).

Aplauda quando ele conseguir se controlar. Quando o seu filho sente medo, está cansado, esgotado, abandonado (já que é assim que uma criança de 1 ano se sente quando você diz "tchau"!), se ele naturalmente

O mundo real: ajudando o seu filho a ensaiar as habilidades para a vida

recorre a um objeto que lhe traz conforto ou a um comportamento que o acalma, dê um suspiro de alívio. Ele deu um passo gigantesco para a independência emocional. Talvez o objeto seja um ursinho velho e desgastado ou outro tipo de brinquedo, uma roupa macia em frangalhos, ou um blusão que tem o cheirinho da mamãe. Ou, talvez, ele chupe o polegar, role ou bata a cabeça, se balance ou enrole os cabelos nos dedos antes de cair no sono. Ele pode repetir cantigas semelhantes a mantras ou sílabas sem sentido, brincar com os pés, dedos ou cílios (minha Sophie costumava remexer seus cílios de um lado para o outro, até quase não sobrar nenhum!), enfiar o dedo no nariz ou até se masturbar. Todos se qualificam como comportamentos autorreconfortantes.

Para espanto dos pais, as crianças às vezes adotam um objeto de "aconchego" idiossincrático ou surpreendente, como um bloco plástico ou carrinho de brinquedo. Ou ainda, elas adotam um comportamento estranho para se acalmar – um menininho que eu conheço fica de quatro e esfrega o alto de sua cabeça no carpete ou colchão. (Curiosa, tentei fazer isso uma vez, e o ato produziu uma leve sensação de zumbido em minha cabeça.) Uma criança também pode empregar uma estratégia dupla – chupar um polegar *e* retorcer o cabelo. Em algumas famílias, cada criança encontra um objeto diferente. Em outras, parece que até mesmo as estratégias usadas para se acalmar são genéticas. A filha da minha coautora, Jennifer, puxava pelinhos do seu Snoopy de pelúcia favorito e aca-

Qual é o *seu* cobertor de segurança?

Antes de desprezar aquela coisa velha e malcheirosa que seu filho adora, pense nisso. Embora os adultos não andem por aí com qualquer coisa tão óbvia quanto uma chupeta ou um bichinho de pelúcia, continuamos empregando objetos de segurança durante a fase adulta de nossas vidas. Eu, por exemplo, sempre levo comigo uma sacola com fotos de minha babá e minhas filhas, alguns cosméticos para retoques de última hora e absorventes... só para o caso de precisar. Quando esqueço minha sacola, me sinto um pouco perdida. Não acho coincidência o fato de, quando eu era criança, minha babá ter me dado uma sacolinha cor-de-rosa para carregar comigo, com meus brinquedos e lembrancinhas favoritos. Estou certa de que você também tem seu objeto de transição, mas que talvez o chame de amuleto, ou uma prática como uma oração matinal, que a deixa mais confiante para enfrentar o dia.

riciava seu lábio superior com os pelinhos, enquanto chupava seu indicador. Seu irmão mais novo, Jeremy, que veio ao mundo três anos e meio depois, executava exatamente a mesma manobra com os bichinhos de pelúcia.

Objetos e comportamentos de transição não apenas são normais, como são também benéficos. Quando cansado ou chateado, seu filho pode pegar o objeto ou praticar o comportamento, em vez de sempre depender de uma fonte externa de consolo. No mundo real, ter o seu "cobertor" é como ter um melhor amigo (se o seu pequeno depende desse "elemento reconfortante" – um objeto de transição ou ação fornecido e controlado por *outra pessoa*, como uma chupeta, o peito da mamãe ou o ato de ser balançado ou levado a um passeio pelo papai – você talvez tenha de ajudá-lo a desenvolver a estratégia de *auto*apaziguamento; veja as páginas 296-298 para formas de introduzir um objeto de transição quando as crianças estão com 8 meses de idade ou mais).

Primeiras saídas: praticando o comportamento em público

Os pais adoram levar seus filhos quando saem. Ensaios para a mudança aumentam as chances de que essas experiências sejam agradáveis. O truque é antecipar o que acontecerá nos vários ambientes, analisar a preparação que seu filho precisará para lidar com a situação e, então, praticar as habilidades necessárias primeiro em casa. (Releia também as dicas na página 189 como um lembrete do que o ensaio bem-sucedido para a mudança envolve.)

A seguir, são apresentadas sugestões específicas para os tipos mais comuns de passeios em família. Você perceberá que a Disney e outros locais extravagantes de entretenimento

---

Regra do comportamento em público

Não dê mais do que seu filho pode suportar. Se determinado ambiente for demais para ele, saia dali.

foram excluídos. Uma das principais regras é escolher atividades que sejam apropriadas para seu filho. Até mesmo a criança mais corajosa e bem ajustada pode se assustar em parques de diversão. Não me surpreendo que metade dos bebês que conheço tenha pavor do Mickey Mouse. Você pode imaginar como é ter menos de meio metro de altura e topar com aquela enorme cabeça preta de plástico vindo na sua direção?

Jantar em família → Restaurante. O ritual de jantar da sua família ensaia seu filho para o que ele encontrará em um restaurante. Como você já sabe, se leu os capítulos anteriores, acredito que crianças pequenas devem sentar-se à mesa com todos os outros membros da família pelo menos algumas vezes por semana (páginas 86-88 e 129-132). A maioria dos restaurantes oferece cadeirões ou assentos adaptáveis, mas você não pode esperar que uma criança se sinta confortável se ela não se sentou em uma dessas cadeiras em casa. Depois que o seu filho tiver pelo menos dois meses de prática comendo à mesa com você, organize sua primeira ida a um restaurante. Mesmo se ele já jantou com você quando era bebê, ele não está necessariamente preparado. Na verdade, muitos pais se sentem chocados pelo comportamento dos seus filhos em restaurantes: "Ela era tão boazinha quando comíamos fora, e agora é um pesadelo levá-la." Seja realista; observe como seu filho reage na sua própria mesa de jantar e você terá alguma indicação do que poderá esperar. Por quanto tempo ele geralmente fica sentado no cadeirão? Ele fica chateado ou se distrai facilmente? É chatinho para comer? Não gosta de provar novos alimentos? Tem tendência a fazer birra na hora de comer?

Mesmo se o seu filho come bem e se comporta bem em casa, na sua primeira ida a um restaurante não lhe peça para se sentar quietinho durante toda a refeição. E não faça muito alarde sobre "ir a um restaurante" – ele captará sua ansiedade e poderá sentir "medo do palco". Em vez disso, pare casualmente em uma cafeteria pela qual você passa na caminhada do sábado de manhã ou após uma saída qualquer (desde que a parada não coincida com a hora do cochilo). Leve com você um brinquedo pequeno que seu filho possa levar para dentro do restaurante, ou lhe dê uma colher – é mais fácil que ter de brigar quando ele quiser agarrar *todos* os talheres. Alguns restaurantes têm livros de colorir, o que é ótimo. Coma apenas um pãozinho e um café e passe não mais do que quinze a vinte minutos ali. Depois de quatro ou cinco dessas idas limitadas a restaurantes, tente o café da manhã. Contudo, esteja preparada para sair antes, se a experiência for demais para ele. Volte ao pãozinho com café por algum tempo.

Lembre-se de que independente do quanto ou quão bem você ensaie, crianças pequenas têm um alcance limitado da atenção – nem mesmo as crianças mais bem-comportadas suportam se sentar mais de quarenta e cinco minutos a uma hora. Tenha em mente também que seu filho ainda não entende o conceito de esperar. Quando você come em casa, você geralmente faz o jantar primeiro e só depois chama todos para a mesa. Portanto, ele pode não ser capaz de apenas ficar sentado depois que você fez seu pedido. Pergunte ao garçom quanto tempo seu prato demorará. Se demorar mais de vinte e cinco minutos, saia, ou escolha um dos pais para levar a criança até a rua, até que a refeição esteja pronta. Se durante a refeição o seu filho se mostrar inquieto, em vez de tentar adulá-lo, o que geralmente só piora a agitação, use o bom-senso. Saia com a criança e deixe que o seu companheiro pague a conta.

Pare de frequentar restaurantes por um mês, se a experiência terminar repetidamente em desastre. De qualquer forma, evite restaurantes sofisticados. A maioria das crianças simplesmente não consegue lidar com esse tipo de ambiente. Verifique o restaurante de antemão, mesmo se isso envolver apenas um telefonema. Ligue para lá e diga a verdade: "Quero levar uma criança pequena. Vocês aceitam crianças? Têm cadeirão ou assentos adaptáveis? Podemos sentar em algum lugar onde não perturbaremos as outras pessoas?" Na Grã-Bretanha, quase todos os bares ou restaurantes têm uma área para crianças, e alguns têm até mesmo pátios. Notei que em restaurantes que aceitam crianças nos Estados Unidos, com frequência, existe uma área de espera por onde os pequenos podem perambular. Contudo, evite frequentar apenas restaurantes voltados para famílias; certamente eles recebem bem as crianças, mas muitos deles também toleram o caos em termos de ruído. Se você for a muitos desses locais, ao frequentar um local mais voltado para adultos, não poderá culpar o seu filho por presumir que gritar e correr por ali são comportamentos apropriados para restaurantes.

Brincar no quintal → Parquinhos e praças. Estar em um parque ou praça ajudará a desenvolver as habilidades motoras gerais como escalar, lançar, correr, deslizar, balançar-se, pendurar-se e girar. Para avaliar a aptidão física do seu filho, comece observando-o em seu próprio quintal, por assim dizer. Se você possui um balanço ou outros equipamentos, ou se costuma levá-lo ao parquinho ou à praça desde que ele era bem pequenininho, a primeira ida ao parque pode não ser grande coisa. Do contrário, o equipamento poderá deixá-lo perplexo, no início. Não o largue simplesmente em um balanço ou gangorra. Deixe-o explorar e examinar. Ele pode preferir apenas observar outras crianças por algum tempo ou pode correr para escalar o escorregador. De qualquer forma, espere até *ele* tomar a iniciativa. Nesse meio-tempo, tenha uma bola à mão, porque é um objeto familiar, e um cobertor, se o dia estiver bonito, para que possam sentar-se na grama e pelo menos fazer um lanche gostoso e beber algo. Se, após algumas vezes, ele ainda parecer receoso de se envolver, tudo bem. Ele ainda não está pronto. Tente novamente em um mês.

Parquinhos e praças oferecem às crianças uma oportunidade para interagirem com outras crianças. A experiência ajudará seu filho a aprender o que significa compartilhar, esperar sua vez e ter consideração pelos

---

Os *sims* e os *nãos* dos *aiaiais*

Independentemente de o local ser um parquinho, parque, piscina ou praça, em algum ponto o seu filho irá tropeçar.

Não se apresse em ajudar – isso provavelmente o assustará ainda mais.

Sim, avalie calmamente a situação para ver se ele está ferido, sem demonstrar alarme.

Não diga "Você está bem" ou "Isso não doeu". Não é respeitoso negar os sentimentos dele.

Sim, diga: "Ai, isso deve ter doído. Deixe eu abraçar você um pouquinho."

outros (digamos, não jogar areia). De qualquer forma, fique de olho nele e também nas outras crianças. Esse ambiente é diferente e mais difícil que um encontro com um amigo para brincar, no qual há apenas mais uma criança, ou até mesmo um grupo de brincadeiras, em que as crianças são escolhidas. Estabeleça limites firmes. Se o seu filho parecer agitado demais e se tornar agressivo, vá para casa. Você precisa ajudá-lo a lidar com suas emoções até ele poder controlá-las sozinho. Esteja preparada para galos e arranhões também. Leve um *kit* de primeiros socorros no carrinho dele ou na sua bolsa.

Banho e brincadeiras com água em casa → Piscina e praia. A maioria das crianças gosta de água, mas até mesmo crianças pequenas que adoram brincar com água podem não gostar de uma piscina, um lago ou do mar. Uma banheira ou bacia apropriadas para o tamanho infantil no jardim são muito mais tranquilas que um vasto espaço de água (para uma criança pequena até uma piscina é gigantesca). Particularmente se o seu filho não demonstra grande entusiasmo com o banho ou é do tipo que não gosta de ficar muito na água (acredite, *existem* crianças difíceis de agradar), não planeje um passeio que implique ficar na água por seis horas até descobrir como ele se sai nesse novo ambiente. Agora percebo que isso talvez não seja possível. Talvez seja uma longa viagem até o parque aquático ou praia mais próxima, e não valha a pena ir até lá por apenas uma hora. Se esse for o caso, pelo menos tenha um plano B – um local alternativo que você possa visitar na área.

A segurança é crucial. Mesmo que você invista em boias e outros dispositivos flutuantes – atualmente existem até trajes de banho com boias embutidas –, nunca deixe seu filho desacompanhado. Além disso, proteja a pele dele. O reflexo do sol em uma piscina ou areia torna as crianças ainda mais vulneráveis a queimaduras solares. Mantenha pelo menos um chapéu e uma camiseta na criança, para não expor demais a pele. Na praia, a pele infantil também pode queimar-se com o vento. Há areia por todos os lados, e eu quero dizer *por todos mesmo*. Leve um guarda-sol, camisetas adicionais, recipientes para as fraldas, protetor solar (fator de proteção – FPS 60, ou bloqueador solar) e uma bolsa térmica para manter bebidas e alimentos frescos.

Se você sabe que a hora do cochilo chegará *enquanto* vocês estiverem lá, planeje para a contingência. Se o seu filho está acostumado a dormir em outros lugares que não sejam seu berço – digamos, ele não vê problema em deitar-se em uma toalha ou cobertor – e recebe razoavelmente bem a possibilidade de dormir quando está cansado, apenas garanta que você tenha um guarda-sol no caso de não haver uma área com sombra. Se ele é difícil para dormir, tente colocá-lo para dormir no seu colo, fazendo um carinho.

Ter um bichinho em casa → Fazendas com animais e zoológicos. As crianças adoram animais – um porquinho-da-índia, coelhinho, gato ou cachorro. Digo isso com um alerta importante. Nunca deixe uma criança pequena sozinha com um animal, tanto para a segurança dela quanto para a do bichinho. Dito isso, bichinhos de estimação podem ser um

> ## Ver não é fazer
>
> Quando crianças pequenas parecem interessadas ou boas em algo, os pais às vezes esquecem da pequena capacidade de concentração que elas têm e chegam a conclusões incorretas. Por exemplo, Gregory, que está com quase 3 anos, é um atleta fenomenal para alguém tão pequeno. Ele está no quintal pegando e lançando a bola sempre que tem uma chance. Seu pai, Harry, imaginou que o filho adoraria ver um jogo de verdade.
>
> Como Harry descobriu, porém, *ser um espectador é diferente de jogar bola.* Claro que Gregory adora jogar bola, mas ele não entende nem se interessa pelo *jogo* de beisebol. Ali estava ele, sentado e todo vestido com seu uniforme de beisebol, seu capacete, bastão e luva na mão, chateado e imaginando por que ele não podia realmente entrar no campo e jogar.
>
> Eu ouvi histórias semelhantes de outros pais. Davy, de 2 anos e meio, conseguia dar belas tacadas na bola de golfe, mas quando seu pai o levou para assistir a um torneio, ele ficou totalmente entediado! Troy adorava assistir a filmes de *kung fu*, mas quando sua mãe o inscreveu em uma aula de caratê, ele se recusou a ir. O mesmo aconteceu com minha Sophie, quando a levei para a aula de balé. Só porque ela adorava usar um tutu e dançar pela casa, isso não significava que estava pronta para a estrutura das aulas. E lá estava eu, imaginando-a no Lago dos Cisnes!

modo maravilhoso de ensinar gentileza ("Seja bonzinho"), responsabilidade ("É hora do Spike comer – quer colocar ração para ele?"), empatia por outras criaturas vivas ("A Fluffy sente dor quando você puxa o rabo dela assim") e cautela ("Não se aproxime do Spot quando ele está comendo. Ele pode ficar zangado e morder você"). Se você não tem um animal ou não quer ter um, pelo menos faça caminhadas na natureza para desenvolver a consciência sobre outras criaturas em seu filho, ou coloque um comedor para pássaros no seu jardim. Quando ele começar a apreciar e a entender as histórias sobre animais, você poderá ensaiar a ideia de acariciá-los, demonstrando com um bichinho de pelúcia.

Todas as medidas citadas podem ajudar a preparar seu filho para o zoológico, mas lembre-se de que zoológicos *são* diferentes, especialmente aqueles grandes, em que os animais são maiores e o local é estranho para a criança. Além disso, crianças pequenas atingem a altura dos nossos joelhos. Se as gaiolas são altas demais, a experiência pode ser mais agradável para você que para seu filho. Mesmo em um ambiente onde se pode tocar os animais, exercite as mesmas cautelas que teria em qualquer situação: deixe o seu filho tomar a iniciativa. Allie, que você conheceu na abertura deste capítulo, teve uma reação infantil típica em uma fazenda: "Mmmmm... aquela ovelhinha parece interessante, mas talvez seja melhor eu olhá-la de longe." Como precaução, leve junto uma barra de sabão antibacteriano e, depois de estar com animais, lavem as mãos com cuidado.

Passeios de carro e rápidas idas à rua → Fazer compras. Sentar-se na cadeirinha no automóvel é o primeiro ensaio do seu filho para viagens. Se você já fez tarefas de rua com ele algumas vezes, pode tentar uma ida ao supermercado ou a uma loja de departamentos. O planejamento cuidadoso ajudará a tornar essas saídas agradáveis, e não jornadas infernais. O mesmo vale para o bom-senso: se você tiver grandes compras a fazer e o estabelecimento não oferecer carrinhos adequados para acomodar o seu filho enquanto você anda pelos corredores, sugiro deixar a criança em casa, se possível.

Compre quando ele não estiver com fome, cansado ou de mau-humor (como no dia em que ele toma vacina). Em casa, antes de sair, negocie a compra de quaisquer guloseimas, embora a minha sugestão seja não acostumá-lo com isso. Se você combinar desde o início que não comprará nem cederá, não importando o quanto ele peça, ele entenderá que isso é uma regra. Porém, leve lanches, porque a visão de tantas embalagens e caixas coloridas o deixará com água na boca. Os supermercados fazem com as crianças o que sinetas faziam com os cães de Pavlov – causam salivação. Se ele tiver uma crise, saia imediatamente (saiba mais sobre como fazer isso no próximo capítulo).

Viagens curtas e dormir na casa dos avós → Viagem longa e hotel. Mesmo que seu filho consiga lidar com passeios para compras, viajar para longe de casa é um acontecimento. Isso requer planejamento e grande força emocional *e* física. Aqui está uma notícia que pode surpreender: não existe um modo de preparar crianças muito pequenas para viagens curtas *ou* longas. Nos primeiros anos da infância, lugar e espaço não são conceitos entendidos. Contudo, ao anunciar com animação: "Vamos ver a vovó!" você pelo menos transmite à criança a ideia de que algo especial está por acontecer.

Além disso, *você* precisa se preparar. Quer seja um passeio curto e uma noite na casa da vovó e do vovô ou uma longa viagem de avião com estadia em hotel, ligue antes para garantir que haja um local para o seu filho dormir com segurança e conforto. Muitos avós, atualmente, mantêm berços em casa (assim como os hotéis). Se não houver alternativa, leve um bercinho portátil. Contudo, se seu filho associa o

---

Cuidados ao sair de carro

- Use um assento apropriado para crianças [aprovado pelo Inmetro]. Coloque-o no assento de trás e garanta que o cinto de segurança esteja bem ajustado.

- Olhe antes de fechar janelas automáticas.

- Tranque portas e janelas. Se o seu carro tem travas manuais, coloque a cadeirinha longe o bastante das janelas e portas para que a criança não possa abri-las, jogar objetos para fora ou prender a mão ali.

- Não fume no carro.

- *Jamais* deixe seu filho sozinho no carro, mesmo que seja só por um minuto.

- Use uma tela na janela ou mova a criança para o assento traseiro do meio, para que ela não fique diretamente sob o sol.

Quando os avós estão longe

Se os seus pais moram longe e você apenas os vê uma ou duas vezes por ano, não espere que seu filho se sinta imediatamente confortável com pessoas que ele mal conhece. Entretanto, o ajuste será mais rápido se você mantiver a recordação viva entre as visitas. Agora, além do telefone, você pode se comunicar com os avós pela internet.

Mostre fotos ao seu filho, também. A maioria das crianças adora olhar álbuns de família repetidas vezes, sem caírem no tédio. Sente-se com ele e explique quem são aquelas pessoas. "Esta é a vovó Henrietta, minha mamãe, e esta é a tia Sandra, minha irmã." Levará algum tempo para ele assimilar, mas essas conversas o ajudarão a manter na mente seus parentes que moram longe. Quando ele os encontrar, poderá não reconhecê-los inicialmente, mas em pouco tempo se acostumará.

Peça para a vovó e o vovô fazerem um vídeo ou lerem uma história em áudio e enviarem uma vez por semana. Isso também os manterão envolvidos.

bercinho portátil apenas com brincadeiras, certifique-se de que ele tenha uma oportunidade para dormir nele *antes* da viagem. Três ou quatro dias antes da viagem, coloque o bercinho no quarto dele e deixe-o dormir ali, como um agrado especial.

Não se esqueça de levar brinquedos e quaisquer objetos de segurança que ele usa. Se você tem um assento para adaptar cadeiras normais, leve-o e, se preciso, inclua um assento de vaso sanitário para crianças. Leve também algumas roupas e fraldas adicionais, para trocas e imprevistos, assim como sacolas plásticas para lixo e roupas sujas. Para uma viagem longa, prepare duas refeições para seu filho, para não ser pega de surpresa no caso de atrasos inesperados ou se ele não quiser comer o que é servido no avião. Leve também muitos lanchinhos – biscoitos, frutas (p. ex., pedaços de melão), sacos de cereais, pãezinhos – assim como um babador, colheres e um analgésico. Se você planeja passar uma semana ou mais longe de casa, *antes* de ir, descubra o nome de um bom pediatra na área e a localização das farmácias e supermercados próximos. Ao viajar para o exterior, sempre beba água engarrafada e certifique-se também de tomar outras precauções de segurança. Viagens são fontes de germes, com a multidão que você encontra em aeroportos, má circulação do ar e sanitários públicos questionáveis – um frasco de desinfetante não pesa tanto na sua sacola.

DICA: Lembre-se de que o fato de vocês serem pais viajantes não os torna burros de carga. Uma coisa é incluir os artigos essenciais que mencionei e levar em conta atrasos e imprevistos, mas não pense que você precisa abarrotar sua mala com fraldas para uma semana inteira e com cada brinquedo que seu filho tem no quarto. Existem poucos lugares neste planeta onde você não pode comprar as coisas que uma criança precisa. Se o seu filho precisar de alimentos ou equipamento especial e você planeja ficar fora mais de uma semana, considere enviar esses artigos por uma transportadora. Você e ele viajarão com mais conforto e menos estresse, sem bagagens desnecessárias.

Mesmo se a viagem de carro durar apenas algumas horas, tente fazer com que esse tempo coincida com o horário do cochilo. Algumas crianças adquirem o hábito de cair no sono alguns minutos após a partida – e ainda o fazem mesmo quando já são adolescentes! Aquelas que não cochilam tendem a se tornar mal-humoradas. Distraia seu filho com brincadeiras simples como a do "Você pode ver?" (você vê coisas e diz para a criança: "Você pode ver o cachorrinho? Um carro azul? Um avião?"). Além disso, prepare uma sacola que inclua não apenas os brinquedos favoritos dele, mas também um brinquedo novinho em folha.

"Isso funcionou maravilhosamente bem", disse a mãe de Cyndi, após um voo de duas horas com sua filha de 1 ano. "Ela brincou com alguns brinquedos que adora e se entediou rapidamente. Então, eu lhe mostrei o brinquedo novo e a reação foi algo como: "Nossa! De onde veio isso?" Ela conseguiu se entreter com o brinquedo por quarenta e cinco minutos."

Ao chegar ao seu destino, não exagere nas atividades. Seja realista. Dê tempo para que a criança se acostume com os estranhos, mesmo que o "estranho" seja a vovó (esperamos que os parentes não se ofendam com a resistência inicial do seu filho).

DICA: Se você estiver visitando amigos ou parentes, por favor, não peça para seu filho fazer algo "engraçadinho". Com frequência, pais ansiosos e orgulhosos bombardeiam as crianças com pedidos:

"Mostre à vovó como você consegue franzir seu nariz daquele jeito engraçado. Fique em uma perna só. Diga isso. Diga aquilo." A criança fica ali parada e o pai diz, decepcionado: "Ah, ele não quer fazer isso agora." A criança sente o desapontamento do pai ou da mãe. Por favor, nada de apresentações do seu filho. Eu garanto que todas as crianças fazem coisas engraçadas... se você não pressioná-las.

Você é o melhor juiz sobre aquilo com que seu filho consegue lidar. Estruture as saídas de acordo com essa percepção. Digamos que vocês estejam em um hotel. Se seu filho vai sempre a restaurantes e é razoavelmente tranquilo, comer fora todas as noites pode não perturbá-lo.

Sims e *nãos* para viagens aéreas

Viagens aéreas induzem uma atitude de sobrevivência do mais forte. Seus companheiros de voo *não* serão compreensivos quando a sua montanha de equipamento ficar presa no cinto de segurança ou monopolizar o compartimento de bagagens de mão, nem serão gentis quando o seu filho cutucá-los, espiá-los ou chorar durante o voo. A seguir, você verá dicas para tornar sua viagem mais tranquila e evitar atritos com outras pessoas.

Sim, obtenha um passaporte para cada criança – o bebê também precisa de um – e coloque um adulto como responsável por levar os documentos de todos.

Não vá para o aeroporto sem ligar antes para conferir o *status* do seu voo.

Sim, use o compartimento de bagagens do avião – um pouco mais de espaço não faz mal a ninguém.

Não sente junto ao corredor – carrinhos de comida e passageiros são riscos para as mãos (curiosas) e os pés (inquietos) das crianças.

Sim, embarque cedo – guarde sua bagagem antes de a multidão entrar no avião.

Não sente enquanto o resto do avião ainda se acomoda – as crianças se mostram mais calmas na decolagem se não tiveram de ficar sentadas durante a última meia hora. Após guardar os seus artigos de mão, vá até o fundo do avião e fique lá até os outros passageiros tomarem assento.

Sim, dê uma mamadeira ao seu filho (ou o peito, se ele ainda não foi desmamado) tanto na decolagem quanto na aterrissagem – a sucção pode ajudar a aliviar dores de ouvido.

O mundo real: ajudando o seu filho a ensaiar as habilidades para a vida

Se ele não está acostumado, talvez seja melhor você imaginar maneiras de fazer algumas refeições, senão todas, com serviço de quarto. Encontre um local de hospedagem com instalações de cozinha ou invista em fogão elétrico para viagem. Peça um pequeno refrigerador ou esvazie o frigobar e use-o para armazenar leite, suco e outros perecíveis. Quaisquer que sejam os seus arranjos, o café da manhã no quarto é *sempre* uma boa ideia, porque ajuda todos a começarem o dia mais tranquilos.

Desnecessário dizer que uma criança cansada e afastada dos confortos e da familiaridade de casa pode tornar-se ainda mais azeda e teimosa quando em viagem. Uma solução é conter sua própria ansiedade – as crianças captam o estresse dos pais e estão mais propensas a se comportar mal se você diz palavrões para outro motorista ou trata com grosseria um atendente de voo.

Outro segredo é a consistência. Embora os adultos estejam propensos a esquecer o relógio e ignorar as regras durante as férias, uma rotina previsível é crucial para uma criança; seu filho ficará muito melhor se souber o que esperar. Tanto quanto possível, mantenha as R&R diárias – faça refeições, cochilos e durma nos mesmos horários. Se seu filho não costuma dormir na sua cama com você, não o convide para isso durante as férias. Se você tem regras sobre TV e doces, continue firme com elas.

Naturalmente, não importa as precauções que você tome, ao chegar em casa ainda serão necessários alguns dias para seu filho acostumar-se à rotina de novo. Contudo, acredite, se você abandonar sua rotina completamente e relaxar demais as regras, o retorno à rotina levará muito mais tempo. (Para ideias sobre como lidar com mudanças de fuso horário, veja o quadro abaixo.)

Mudanças de fuso horário e os pequenos viajantes

Você pode ficar surpreso ao saber que bebês e crianças pequenas que fazem viagens aéreas geralmente se adaptam com mais facilidade às mudanças no fuso horário; pelo menos durante os três primeiros anos de vida, elas são muito mais relaxadas que a maioria dos adultos. Se você está indo para um local com mudança de fuso de três

Mais Segredos da Encantadora de Bebês

horas ou menos, e ficará lá por três dias ou menos, não é preciso alterar a rotina do seu filho. Porém, se a sua viagem tem duração maior que três dias – digamos, durante as férias –, você precisará ajudá-lo a mudar seus horários. Uma boa ideia é levar em conta a alteração do fuso horário quando fizer suas reservas de passagem. Sempre é mais fácil ganhar tempo do que perdê-lo.

Horário de verão. Nas férias de verão, quase todo o país adianta o horário em uma hora (perdemos uma hora de sono). Coloque seu filho na cama uma hora antes e isso compensará a alteração de horário. No final do horário de verão, em que "ganhamos" uma hora (mais uma hora de sono), alongue o cochilo da tarde para que ele possa ir para a cama mais tarde naquela noite e ele provavelmente sentirá menos o efeito da mudança de horário.

Três horas a menos no fuso horário (ganhar três horas). Esta é a viagem mais fácil, porque estamos adicionando mais horas ao dia da criança. É melhor sair do local em que você está ao meio-dia e deixar que a criança tire o cochilo da tarde no avião. Você chegará ao local de destino ainda à tarde, no caso de um voo razoavelmente curto, e a transição para fazê-lo dormir à noite no horário normal será relativamente simples.

Três horas a mais (perder três horas). Será mais fácil se o voo for de manhã no local onde você está, por exemplo, às 9h, chegando às 18h, no caso de um voo médio. Mantenha seu filho acordado durante a viagem inteira, se possível. Distraia-o com atividades; ande pelos corredores. Se você não conseguir mantê-lo acordado, pelo menos encurte o tempo de cochilo (desperte-o três horas antes da chegada), para que ele possa ir para a cama em um horário razoável.

Viagens de 5-8 horas (ganhar horas, com voos da Europa para os Estados Unidos, p. ex.). Ao viajar da Europa para os Estados Unidos, por exemplo, você deve tentar fazer com que seu filho durma no avião durante a maior parte da viagem. Portanto, é melhor sair da Europa o mais tarde possível, de modo a coincidir com o horário normal de dormir da criança.

Viagens de 5-8 horas (perder horas, dos Estados Unidos para a Europa, p. ex.). Ao viajar para a Europa a partir de qualquer costa dos EUA, por exemplo, é melhor partir no voo mais cedo possível, entre 10h e meio-dia. Deixe seu filho dormir durante a primeira metade da jornada, mas garanta que ele desperte três horas antes da chegada.

Viagens por 15 horas ou mais (ganhar horas). A dificuldade dessa viagem (p. ex., de Los Angeles para Hong Kong) é que, dependendo da direção do voo, você perde ou ganha mais do que meio dia – de modo que o dia pode parecer noite para uma criança. É melhor sair de onde você estiver por volta do meio-dia, mas saiba que você chegará lá um dia inteirinho depois, por causa dos fusos horários. Tente não deixar seu pequeno tirar cochilos de mais de duas horas durante a viagem inteira, mantendo assim uma rotina típica de uma tarde normal. Ao chegar ao seu destino, ele estará pronto para a sua rotina noturna.

Viagens por 15 horas ou mais (perder horas). Voltar do Extremo Oriente para os Estados Unidos é mais difícil, porque agora você está perdendo muitas horas *e* passando quinze horas em um avião. Se puder, reserve um voo noturno para fazer com que seu filho durma durante a primeira metade da jornada. Se tiver de partir durante o dia, desperte-o por volta das 3h ou 4h da madrugada, para que, quando ele estiver no avião, esteja pronto para cair no sono. Não importando como você formule a sua estratégia, seu filho provavelmente levará dois ou três dias para voltar à rotina após essa viagem.

Primeiras amizades:
praticando o comportamento social

É fundamentalmente importante incluir outras crianças na vida do seu pequeno, porque os relacionamentos iniciais são ensaios para habilidades sociais preciosas. As primeiras amizades preparam o terreno para futuros relacionamentos com companheiros. Além disso, é realmente bom para as crianças observar seus coleguinhas – elas copiam umas às outras, aprendem e assimilam as regras da interação. Crianças pequenas também são facilmente influenciadas, o que pode ser bom. Uma criança que come pouco pode comer mais quando os amigos também se alimentam. Obviamente, o seu filho vê a si mesmo como o centro do universo, mas por meio de suas experiências precoces de socialização, ele começa a reconhecer que outros têm necessidades e sentimentos e que suas próprias ações e seu comportamento têm consequências.

A socialização é boa também para você, porque torna a experiência de criar uma criança menos solitária. Ver outras crianças em ação pode ser reconfortante durante momentos difíceis ou quando você tem dúvidas. É ótimo compartilhar técnicas e ideias para a educação das nossas crianças. Por exemplo, conheço um grupo de mães que trabalham fora e que se reúnem todos os sábados. Elas adoram o tempo que passam juntas, porque têm muito em comum. Não surpreende, portanto, que suas

> ### Regra do comportamento social
>
> Nunca pressione uma criança em situações sociais; deixe que ela avance no ritmo mais confortável para ela, mesmo que isso cause desconforto a *você*.

discussões sejam centradas em culpa, babás, no modo como dividem seu tempo entre o trabalho e a casa para que nada se perca, e se devem deixar seus filhos brincarem até tarde, para poderem passar mais tempo com eles, além de toda a variedade de dúvidas sobre crianças pequenas que assola todas as mães, como disciplina, treinamento para o vaso sanitário, alimentação, e como fazer com que os maridos participem mais. Essa espécie de camaradagem entre mães de crianças com idades semelhantes é bastante útil e revigorante. Com frequência, os adultos se tornam amigos e permanecem em contato muito tempo depois que seus filhos encontram outros amigos.

Os ensaios sociais para a mudança envolvem reforçar habilidades interpessoais em casa e estruturar situações lúdicas que permitam seu filho praticá-las. Aqui estão alguns elementos para facilitar as coisas:

Respeite o estilo e ritmo do seu filho. Já mencionei isso incontáveis vezes neste livro e também nos anteriores, mas repetirei aqui: não existem duas crianças que reajam à mesma situação da mesma forma. Certamente, o temperamento (veja o quadro da página 212) afeta o conforto de uma criança em situações sociais e a facilidade com que assimila as regras da interação. Contudo, outros fatores também têm influência, como foco, capacidade de concentração, paciência, aquisição da linguagem, experiência social prévia, ordem do nascimento (irmãos mais velhos proporcionam muita experiência social). Além disso, o nível básico de confiança de uma criança e seu senso de segurança são essenciais; quanto mais segura ela se sente, mais disposta estará para mergulhar no fluxo social da vida.

Se o seu filho relutar em se unir aos outros e quiser ficar em um canto, deixe. Não fique dizendo "Não quer brincar com o Juan?" Se for pressionada antes de estar preparada, a criança se sentirá insegura. Além disso, tenha em mente que crianças pequenas também são criaturas com algum bom-senso. Elas discernem suas emoções em um nível inconsciente e, às vezes, simplesmente não se sentem seguras em certas circunstâncias.

Mantenha os seus próprios sentimentos sob controle. Se você se sente envergonhado quando seu filho fica à margem das interações, não pense que é a única pessoa a se sentir assim. Muitos pais se sentem dessa forma, mas tente fazer o possível para não transmitir o seu desconforto. Não dê desculpas para o comportamento do seu filho: "Ah, ele só está cansado" ou "Ele acabou de acordar da soneca" Seu filho sentirá a sua desaprovação e isso fará com que ele se sinta mal consigo mesmo ou pense que fez algo "errado".

> ### E-mail: os benefícios da socialização
>
> Sim, é cansativo ser mãe de uma criança pequena, especialmente se ela é muito ativa e parece estar sempre com a corda toda. Nós comparecemos a um grupo de brincadeiras e de natação uma vez por semana, o que o mantém ativo. Ele também vê outras crianças da mesma idade de dois em dois dias. Eu acho que isso é bom também para mim, já que nós, mães, nos damos muito bem. A avó de Tyrone também vem à nossa casa uma vez por semana.

Pauline, uma mãe muito astuta, conhece seu filho e aceita seu temperamento. Mesmo em encontros familiares, ela sabe que primeiro ele precisa ficar pertinho da mãe, mas depois acaba por se aventurar por conta própria. Se ela o apressa, ele pode acabar dando uma crise. Portanto, quando um parente ou outra criança vai até o filho, ela explica: "Deixe que ele se acostume com você. Daqui a pouco ele estará bem."

Não veja a reserva do seu filho como um grande problema. Se o seu filho é reservado e não se junta aos outros de cara – tipicamente, uma criança Sensível –, pode ser útil enxergar esse comportamento por outro viés: ele é cauteloso, um traço que lhe servirá bem em outras situações. Da mesma forma, uma criança Enérgica poderá se revelar um líder, e um bebê Irritável, uma criança que se tornará inventiva e criativa. E lembre-se de que muitos adultos são cautelosos em circunstâncias sociais: nós entramos em uma festa ou um local estranho e meio que avaliamos a situação primeiro. Olhamos em torno, vemos quem nos parece interessante e de quem queremos manter distância. Sempre existem pessoas pelas quais nos sentimos atraídos, pessoas que nos deixam confortáveis e outras que, seja qual for a razão, nos afastam. É parte da natureza humana. Dê ao seu filho a chance de avaliar os diversos ambientes sociais da mesma forma... não importando quanto tempo isso leve.

Seja persistente. Às vezes, após apenas uma ou duas sessões, uma mãe diz: "Ah, não, ele não gosta deste grupo." Então, ela ingressa em outro grupo, e daí em um curso etc. A mãe pode se sentir envergonhada ou achar insuportável observar as dificuldades do filho. Contudo, ao não permitir que o filho passe pelas experiências difíceis ou assustadoras, ela evita que ele pratique o controle e o manejo do humor. Sem querer, ela ensina a ele que não há problema em abandonar qualquer coisa que seja difícil ou desconfortável. Essas crianças podem se tornar borboletas que voam de uma coisa para outra, sem nunca aprender a ir até o fim.

Não desista de socializar seu filho, nem abandone determinado grupo porque ele não se junta imediatamente aos outros. Se seu filho reluta em participar e quer ir embora, simplesmente diga: "Fizemos uma promessa de vir aqui, e precisamos cumpri-la. Você pode ficar aqui comigo e olhar." Lana, a mãe de Kendra, uma criança Sensível, reconheceu que sua filha precisava de

---

Os cinco tipos

O **Anjo** tem uma natureza social muito agradável. Ele geralmente é a criança sorridente e feliz do grupo, aquela que se dispõe primeiro a compartilhar.

O **Livro-texto**, sendo uma típica criança em todos os estágios do seu desenvolvimento, toma coisas de outras crianças, não porque é mau ou agressivo, mas porque é curioso e interessado em qualquer coisa de posse de outra criança.

A criança **Sensível** se retrai ou olha constantemente para a mãe. Ela fica muito triste se outra criança pega algo, bate sem querer nela ao passar ou brincar ou perturba a sua brincadeira.

O **Enérgico** tem dificuldade para compartilhar. Ele tende a mudar rapidamente de foco, corre pela sala e pula por toda parte, brincando com muitos brinquedos.

O **Irritável** prefere brincar sozinho. Ele pode permanecer em uma tarefa por mais tempo que a maioria das outras crianças, mas fica incomodado se outra criança tenta interrompê-lo.

tempo para se acostumar com situações sociais. Ela não deu desculpas quando Kendra veio ao nosso grupo de "Mamãe e eu". Em vez disso, permitiu que sua filha sentasse em seu colo. Na maior parte das sessões, Kendra apenas se unia aos outros nos últimos cinco minutos. Mas ao menos ela se unia.

Reincidências de dificuldades sociais são esperadas em novos ambientes. Comparecer às aulas de "Mamãe e eu" desde os 2 meses certamente permitiu que Kendra se acostumasse com outras crianças. Contudo, quando Lana inscreveu Kendra em aulas de recreação, aos 15 meses de idade, percebeu que cada nova situação significava passar por todo o estágio de aquecimento novamente. No primeiro dia, Kendra teve uma crise na porta do local. Lana permaneceu com ela, fora da sala, por quinze minutos, até que a menina se restabelecesse. Kendra sentou-se "à margem" por outras cinco semanas. O temor de Lana – na verdade, a apreensão comum de todos os pais – era que Kendra *jamais* se juntasse aos outros. Eu lhe expliquei: "É assim que ela é, você precisa lhe dar tempo." No fim das contas, Kendra se apaixonou pelas aulas, detestando quando tinha que ir embora. Mesmo assim, a cena de hesitação inicial ocorreu novamente aos 2 anos, quando a menina foi inscrita em uma aula de natação. Após semanas sentada na beira da piscina, com medo, Kendra agora é um peixinho – e é difícil tirá-la da água.

Ensinar as crianças a lidar com suas emoções é um processo contínuo, que exige muita paciência. Talvez você precise assegurar muitas vezes ao seu filho retraído que não há problema em esperar. Você pode ter de dizer repetidas vezes a uma criança naturalmente agressiva: "Seja gentil... não bata." Obviamente, cada ensaio ajuda, mas é preciso muita prática. Acredite, é melhor lidar com a ansiedade ou agressividade de uma criança agora, reservar algum tempo e deixá-la perceber que você está ali para ajudá-la, porque ela terá de enfrentar isso em algum momento. De fato, o momento da verdade com frequência chega para os pais. Aqueles que deram desculpas por seus filhos ou permitiram que eles saltassem de grupo em grupo, em vez de ajudá-los a passar por situações difíceis, com frequência dirão, no primeiro dia da pré-escola: "Eu gostaria de ter feito isso antes."

Considere seu próprio histórico social. Os problemas pessoais às vezes cegam os pais. Se você foi uma criança tímida, pode se identificar totalmente com o que seu filho está passando. Se você não tinha problemas para fazer amigos, pode estar inclinado a pressionar seu filho para ser mais parecido com você. Se você era um pouco mal-humorado, pode ponderar, de forma defensiva: "É só uma fase." Você e o seu parceiro, refletindo inconscientemente suas respectivas infâncias, podem discordar sobre questões sociais. Um diz "insista", enquanto o outro diz "recue". É importante diferenciar os seus problemas daquilo que afeta seu filho. Você não pode mudar o modo como era ou reverter as dificuldades sociais que enfrentou, mas você pode tomar consciência do modo como orienta seu filho no presente.

Estruture as situações para que atendam às necessidades do seu filho. As situações sociais são formadas por um ambiente, pela atividade que ocorre nele e por outras crianças e adultos. Se você sabe que seu filho tende a ser retraído, talvez possa escolher uma atividade menos estressante – digamos, música em vez de brincadeiras mais físicas. Se ele fica incomodado com luzes brilhantes, você deve afastar-se de locais muito iluminados que podem deixá-lo irritado. Se ele é muito barulhento, um curso tranquilo de artes e artesanato provavelmente não será a melhor escolha.

Naturalmente, nem sempre você tem opção. Como mencionei antes, participar de brincadeiras em grupo ou de encontros para brincar (o que eu abordo a seguir) em geral significa que você ajudou a fazer a lista de convidados. Portanto, essas circunstâncias são mais fáceis de controlar que parquinhos ou outros locais públicos. Se há uma criança agressiva no parque, não há muito que você possa fazer sobre isso ao chegar lá, exceto ficar de olho em seu filho. Do mesmo modo, você não conhecerá todas as outras crianças na creche. Entretanto, você pode visitá-la e observá-la de antemão; conte às pessoas que administram a creche tudo sobre seu filho: suas experiências pessoais passadas, o que você aprendeu sobre ele e o que ele precisa. Embora você não possa opinar sobre a forma como a creche é administrada, pelo menos pode preparar um local melhor para seu filho.

Prepare seu filho para a experiência. Dolly seguiu minhas sugestões ao pé da letra. Ela visitou diversas creches e encontrou uma não muito longe de seu trabalho, para o caso de emergências. Ela garantiu que haveria supervisão adequada e que os brinquedos e equipamentos eram apropriados para bebês com 1 ano e meio de idade. Ela contou à diretora os tipos de alimento que seu filho gostava e lhe deu uma lista de números de contato, para o caso de terem dúvidas. Tudo foi ótimo, mas no primeiro dia de Andy, Dolly tomou um susto. Seu filho normalmente cooperativo e tranquilo deixou que a mãe o deixasse lá sem grandes problemas, mas logo caiu em prantos. Quando a diretora da creche ligou para lhe dizer que Andy estava inconsolável, Dolly percebeu que apesar de todos os preparativos e trabalho, ela havia esquecido de preparar o menino para o fato de que estaria lá sem a mamãe por várias horas. Embora ela não pudesse explicar o tempo para ele, poderia ter chegado uma hora mais tarde ou algo assim no seu trabalho durante alguns dias, para ajudá-lo a se acostumar com o ambiente, com a equipe e com as outras crianças – e para deixá-lo quando ele estivesse preparado.

Ensinando habilidades sociais ao seu filho

Crianças com menos de 2 anos veem a si mesmas como o centro do seu próprio universo – e tudo o mais diz respeito a "mim" ou é simplesmente "para mim". Às vezes, não há como argumentar com crianças pequenas. Seu comportamento normal com frequência parece "agressivo" (veja o quadro da página 219) aos olhos dos adultos. Como, então, podemos ensiná-las a ter consideração e a levar os sentimentos de outros em conta?

Novamente, pense em termos de ensaio. As crianças não vêm ao mundo com boas maneiras ou sabendo como se revezar e compartilhar. Nós precisamos mostrar a elas por meio de nosso exemplo ou fazendo com que pratiquem. Comece ensaiando interações em casa. Não espere muito, no início – isso é difícil para crianças pequenas –, mas seja coerente. Você não pode pedir que seu filho compartilhe um dia e, depois, ignorá-lo quando ele tentar pegar o brinquedo de outra criança. Quando ele realmente compartilhar, seja porque você insistiu ou porque ele fez por conta própria, elogie. "Que lindo dividir com outros, querido."

As crianças precisam que lhes ensinemos habilidades sociais para sobreviverem no mundo real. Embora elas não entendam realmente as convenções sociais ou o que significa "ser gentil" no início, precisamos começar de algum lugar, reforçando continuamente, aumentando a compreensão dos nossos filhos e melhorando seu traquejo social. Vale a pena, pois não há nada tão valorizado aos olhos de outros pais, de professores e até mesmo de outras crianças quanto uma criança que se preocupa com seus modos e é gentil e atenciosa.

Aqui estão as habilidades críticas que você poderá ajudar seu filho a praticar em casa e em situações de diversão.

Boas maneiras. No último capítulo, falei sobre a importância de ensinar ao seu filho *palavras* que indiquem boa educação e gratidão, mas você também precisa lhe ensinar *ações*. Digamos que seja a hora do lanche da tarde e a tia Florrie tenha chegado para uma visita. Primeiro, você diz à tia Florrie: "Que bom que você veio. Aceita um chá?" Então, vire-se para a criança e diga: "Vamos servir uma bela xícara para a tia Florrie." A criança te acompanha, enquanto você serve o chá. "Vamos servir biscoitos também", você sugere, colocando-os na bandeja. De volta à sala, você entrega a bandeja (plástica) à criança e diz: "Melanie, você gostaria de oferecer um à tia Florrie? E *você*, gostaria de um biscoito?"

O mundo real: ajudando o seu filho a ensaiar as habilidades para a vida

Isso mostra à criança que primeiro devemos servir os outros, que os convidados vêm em primeiro lugar, e que o anfitrião pega seu pedaço por último. Isso é etiqueta básica. Ainda assim, esteja certo de que seu filho pegará *todos* os biscoitos nas primeiras vezes. Corrija-o gentilmente, sem envergonhá-lo: "Não, Melanie, estamos compartilhando. Este é o biscoito da tia Florrie e este é o biscoito da Melanie."

Ensinar boas maneiras envolve modelar o comportamento apropriado em certos lugares. Você baixa o tom de voz e explica, em um sussurro: "Na igreja, nós falamos bem baixinho e não corremos." Também é uma questão de reforçar o tipo de cortesia que é parte de praticamente todos os intercâmbios sociais: quando algo é passado na mesa do jantar, diga "obrigado". Além disso, em vez de passar empurrando os outros ou arrotar na frente de alguém, você diz: "Com licença" ou "desculpe". A melhor maneira de ensinar boas maneiras, é claro, é sendo você mesmo bem-educado. Assim, quando seu filho lhe trouxer um brinquedo, diga sempre: "Obrigado." Quando você desejar a cooperação dele, peça "por favor".

Empatia. Os estudiosos demonstraram que crianças de apenas 14 meses exibem habilidade para se preocuparem com os sentimentos de outras pessoas. Você pode ensaiar a empatia, permitindo que seu filho saiba que *você* tem sentimentos. Se ele bater em você, diga: "Ai! Isso doeu!" Se alguém na família estiver doente, diga: "Precisamos falar baixo, porque o Mark não está se sentindo bem." Algumas crianças são naturalmente empáticas. Uma de minhas tias, que morava conosco, não podia andar muito bem. Nossa Sara sabia que a tia Ruby estava doente e corria para lhe levar os chinelos. Mesmo aos 16 meses, ela demonstrava empatia, e eu a reforçava dizendo: "Você é uma boa menina, Sara. Foi muito gentil de sua parte ajudar a tia Ruby."

Incentive seu filho a perceber o que outras crianças estão passando. Mesmo quando um bebê de 10 meses age de forma rude com outra criança, corrija o comportamento imediatamente e aponte como isso faz alguém se sentir: "Não, não, isso machuca, Alex... seja gentil, gentil." Quando um menino cai e começa a chorar, diga: "Johnny deve ter se machucado. Você quer ir ver se podemos ajudá-lo?" Vá até a outra criança e diga: "Johnny, você está bem agora?" Ou quando uma criança precisa sair do grupo de brincadeiras porque está cansada ou chateada, incentive as outras crianças a dizerem: "Tchau, Simon, esperamos que você melhore"

Compartilhar. Compartilhar baseia-se na posse e no uso – o proprietário dá algo (dividir balas, p. ex.) ou permite que outra pessoa use algo com o conhecimento de que será devolvido. Por volta dos 15 meses, as crianças começam a entender o conceito de compartilhar, mas precisam de muita ajuda. Afinal, tudo em seu mundo é "meu". "Agora" é o único momento que existe nas mentes dos pequeninos – "depois" soa longe demais. E, não importando o quanto você seja preciso ("Ela devolverá para você em dois minutos"), crianças pequenas não entendem o tempo. Qualquer atraso parece eterno.

Em meus grupos de brincadeiras, quando as crianças estão com 13 meses, eu ensaio o ato de compartilhar modelando-o: eu levo um prato com biscoitos e digo "Quero compartilhar meu lanche com vocês." No prato, eu coloco apenas o suficiente para que cada criança pegue um – cinco crianças, cinco biscoitos. Enquanto passamos o prato, eu reforço a ideia de que todo mundo está pegando "apenas um".

Depois, nós fazemos o "balde de compartilhar". Eu peço que as mães tragam cinco unidades de determinado lanche em um saco plástico. Eu também peço que elas falem sobre partilhar em casa e que deixem os filhos ajudá-las a se prepararem para o balde de compartilhar: "Vamos aprontar nossa lancheira para o grupo de brincadeiras. Será que você pode me ajudar a contar cinco [cenouras, biscoitos ou outra coisa]?" (Isso também se transforma em um jogo de contar.)

Quando as crianças chegam, colocamos todos os lanches no balde de compartilhar. Depois da sessão de brincadeiras, nós começamos a "hora de compartilhar". A cada semana, uma das crianças tem sua vez entregando os lanches, e sua mamãe ajuda dizendo em tom educado a cada uma das outras crianças: "Você quer um?" É claro que também estamos ensinando boas maneiras. A criança que pega o lanche diz: "Obrigado" e então dizemos juntos: "Boa divisão!"

Essas lições ajudam as crianças a entenderem a ideia de dividir também seus brinquedos, o que, obviamente, é muito mais difícil. Contudo, pelo menos quando você diz: "Edna e Willy, vocês podem compartilhar o caminhãozinho", em vez de brigar pelo brinquedo, eles terão uma compreensão rudimentar sobre o que você espera deles. O objetivo é instalar no seu filho um *desejo* de compartilhar e recompensar tal atitude, em vez de elogiar uma criança que está respondendo à instrução de um dos pais ("Devolva isso"). A melhor forma de fazer isso é *aproveitar quando a criança está sendo boazinha* – mesmo que "sem querer"!

> ## Curiosidade ou agressividade?
>
> Embora você deva *agir* em qualquer circunstância, há uma diferença entre agressividade e curiosidade – tanto em termos de intenção quanto à atitude. A curiosidade parece lenta, enquanto a agressividade é rápida e impulsiva. Assim, quando Sean, 11 meses, vai até Lorena, olha a menina de alto a baixo, estende a mão para tocar sua cabeça e então puxa seu cabelo, ele provavelmente está apenas sendo curioso. Por outro lado, quando Wesley, de 1 ano, empurra Terry de propósito para tirá-lo do caminho, isso é agressividade.

Marie, por exemplo, estava ocupada brincando com o conjuntinho de jardinagem na minha sala de brinquedos. Ela estava enfiando cartas na caixa postal, fazendo "voar" os passarinhos de plástico, divertindo-se como nunca, quando Juliette veio em sua direção. A mãe de Juliette estava pronta para interferir e agarrar sua filha, mas eu lhe disse para lembrar-se do H.E.L.P. "Vamos esperar e ver o que acontece agora", sugeri. Juliette apenas observou Marie por um momento. Então, ela abriu a caixa de cartas e entregou uma das pequeninas cartas de plástico para Marie. "Parabéns por compartilhar, Juliette", eu disse, animada. Juliette deu um grande sorriso. Talvez ela não soubesse com o que, exatamente, eu estava tão contente, mas ela certamente sabia que havia feito algo bom.

Naturalmente, às vezes os pais *precisam* interferir. Se o seu filho agarra algo de outra criança, devolva imediatamente e então:

CORRIJA O COMPORTAMENTO: "Isto não pertence a você, George. É do Woody. Você não pode pegar." Entretanto, não dê sermão nem constranja seu filho.

CONFORTE-O: "Eu sei que você quer brincar com o caminhão do Woody. Você deve estar chateado." Dessa forma, você reconhece o que ele está sentindo, sem evitar que ele sinta o desapontamento.

AJUDE-O A RESOLVER O PROBLEMA: "Talvez o Woody divida o brinquedo com você, se você pedir." Se o seu filho não tem linguagem verbal, peça *por* ele. "Woody, será que você pode dividir seu caminhãozinho com o George?" É claro que Woody poderá dizer não.

INCENTIVE-O A SEGUIR EM FRENTE: "Bem, George, talvez Woody deixe você brincar com o caminhão outra hora." Tente deixá-lo interessado por outro caminhão.

Esperar a vez. As crianças precisam aprender a etiqueta básica de brincar: não se agarra, não se empurra alguém para tirá-lo do caminho e não se arruína a construção de outra criança só porque se quer usar os blocos *agora*. Revezar é difícil para crianças pequenas, porque significa exercer controle e esperar. Ainda assim, é uma das lições mais importantes da vida. É chato esperar – mas todo mundo precisa aprender a fazer isso.

Em casa, durante suas rotinas diárias, ensaie o roteiro que irá acostumar o seu filho a esperar pela vez dele. Por exemplo, ele está na banheira. Dê-lhe a esponja e pegue uma para você. "Vamos nos revezar. Primeiro, eu lavo este braço, e depois você lava o outro." Enquanto vocês brincam: "Vamos nos revezar. Você aperta um botão e vamos ver que ruído de animal nós ouvimos. Agora, eu aperto um botão."

Não se esqueça que as crianças não se oferecem voluntariamente para o revezamento. Contudo, como um bom diretor, você precisa treiná-las. Em meus grupos de crianças pequenas, tento evitar problemas ao providenciar ao menos dois brinquedos de cada tipo. Entretanto, é quase inevitável: uma criança sempre deseja aquilo que está com a outra.

O mundo real: ajudando o seu filho a ensaiar as habilidades para a vida

DICA: Um truque que eu recomendo às mães, particularmente quanto aos encontros para brincar, é estabelecer um limite de tempo. Entretanto, uma vez que crianças não entendem o conceito de tempo, é melhor usar um cronômetro. Assim, quando duas crianças quiserem o mesmo brinquedo, por exemplo, você pode dizer: "Há apenas uma boneca, então vocês terão de se revezar. Russell, você brinca primeiro, porque a encontrou. Assim, vamos ajustar o cronômetro. Quando você ouvir o alarme, será hora de dar a boneca para a Tina, porque será a vez dela." Tina está mais disposta a esperar porque sabe que quando ouvir o alarme terá a boneca.

Permita também que seu filho experimente quaisquer sentimentos que surjam quando ele não conseguir o que deseja. Com muita frequência, ouço pais dizendo a um filho que chora: "Ah, não se preocupe. Vou comprar para você um brinquedo igualzinho ao que o Barney tem." O que *isso* ensina à criança? Certamente, nada sobre compartilhar; em vez disso, a criança aprende que chorar faz com que a mãe ou o pai façam o que ela bem entender.

É importante permitir que seu filho experimente o desapontamento, quando outra criança se recusa a revezar ou a compartilhar. Isso também é parte da vida. Em uma das minhas sessões lúdicas, por exemplo, Eric e Jason estavam junto à caixa de brinquedos. Jason estava com o caminhão de bombeiro, e bem entretido com ele. Subitamente, Eric olhou para o seu amigo. A expressão em seu rosto era clara: "Ah, o caminhão parece bem mais legal para brincar. Eu vou pegá-lo do Jason." Ele não estava sendo "mau" ou sequer "possessivo". Na mente de uma criança pequena, tudo é seu. Enquanto Eric estendia a mão para pegar o caminhão, incentivei a mãe dele a interferir, como eu havia mostrado a ela em outras sessões:

Ela estendeu a mão para impedir que Eric pegasse o brinquedo: "Eric, Jason está brincando com o caminhão."

221

Ela se voltou para Jason: "Jason, você ainda quer brincar com o caminhão?" Jason entendeu; ele puxou o caminhão para trás, indicando claramente que ainda o queria.

"Eric, Jason ainda quer brincar com o caminhão", explicou, oferecendo-lhe outro trator. "Aqui está um trator para *você* brincar." Eric empurrou o brinquedo; ele só queria o caminhão de bombeiro.

"Eric", disse a mãe novamente, "Jason está brincando com o caminhão de bombeiro agora. Você terá a sua vez quando ele terminar."

Bem, não era exatamente isso o que Eric queria ouvir, de modo que ele abriu um berreiro que poderia ser traduzido como "o que você quer dizer com 'eu não posso ter o caminhão?'". Nesse ponto, a mãe me perguntou: "E agora, o que eu faço?"

Não diga "Desculpe, você não pode pegá-lo" ou "Ah, coitadinho, vou comprar um caminhão de bombeiro só para você". Nada disso. Apenas diga a verdade: "Eric, Jason está brincando com o caminhão de bombeiro agora. Você poderá brincar depois. Precisamos compartilhar. E precisamos esperar a nossa vez."

Eric continuou chorando, então eu disse à mãe dele: "Agora, você precisa ser firme, sem desrespeitá-lo. Seu objetivo é evitar, se possível, um aumento das emoções dele: 'Estou vendo que você está desapontado, mas mesmo assim não pode pegar o caminhão. Assim, venha até aqui para vermos o que podemos achar para *você* brincar.' Depois, afaste-o fisicamente." (No Capítulo Sete, falo sobre o que a mãe de Eric precisará fazer se *isso* não distraí-lo e, em vez disso, ele tiver um ataque de fúria.)

Os estágios da socialização:
Como seu filho se torna uma pessoa sociável

À medida que seu filho amadurece, sua capacidade para brincar também aumenta naturalmente. Compreender cada estágio do ponto de vista do seu filho ajuda muito.

Percebe outras crianças. Bebês de apenas 2 meses sentem-se fascinados e curiosos por outros bebês e por seus irmãos mais velhos. Primeiro, seus olhos os seguem pelo cômodo. Por volta dos 6 meses, quando ele já consegue pegar objetos, seu filho também poderá estender a mão para outras crianças. Ele imagina o que é aquilo, provavelmente pensando que é um tipo de brinquedo misterioso: "Ei, se eu cutucar essa coisa ali, ela vai chorar."

Copia outras crianças. Nós olhamos crianças pequenas e pensamos que elas são más, egoístas ou rancorosas quando agarram um brinquedo de outra criança. Na verdade, seu filho apenas deseja copiar. Ver outra criança usando o brinquedo dá ideias ao seu filho e, de repente, um brinquedo que momentos atrás não tinha nenhum interesse adquire vida: "Ei, eu não sabia que é isso o que essa coisa faz. Eu também quero fazer isso."

Brinca perto de outras crianças. Crianças pequenas não brincam realmente umas com as outras, mas lado a lado, e é por isso que chamamos esse tipo de brincadeira de "jogo paralelo". A ideia de compartilhar e se revezar parece irrelevante para seu filho, que pensa: "O que eu quiser fazer eu faço, porque sou a única criança no mundo."

Brinca com outras crianças. Aos 2 anos e meio ou 3, a maioria das crianças domina habilidades sociais básicas e pode imaginar coisas. Portanto, a brincadeira de faz de conta é mais elaborada e as crianças podem envolver-se em jogos que exigem a real cooperação entre elas, como pega-pega, rolar ou chutar uma bola para lá e para cá. Agora, quando seu filho vê um coleguinha, ele pensa: "Se eu chutar esta bola para ele, ele chutará de volta."

Organizando encontros para brincar e grupos de brincadeiras

Encontros para brincar e grupos de brincadeiras ajudam as crianças a ensaiar habilidades sociais, mas apresentam desafios bastante diferentes. Sugiro que você dê ao seu filho os dois tipos de experiência. Eu sei que algumas pessoas acreditam que não é boa ideia formar grupos de crianças com menos de 2 anos, mas eu discordo. Desde que a criança tenha um dos pais ao lado, esta é uma boa prática, mesmo que seja para se deitar perto de outra criança. Portanto, inicio meus grupos de "Mamãe e eu" e de "Papai e eu" quando as crianças estão com 6 semanas.

Encontros para brincar. Um *encontro* para brincar geralmente é apenas com outra criança, e é razoavelmente desestruturado. Um pai liga para o outro, ambos definem um horário e local (geralmente, a casa de um dos dois ou um parque) onde as duas crianças brincam juntas por uma ou duas horas.

Uma das questões mais importantes dos encontros para brincar é a química. Algumas crianças simplesmente "se acertam". A amizade entre elas pode durar durante toda a pré-escola ou até depois. Também existem crianças, geralmente as do tipo Anjo, que entretêm, instigam e se dão bem com praticamente qualquer criança; no caso delas, a química pode nunca ser um problema. Contudo, algumas combinações são um "ajuste" ruim. Por exemplo, se você tem uma criança Sensível, que se assusta com facilidade e se agita quando sua concentração é perturbada, é desejável que sua primeira experiência não seja com uma criança Enérgica, que corre por todos os lados e tende a agarrar os brinquedos das outras.

Ainda assim, no mundo real, são os *adultos* que marcam encontros para brincar, e eles escolhem outros adultos que *eles* gostam. Com frequência, os grupos são formados de mães e pais com históricos e interesses semelhantes e filosofias de educação de filhos também semelhantes. Ou um grupo de babás se reúne, porque reside na mesma vizinhança ou vêm do mesmo país. De qualquer forma, as crianças são "jogadas" umas com as outras.

Às vezes a química funciona, como no caso de Cassy e Amy (veja páginas 103-104), cujas mães se conheceram em uma aula de Lamaze. Felizmente, suas filhas, uma Enérgica e a outra um Anjo, brincam muito bem juntas. Em outros casos, porém, apesar das melhores intenções das mães e dos desejos mais genuínos, suas crianças são como água e óleo. Uma sempre acaba sentindo-se provocada e sofredora, e ninguém, certamente não os pais, se diverte. Outra mãe, Judy, cujo filho Sandy é um menino Sensível, admitiu para mim que às vezes teme os encontros para brincar com Abe, o filho de Gail, porque Sandy com frequência termina em lágrimas. Judy finalmente teve de dizer a Gail: "Não quero impor o meu estilo de educar meu filho a você, mas quando você e Abe vêm aqui, Sandy muitas vezes se sente aterrorizado. E isso está afetando a *nossa* amizade."

DICA: Juntar duas crianças tem a ver com bom-senso. Embora você possa gostar de estar com determinada mãe, se todas as semanas seu filho termina frustrado, com coisas tomadas de suas mãos e chorando – e você começa a temer os encontros para brincar, porque imagina, em segredo, o que acontecerá na próxima semana –, marque encontros para brincar com o filho de outra pessoa e encontre sua amiga para um café ou uma partida de tênis.

Antes de um encontro para brincar, sempre pergunte ao seu filho: "Qual dos nossos brinquedos você quer dividir com o Timmy quando ele chegar para brincar, e que brinquedos você gostaria de não usar desta vez?" Você também pode sugerir que guardem um determinado brinquedo que *você* sabe que é precioso ou seu "cobertorzinho" e explicar por que: "Eu sei que isto é o que você mais gosta. Talvez seja melhor guardarmos." Infelizmente, às vezes uma criança não percebe algo como "favorito" até que outra criança lhe tira o objeto das mãos.

O respeito deve ser mútuo, é claro. Seu filho pode ser o visitante e pode haver coisas que a outra criança se recusa a compartilhar. Diga: "Não há problema se o Fred não quer que você brinque com algo dele. Afinal, é *dele*." Depois, tente interessá-lo por outra coisa. Se ele ficar chateado, diga: "Estou vendo que você ficou chateado, mas mesmo assim o brinquedo é do Fred."

Essas dificuldades são quase inevitáveis, mas não são ruins. É

"Compartilhe-se"

Deixe que seu filho saiba que há o suficiente da mamãe para todos! Especialmente se você está planejando ter mais de um filho (veja o Capítulo Nove), um encontro para brincar é uma boa oportunidade para mostrar a ele que você pode segurar e abraçar outra criança. No dia em que Cassy viu pela primeira vez sua mãe pegando Amy no colo, seu rosto deixou transparecer o choque: "Ei, minha mãe está pegando a Amy no colo." Ela está recebendo uma importante mensagem: a mamãe também pode ser compartilhada.

É importante tirar de uma criança a ideia de que o amor precisa ser exclusivo. Algumas crianças chegam a empurrar os pais quando estes se aproximam para beijar e abraçar suas esposas. O pai conclui: "Ele detesta quando estamos namorando." Em vez disso, ele deveria dizer ao filho: "Venha cá – nós três podemos nos abraçar."

assim que as crianças aprendem. Eu costumava dar à minha filha dois brinquedos no encontro para brincar, e a outra mãe também trazia dois. Se qualquer coisa fosse quebrada, ela ou eu sabíamos que deveríamos repor. Você também pode evitar brigas pedindo que a mãe visitante incentive o filho dela a também trazer um ou dois dos seus brinquedos. Sei que isso pode parecer irrealista, porque as crianças têm muitos brinquedos hoje em dia, mas acredito que isso seja melhor para todos – para as crianças *e* para os seus pais – pelo menos tentar limitar o número de brinquedos.

> **DICA:** Se você está recebendo um amiguinho do seu filho para brincar, crie um espaço seguro onde as crianças possam brincar. Afaste os bichinhos de estimação. Limite o tempo – uma hora geralmente é suficiente, antes que um ou outro se canse. É aí que surgem os conflitos.

Também é ótimo alternar as casas, mas se você não fizer isso, combine que cada mãe fornecerá seus próprios lanches, para que não haja sobrecarga apenas sobre uma das mães. Se você é a mãe visitante, leve também tudo o que você precisará – fraldas, mamadeira ou copinho com canudo. Embora não seja importante definir "regras", por assim dizer, ao marcar o encontro, do modo como eu sugiro para os grupos de brincadeiras (veja a seguir), é boa ideia pelo menos saber a posição da outra mãe sobre certas questões e como é o filho dela. Por exemplo, se você é o tipo de mãe que não afasta seus enfeites preciosos e ensinou seu filho a não tocá-los, é melhor garantir que a outra mãe tenha ensinado seu filho a respeitar os pertences dos outros! Além disso, veja se existem certos alimentos que não devem ser servidos, alergias que você deva conhecer e questões ligadas ao treinamento para o uso do vaso sanitário. O que cada uma de vocês fará, se uma das crianças for agressiva com a outra?

Grupo de brincadeiras. Um *grupo* de brincadeiras envolve duas ou mais crianças e, em geral, tem um formato mais estruturado que um encontro para brincar. O benefício de um grupo de brincadeiras é que sua dinâmica é mais complexa, e dá às crianças muitas oportunidades para a prática dos tipos de habilidades sociais apresentadas anteriormente. Entretanto, até os 3 anos, sugiro limitar os grupos a não mais que seis crianças – idealmente, quatro. Se possível, evite o número três, que pode ser difícil porque alguém geralmente se sente deixado de fora.

Montar um grupo de brincadeiras (em vez de simplesmente inscrever seu filho em um que conte com orientação profissional para os pais) envolve planejamento. Se pensarmos em termos de ensaios, isso envolve muita "direção de palco", assim como um cenário mais elaborado e um elenco maior do que um encontro para brincar.

1. ENCONTREM-SE SEM AS CRIANÇAS PRIMEIRO, PARA ELABORAREM A PROGRAMAÇÃO – QUE TIPO DE ESTRUTURA E ATIVIDADES O GRUPO APRESENTARÁ. Decidam como o grupo de brincadeiras deve *ser*. Que atividades incluirá – brincadeiras, música, alimentação? Também é boa ideia planejar o tempo. Assim como manter uma rotina previsível em casa torna a vida mais fácil para seu filho, uma rotina consistente no grupo de brincadeiras ajuda as crianças a saberem o que esperar e o que se espera delas. Minhas sessões de "Mamãe e eu" têm cinco segmentos: hora da brincadeira, hora de compartilhar (lanche), hora da música e, após a arrumação, hora de relaxar, durante a qual eu ponho para tocar uma música relaxante e as crianças se aconchegam nos colos das mães. Esse é um formato que pode facilmente ser replicado em sua própria casa.

O conteúdo naturalmente muda de acordo com a idade da criança. Por exemplo, com música. Em meus grupos para bebês dos 6 aos 9 meses, eu toco "A Dona Aranha", mas apenas os pais e eu cantamos a cantiga e fazemos os movimentos. As crianças sentam-se lá, fascinadas, mas imóveis. Nos grupos de 12 a 18 meses, as crianças são muito mais animadas e tentam copiar os movimentos das mãos. Por volta dos 15 meses de idade, a maioria sabe o que esperar e após quatro ou cinco semanas ouvindo a música, observando tanto a mim quanto suas mães, elas realmente conseguem fazer os movimentos de mãos. Aos 2 anos, a maioria também tenta cantar a música.

2. *DISCUTAM AS REGRAS.* Falem sobre suas expectativas — não apenas o que as crianças podem e não podem fazer, mas o que as mães farão quando as crianças não obedecerem as regras (veja o quadro abaixo). Fico irritada quando uma criança bate em outra ou quebra de propósito os brinquedos de outras e a mãe diz: "Sinto muito", mas não faz nada a respeito. Essas ocorrências podem levar a sentimentos muito ruins entre as outras mães.

Em um grupo que visitei, as mães narraram suas interações com uma ex-participante. Sempre que a filha dessa mãe se descontrolava e mordia outra criança, a mãe fazia pouco disso e argumentava: "Ah, é apenas uma fase." (Bater é comportamento, não fase — mais sobre isso no próximo capítulo.) As outras mães sentiram-se cada vez mais irritadas por sua atitude, e isso causou tensão no grupo. Finalmente, uma delas se pronunciou: "Estamos tentando ensinar autocontrole às crianças. E quando nossos filhos não se contêm, nós interferimos. Você pode não achar necessário intervir quando seu filho empurra ou bate, e isso é uma escolha sua. Mas nós não consideramos isso justo para as outras crianças." Embora fosse constrangedor, elas tiveram de pedir que aquela mãe encontrasse outro grupo.

Quando estabelecemos regras com antecedência, estamos menos propensos a ter esses conflitos e ten-

---

Regras da casa

Algumas mães que eu conheço traçam um conjunto de regras da casa para seus grupos de brincadeiras. Você pode não concordar com elas, mas use-as como guia para criar suas próprias regras.

Para as crianças:
Não comer na sala.
Não subir nos móveis.
Nenhum comportamento agressivo (bater, morder e empurrar).

Para as mães:
Não trazer irmãos mais velhos (se um deles "aparecer", ele será educadamente convidado a sair).
Os bons modos devem ser incentivados.
Se uma criança for agressiva, precisará se afastar até se recompor.
Brinquedos quebrados serão substituídos por novos.

sões em um grupo de brincadeiras. Além disso, as regras ajudam as crianças a aprenderem sobre limites. Mas não sejamos extremos. Mesmo que uma das regras seja que as crianças precisam pedir as coisas com educação, se uma criança quer água e se esquecer de dizer "por favor", dê-lhe a água. Incentive-a a pedir com gentileza na próxima vez.

3. PREPARE O ESPAÇO PARA QUE TENHA TUDO O QUE VOCÊS PRECISARÃO. A área deve estar segura e ser capaz de acomodar com conforto o número de crianças participantes. É bom ter uma mesa de tamanho infantil para o lanche. Eu também recomendo ter pelo menos dois brinquedos de cada. Em meus grupos, tenho dois (ou mais) de tudo – duas bonecas, dois livros, dois caminhões. Obviamente, no mundo real não existe dois de tudo, mas estamos treinando bebês, e duplicatas evitam conflitos.

> **DICA:** Se o grupo sempre ocorrerá na casa de uma das mães, todos devem doar brinquedos. Se você for revezar as casas, providencie uma caixa que possa ser levada de lá para cá. Assim, se o grupo se reunir na casa de Martha esta semana, e na casa de Tanya na próxima, quando o encontro desta semana terminar, Tanya levará a caixa para a sua casa. Na próxima semana, a anfitriã seguinte fará a mesma coisa.

4. TERMINE EM UM HORÁRIO DETERMINADO E TENHA UM RITUAL DE ENCERRAMENTO. Descobri que, se não temos um horário definido para o encerramento de um grupo, as mães continuam batendo papo. Antes que você se dê conta, mais dez ou quinze minutos se passaram e os pequeninos começam a se cansar e a ficar mal-humorados. Em vez disso, quando o horário termina, gosto de cantar uma música de despedida que incorpora o nome de cada criança individualmente: "Tchau, Stevie, tchau, Stevie, tchau Stevie, verei você de novo na próxima semana." Isso não simboliza apenas o término, mas também evita um amontoado de criancinhas correndo para a porta.

Seja realista

Apesar de todo o seu planejamento, os grupos de brincadeiras nunca são acontecimentos perfeitos. Lembre-se de que crianças pequenas primeiro copiam e depois brincam *próximas* umas às outras, e você pode contar com o fato de que haverá muito mais imitação que cooperação (veja o quadro das páginas 222-223 para os estágios da socialização). As crianças dão ideias umas às outras. Quando Cassy e Amy brincam juntas, se Cassy pega uma boneca e a abraça, de repente Amy quer a boneca. De maneira interessante, Amy tem a mesma boneca em casa, mas nunca a toca. Uma vez que determinados brinquedos e atividades se tornam parte da rotina das crianças *no grupo,* este é o único lugar em que elas brincam com esses brinquedos. Por exemplo, Barry adorava sentar-se no carro em miniatura do meu quarto de brincar, mas *nunca* entrava naquele que tinha em casa.

Também não devemos esperar que as crianças compartilhem seus brinquedos favoritos nesses grupos. Deixo à minha porta uma caixa em que guardamos itens especiais para que fiquem "seguros" até a hora de irmos embora. Se você recebe um grupo, incentive seu filho a guardar as coisas que não deseja que outros toquem, especialmente itens de conforto (se ele não guardar, *você* deverá fazer isso para evitar problemas; veja a página 225).

Observadoras e interativas

Em meus grupos de crianças pequenas, algumas são o que eu chamo de *Observadoras.* Com frequência (costumam ser os tipos Irritável ou Sensível), essas crianças se mantêm um pouco retraídas. Deixam outra criança brincar com algo antes de tentarem também. Ou elas vão para um canto, onde há menos estímulo e menos interferência.

Outras crianças, geralmente do tipo Anjo, Livro-texto e Enérgico, são *Interativas.* Elas fazem contato visual, procuram outras crianças e até as beijam.

Mesmo quando as crianças brincam sozinhas, esses padrões emergem. Dê a uma Observadora um novo brinquedo e ela o abordará com hesitação, enquanto uma Interativa se colocará imediatamente em ação. Leve uma Observadora a um novo local e ela primeiro analisará tudo, enquanto a Interativa saltará para a ação quase que de imediato. Observadoras com frequência pedem a ajuda dos pais, enquanto as Interativas tendem a tentar fazer tudo sozinhas.

O mundo real: ajudando o seu filho a ensaiar as habilidades para a vida

Mesmo que você estruture um determinado formato, as crianças levarão de quatro a cinco semanas para se acostumarem com ele e preverem cada segmento. Naturalmente, algumas levarão mais tempo que as outras para se acostumarem e confiarem no ambiente. Como explico no quadro da página anterior, algumas crianças tendem a ser *Interativas*, enquanto outras são *Observadoras*. Embora as mães possam decidir incluir um segmento com música ou um jogo organizado, algumas crianças não participarão. Tudo bem. Elas farão isso... quando se sentirem seguras.

Eu sempre aconselho as mães em meus grupos a tentar se conter e apenas observar, em vez de intervir precipitadamente. Ao mesmo tempo, quando uma criança é vítima de um coleguinha, eu peço que os adultos intervenham: "Proteja seu filho. Você é o guardião dele." Alguns pais sentem-se envergonhados demais para interferir. Quando Jake bateu em Marnie, por exemplo, Brenda, a mãe de Marnie, disse à mãe de Jake, Susan: "Está tudo bem." Brenda obviamente não queria que Susan se sentisse mal pelo comportamento de Jake. Mas *não* está tudo bem. Se Susan não faz nada sobre o comportamento do próprio filho, pelo menos Brenda tem que agir, em vez de deixar a pobre Marnie lá, sozinha e indefesa.

Como o grupo de brincadeiras do qual uma das mães foi finalmente convidada a sair (páginas 228-229), esse caso salienta a importância das regras. Se uma política de tolerância zero em relação à agressividade tivesse sido discutida de antemão, Susan teria interferido imediatamente quando o filho bateu em outra criança. Se Susan não agisse, Brenda – após confortar sua própria filha – deveria ter dito ao menininho: "Não, Jake, nós temos uma regra. Nada de bater." Entendo que a ideia de disciplinar o filho de outra pessoa é um assunto delicado, e os pais se sentem confusos sobre isso ser ou não "de sua conta".

Lembre-se:

Não é problema seu se uma criança se recusa a compartilhar com seu filho. Mas é problema seu se outra criança bate, morde, empurra ou se mostra agressiva de alguma forma.

Na análise final, encontros para brincar e grupos de brincadeiras, assim como outros passeios, podem ser divertidos e emocionantes para você e seu pequeno – ou um desastre. Você não poderá evitar as crises e o choro, mas no próximo capítulo explico como lidar com essas situações.

CAPÍTULO SETE

Disciplina consciente: ensinando o seu filho a ter autocontrole

Talvez o resultado mais precioso de toda educação seja a capacidade para forçar-se a fazer o que precisa ser feito, quando deve ser feito, quer você goste ou não.

— Thomas Huxley

A maioria das crianças escuta o que você diz; algumas fazem o que você diz para fazer; mas todas fazem o que você faz.

— Kathleen Casey Theisen

Duas mães/duas lições diferentes

Em cada questão indagada por pais, a palavra *disciplina* parece surgir com muita frequência. Se você pensar nisso, a disciplina é um termo um tanto quanto militar. O dicionário a define como "instrução e exercícios visando treinar a conduta ou ação apropriada" e "punição infligida com o propósito de correção e treinamento". Dados esses significados, gostaria de ter outra palavra à mão. De qualquer modo, deixe-me esclarecer: *eu* não equaciono disciplina com punição nem a vejo como algo que impomos com dureza às crianças. Em vez disso, penso na disciplina como *educação emocional,* um modo de ensinar seu filho a lidar com suas emoções e lembrá-lo de como se comportar. Uma vez que parte deste processo envolve observar as suas próprias ações, escutar o modo como você fala com ele e estar atento às lições menos óbvias que você ensina moldando-o, gosto de pensar em termos de *disciplina consciente.*

O objetivo máximo da disciplina consciente é ajudar seu filho a conquistar o *auto*controle. Para reiterar nossa analogia com o teatro, as crianças pequenas precisam de muitos ensaios. Você, o diretor, deve mostrar muitos lembretes até que o seu pequeno ator memorize o roteiro, saiba as marcações de palco de cor e possa lidar sozinho com a "peça".

Permita-me exemplificar essa ideia simples contando como duas mães reencenaram uma situação familiar a todos os pais em um supermercado. As duas têm crianças de 2 anos que pedem doces enquanto suas mães estão na fila do caixa (todos sabem, queridos, que donos de supermercados têm um olho voltado para os pequenos: eles colocam prateleiras de guloseimas estrategicamente no nível do olho das crianças e com fácil alcance!).

Francine e Christopher. Enquanto Francine rola seu carrinho pela fila, Christopher aponta para o mostrador muito colorido e cheio de doces. Sua mãe, ocupada em tirar as mercadorias do carrinho e colocá-las no balcão, nem percebe isso, até que ele grita: "Eu quero!"

Francine responde gentilmente: "Sem doces, Chris." Ela continua esvaziando o carrinho.

Christopher, com a voz alguns decibéis mais alta, agora choraminga: "Doce!"

"Eu disse 'sem doces', Christopher", repete a mãe, em tom mais sério. "Isso estragará os seus dentes."

Christopher, que por sinal não faz ideia do que significa "estragar seus dentes", contorce o rostinho, começa a choramingar e repete sem parar: "Doce, doce, doce..."

Neste ponto, outros clientes estão começando a olhá-los. Alguns erguem as sobrancelhas, ou pelo menos é essa a impressão que Francine tem. Ela se sente envergonhada e cada vez mais impaciente. Ela tenta não olhar para Christopher.

Percebendo que está sendo ignorado, o menino salta e se agita, exigindo em voz estridente: "Doce! Doce! Doce! Doce!"

"Olhe, garotinho, se você não parar agora mesmo", alerta Francine, com olhar sério, "nós vamos para casa". Christopher chora ainda mais alto. "Estou falando sério, Chris." Ele continua chorando e agora adiciona chutes no carrinho ao seu repertório.

Francine fica aflita com a sequência de queixas do menino.

"Ok" diz ela, entregando uma barra de chocolate a ele. "Só desta vez." Ruborizada, ela paga as compras, explicando para todos que estavam ao alcance de sua voz: "Ele não dormiu direito hoje. Está um pouco cansado. Sabe como são as crianças quando estão cansadas."

Embora as lágrimas mal tenham secado em seu rosto, Christopher é todo sorrisos.

Leah e Nicholas. Enquanto Leah segue com o carrinho até a fila do caixa, Nicholas vê o mostrador cheio de doces coloridos e diz: "Nicholas quer doce!"

Leah responde em tom casual: "Hoje não, Nicholas."

Nicholas começa a gemer e em voz mais alta exige: "Doce. Eu quero doce."

Leah para por um momento e olha o filho nos olhos. "Hoje não, Nicky", diz, sem irritação, mas com firmeza.

Esta não é a resposta que Nicholas quer ouvir. Ele começa a chorar e a chutar o carrinho. Sem hesitação, Leah remove rapidamente suas compras do balcão e as recoloca no carrinho. Ela pede à moça do caixa: "Será que você poderia dar uma olhada para mim nas minhas compras até eu voltar?" A mulher assente, solidária, como quem já viu isso muitas vezes. Leah então se volta para Nicholas e em tom equilibrado diz: "Quando você se comporta assim, precisamos ir embora." Ela o levanta do carrinho e sai tranquilamente do supermercado. Nicholas continua chorando e Leah deixa o menino ter sua crise... no carro.

Quando o menino para de chorar, ela diz: "Você pode voltar ao supermercado comigo, mas sem doce." Ele faz que sim com a cabeça, ainda soluçando rapidamente e com a respiração curta, sinal de quem teve uma séria crise de choro. A mãe volta ao supermercado e à fila do caixa sem incidentes. Quando sai do supermercado com o filho, ela diz a Nicholas: "Bom menino. Obrigada por não pedir o doce. Você teve muita paciência." Nicholas sorri de orelha a orelha.

Como você pode ver, disciplina tem a ver com ensinar, mas os pais nem sempre têm consciência do que estão ensinando. Dadas essas circunstâncias idênticas, esses dois meninos aprenderam lições totalmente diferentes com suas mães. Christopher aprendeu que para ter o que deseja precisa comportar-se de certa maneira – gemer, chorar, fazer birra. Também aprendeu que sua mãe não é séria no que fala. Ele não pode confiar no que a mãe diz, porque ela não cumpre o que prometeu. Além disso, a mãe sempre irá salvá-lo e se desculpar por ele. Esta é uma informação poderosa, e na próxima vez que ele estiver no supermercado com Francine, tenha certeza de que fará a mesma cena. Ele dirá a si mesmo: "Mmmmm... estamos no supermercado de novo... doce! Na última vez que estivemos aqui, eu chorei e ganhei o que queria. Vou tentar de novo." Quando Francine tenta se manter firme, Christopher vai ainda mais fundo em seu arsenal: "Ei, não está funcionando. Acho que preciso chorar mais alto. Ih, ainda não deu certo. É hora de tentar sair do carrinho e me jogar no chão." Christopher aprendeu que possui diversas ferramentas à sua disposição e que é apenas uma questão de escolher a mais apropriada para ter a recompensa que busca.

Nicholas, por outro lado, aprendeu que a mãe sempre diz o que pretende, sempre fala sério e cumpre o que fala. Ela não fala por falar. Ela define limites, e quando ele os ultrapassa, sofre as consequências. E, uma vez que Leah não o levou para fora da loja, mas permaneceu calma, ela modelou o comportamento apropriado para o filho, mostrando a ele que ela estava no controle de suas próprias emoções. Finalmente, ele aprendeu que, quando se comporta, ele ganha elogios – e para uma criança pequena, a aprovação da mãe é algo quase tão delicioso quanto doce. Eu me aventuro a dizer que Nicholas não terá muitas crises de birra adicionais no supermercado, porque sua mãe não o recompensa por isso.

Algumas crianças precisam ser afastadas de uma situação de "alerta vermelho" apenas uma vez e passam a compreender os limites. Porém, digamos que Nicholas tente uma segunda vez: a mãe está no caixa, e ele vê os doces. "Aaaah, doces! Vou tentar chorar um pouco. Não está funcionando? Talvez chorar e chutar o carrinho faça a mágica... isso também não está dando certo. Ei, para onde ela está me levando?... Para fora da loja? ... e nada de doce! Isso foi o que aconteceu na última vez... Eu não gosto disso – não é nada divertido." Nesse ponto, Nicholas perceberá que não há recompensa quando ele faz manha, quando chora, nem mesmo quando passa de todos os limites e tem um ataque daqueles. Sua mãe recompensa apenas o bom comportamento.

Como pai ou mãe, você deve decidir que tipo de lição quer que *seu filho* aprenda. Você precisa assumir a responsabilidade por seu papel como diretora ou diretor. Você é o adulto. Seu filho precisa que você esteja no comando para lhe mostrar o caminho. Previsibilidade e limites não perturbarão o estilo dele, como muitos pais parecem pensar. Pelo contrário, as regras transmitem segurança à criança.

Neste capítulo, conduzirei você pelos princípios da disciplina consciente. A melhor estratégia, obviamente, é tentar *evitar* situações-problema. Quando isso não for possível, então pelo menos tome providências apropriadas. Se você praticar a disciplina consciente, mesmo após uma crise horrível, poderá suspirar de alívio, sabendo que permaneceu no comando, evitou sua própria raiva e ajudou a ensinar ao seu filho uma lição preciosa sobre o autocontrole. Não estamos pedindo que as crianças sejam perfeitas, que sejam vistas, mas não ouvidas. Estamos moldando suas vidas, ensinando valores e respeito a elas.

Os doze ingredientes da disciplina consciente

A disciplina consciente tem a ver com tornar a vida previsível para o seu filho e definir limites que o façam sentir-se seguro. Tem a ver com seu filho saber o que esperar e o que esperam dele. É sobre o certo e o errado e sobre o desenvolvimento do bom-senso. E é sobre ensinar uma criança a obedecer um certo conjunto de regras. Crianças pequenas não se comportam mal de propósito – seus pais apenas não as ajudaram a aprender o modo correto de se comportar. Contudo, quando os pais criam *estruturas externas* para controlar os filhos, isso os ajuda a desenvolver *controle interno*.

Por fim, a disciplina consciente capacita nossos filhos para que aprendam como fazer boas escolhas, sejam responsáveis, pensem por si mesmos e ajam de uma forma socialmente aceitável. Isso é ambicioso, naturalmente. Embora o cérebro do seu bebê esteja se desenvolvendo de forma a capacitá-lo a planejar, esperar consequências, entender suas solicitações e padrões e controlar seus impulsos, nada disso é fácil.

Aqui estão os doze ingredientes da disciplina consciente – fatores que irão auxiliá-lo a ajudar o seu filho.

1. Conheça os seus próprios limites – e defina as regras. Com que padrões você se sente confortável? Sua vizinha Nelly pode achar que não tem problema se o pequeno Hubert pula no sofá da sala, mas o que *você* acha? Apenas você pode definir as regras para a sua casa. Pense sobre os seus limites e seja firme. *Diga* ao seu filho o que você espera – ele não lê mentes, pelo amor de Deus! Por exemplo, não o leve a um lugar onde vendem doces e diga de repente: "Você não vai comer doce" (a menos que você goste de lidar com as birras). Em vez disso, defina as regras *de antemão*: "Quando formos ao mercado, você pode levar um lanche. Eu não vou comprar doces para você. Você quer que eu embale uma fruta ou biscoitos?"

Trace uma linha e mantenha-se firme. Acredite, as crianças pedem todos os doces e bugigangas imagináveis – e continuarão pedindo. Se você titubear, elas perceberão. Elas saberão que se incomodarem um pouco mais, conseguirão o que desejam. Infelizmente, em geral, o que acontece é que a persistência da criança leva você a sentir irritação. Você finalmente perde a paciência e grita: "Pelo amor de Deus, eu já disse que não." Tomar o caminho aparentemente mais curto – ceder apenas para cessar a birra ou por causa do seu próprio constrangimento – é uma solução míope. Nos próximos anos, você *e* seu filho se arrependerão disso. Não ser claro sobre as expectativas é injusto com as crianças. Todos nós precisamos ser cidadãos respeitosos, obedecer às regras, reconhecer o valor do protocolo social. Esse tipo de ensino começa em casa e permite que a criança se adapte e floresça no mundo em geral.

Os doze ingredientes da disciplina consciente

1. Conheça os seus próprios limites – e defina as regras.

2. Olhe para o *seu* próprio comportamento, para ver o que está ensinando ao seu filho.

3. Escute a si mesma para garantir que *você* está no comando – e não seu filho.

4. Sempre que possível, planeje com antecedência e evite ambientes ou circunstâncias difíceis.

5. Veja a situação através dos olhos do seu filho.

6. Escolha suas batalhas.

7. Ofereça opções de final fechado.

8. Não tenha medo de dizer "não".

9. Corte o comportamento indesejável pela raiz.

10. Elogie o bom comportamento e corrija ou ignore o ruim.

11. Não recorra a punições corporais.

12. Lembre-se de que ceder não equivale a amar.

2. Olhe para o seu *próprio comportamento, para ver o que está ensinando ao seu filho.* A disciplina é uma área na qual o ambiente pode desempenhar um papel ainda maior que o temperamento. Certamente, algumas crianças têm mais problemas que outras com o controle dos impulsos ou para manejar situações novas e difíceis e, portanto, são mais difíceis de disciplinar. Contudo, a intervenção dos pais pode mudar o quadro. Eu já vi crianças Anjo transformadas em monstros por pais que não sabiam como permanecer no comando e definir limites. E já vi crianças Enérgicas e Irritáveis agirem como anjinhos, porque os seus pais são claros, amorosos e constantes.

Além disso, o modo como nós lidamos com as situações – estabelecer limites sem raiva; agir, em vez de reagir; e lidar calmamente com situações estressantes – é a maneira de *mostrar* às crianças como é estar no controle das nossas emoções. Por exemplo, há uma diferença enorme em puxar uma criança para fora de uma loja e tirá-la de uma forma calma, sem causar julgamentos. A primeira forma ensina violência e a última, autocontrole. Crianças são como esponjas. Tudo o que fazemos ensina algo a elas. Às vezes, como a história de Francine e Christopher ilustra, elas também aprendem coisas que nunca desejamos que aprendessem. E isso não ocorre apenas durante um conflito. As lições também são ensinadas nos momentos mais triviais da vida. Se você é mal--educado com um balconista de loja, se você pragueja ao telefone depois de desligar, se você e seu parceiro gritam um com o outro, seu filho observará essas cenas com atenção e, muito provavelmente, incorporará o seu comportamento ao próprio repertório.

3. Escute a si mesma para garantir que você está no comando – e não seu filho. Muitas vezes, quando mães e pais pedem meu conselho, eles colocam seus problemas da seguinte maneira:

"Tracy, Aaron não me deixa sentar em uma cadeira."

"Patti me faz deitar no chão com ela e não me deixa levantar até ela cair no sono."

"Brad não me deixa colocá-lo no cadeirão."

Disciplina consciente: ensinando o seu filho a ter autocontrole

"Tracy, Gerry me obriga a ficar em seu quarto na hora de dormir" (aqui eu visualizo a mãe como refém de um sequestrador de meio metro de altura com um revólver de plástico).

Eu peço a esses pais para ouvirem suas próprias palavras, para tomarem consciência do que seus filhos escutam. Em cada um dos cenários apresentados, os pais estão permitindo que a criança dite as regras. Isso não está certo. Ser pai é estar no comando.

Por exemplo, algumas crianças não gostam de usar roupas. Pode ser bom para o seu filho correr nu pela sala por uma hora, mas o que você faz quando é hora de sair? Você diz: "Estamos indo ao parque. Você tem que se vestir." Se você faz as regras, seu filho as *seguirá* ou sofrerá a consequência natural de não ir ao parque. Problemas ocorrem quando os pais não têm limites e deixam que as crianças conduzam sua agenda.

Isso não quer dizer que devemos ser arrogantes ou extremamente rígidos, ou que não devemos oferecer opções às crianças ("Você pode usar sua camisa azul ou a vermelha para ir ao parque"). Significa apenas que, em resumo, depois que você tentou fazer com que seu filho cooperasse, depois que você tentou todos os truques apresentados neste livro (ou em qualquer outro), é *você* quem deve dar as cartas.

4. Sempre que possível, planeje com antecedência e evite ambientes ou circunstâncias difíceis. Com crianças muito pequenas que não possuem as habilidades cognitivas para entender por que algo está fora dos limites, é melhor ficar longe das situações mais desafiadoras. Isso geralmente é possível se você pensar sobre as coisas. Lembre-se do L do H.E.L.P.: Limite os estímulos e limite as situações difíceis demais para o seu filho. Sempre que possível, evite situações "demais" – qualquer coisa alta demais, frenética demais (muitas crianças, muita atividade), difícil demais (exigindo que a criança se concentre ou fique sentada por mais tempo que o razoável para alguém pequeno), muito avançado em termos cognitivos, muito assustador (um filme, um programa de TV) ou muito cansativo fisicamente (longas caminhadas).

Lembre-se de que a situação pode sobrepujar o temperamento. Mesmo se a criança for do tipo Anjo, seria irresponsável e cruel levá-la a uma longa tarde de compras, se ela ainda não tirou o seu cochilo.

A personalidade, porém, é um fator importante. As decisões sobre o que fazer e aonde ir devem ser governadas por seu conhecimento sobre *quem é* o seu filho. Se ele é naturalmente muito ativo, não o leve a uma loja onde existam artigos delicados ou a um recital em que ele deve sentar-se quieto durante uma hora. Se ele é tímido, não marque encontros para brincar com crianças agressivas. Se ele é sensível a ruídos altos e muita estimulação, um parque de diversões seria pedir problemas. Se ele se cansa com facilidade, não planeje saídas que testem os limites físicos dele.

Quando expliquei a disciplina consciente a Bertha, uma advogada, ela me olhou e balançou a cabeça. "Bem, essas ideias são boas *em princípio*, Tracy, mas nem sempre são práticas", insistiu. Ela então me narrou um cenário típico de sua própria vida atribulada: "Termino o trabalho de um longo dia. Pego os meus filhos com a babá. Estou com uma dor de cabeça terrível e de repente lembro que preciso de leite e de outras coisas para o jantar.

Então, arrasto os meus filhos até o supermercado, faço as compras e enquanto aguardo na longa fila (porque todo mundo que saiu do trabalho precisa comprar algo de última hora para o jantar), as crianças começam a choramingar. Cada uma delas quer agarrar um brinquedo do balcão próximo à caixa registradora. Eu digo 'não', mas meus filhos levantam a voz.

Eu sei que *tenho que* responder em voz cuidadosamente modulada, 'Nada de brinquedos, crianças. Quando vocês se comportam assim, precisamos sair da loja', mas este não é o melhor momento para ensinar uma lição. Não tenho tempo nem paciência para sentar no carro até que eles se acalmem. Preciso preparar o jantar e, se eu perder quinze minutos, enfrentarei o congestionamento e então será um inferno dentro do carro. Meus filhos ficarão com fome, irritados e entediados, e terminarão brigando uns com os outros e berrando comigo. Eu vou começar a gritar e, nesse ponto, vou sentir vontade de me mandar para Marte."

"O que acontece depois, Tracy?" Bertha pergunta, cética. "Como faço para *evitar* esse tipo de situação difícil?"

"Não sou mágica", respondo. "Se as coisas chegaram a esse ponto, você pediu por isso. Nada na minha bolsa de encantadora de bebês ajudará", admito, "exceto aprender com a experiência."

E o que vocês aprendem? *Planejamento*, meus queridos. Chequem a despensa na noite anterior para garantir que não precisarão ir ao supermercado com seu filho (ou filhos) no pior momento possível. Caso tenha esquecido de conferir e precisar ir atrás de algumas coisas, compre *antes* de buscar seu filho na creche. Se você não tiver tempo, ao menos tente manter um suprimento de biscoitos ou outro lanche saudável e não perecível no porta-luvas ou no porta-malas do carro. Além disso, tenha por perto um ou dois brinquedos para viagem, reservados exclusivamente para uso dentro do carro. Leve esses artigos quando entrar no supermercado, se não quiser que o seu filho se entedie, peça doces ou faça birra quando você se recusar a ceder. O planejamento pode não resolver todos os problemas, mas certamente pode aliviar aqueles que surgem com frequência... desde que você aprenda com eles.

5. Veja a situação através dos olhos do seu filho. O comportamento que parece "ruim" ou "errado" para um adulto pode significar algo muito diferente sob a perspectiva da criança. Quando Denzel, 16 meses, agarra o brinquedo do amiguinho Rudy, isso não significa que ele seja "agressivo". Quando ele pisa no quebra-cabeça do irmão mais velho ao cruzar o quarto, isso não significa que ele seja "grosseiro". Quando ele morde o braço de sua mãe, isso não significa que queira machucá-la. E quando seis ou sete livros e um cesto cheio de brinquedos são derrubados de uma prateleira na sala, isso não quer dizer que Denzel seja "destrutivo".

O que realmente está acontecendo em cada um desses casos? Denzel é um bebê que está tentando ser independente e ter suas necessidades satisfeitas, mas ainda tem um longo caminho pela frente. No primeiro exemplo, ele não tem a capacidade verbal para dizer: "Eu quero fazer o que o Rudy está fazendo." No segundo, ele não tem a coordenação para desviar-se do passatempo do irmão mais velho (e provavelmente sequer o percebe ao seguir direto para um caminhão de brinquedo no outro lado do quarto). No terceiro exemplo, os dentes dele doem, mas ele não tem a consciência ou o controle físico para escolher um objeto mais apropriado para morder. No quarto exemplo, ele quer que a mãe leia uma história, mas sem entender causa e efeito, ele não percebe que se puxar seu livro favorito tudo o que está sobre ele também virá ao chão.

Como indiquei no Capítulo Seis, às vezes o que parece ser agressividade em uma criança é simples curiosidade. Não é mero acaso, por exemplo, que crianças pequenas adorem enfiar o dedo nos olhos dos irmãozinhos menores. Olhos se mexem; ficam revirando de um lado para o outro. Quem não gostaria de tocar naquilo? E alguns excessos são uma questão de a criança estar no lugar errado na hora errada. Ou o seu filho pode estar cansado, um estado físico que tende a tornar as crianças mais impulsivas e, às vezes, agressivas. Além disso, se você tem sido inconsistente na definição de limites, não pode esperar que o seu pequeno *adivinhe* os seus padrões. Se você o deixou pular no sofá ontem, como alguém pode culpá-lo por pensar que não há problema em pular no sofá hoje?

> **DICA:** Ajude seu filho a obedecer às regras que você definiu. Uma regra comum, por exemplo, é "não jogar bola dentro de casa". Nós, adultos, sabemos que se deve jogar bola fora de casa. Então, por que as mantemos nas caixas de brinquedos? E quando uma criança, então, joga bola dentro de casa, por que nos surpreendemos?

6. Escolha suas batalhas. Monitorar uma criança pequena pode ser cansativo: "Não, Ben, você não pode pegar isso." "Seja gentil." "Ben, não fique tão perto da tábua de passar." Em alguns dias, ter de ensinar o tempo todo pode ser bem chato. Ainda assim, a disciplina faz parte e é parte

Disciplina consciente: ensinando o seu filho a ter autocontrole

essencial de ser pai ou mãe de uma criança pequena. É importante, porém, saber quando é absolutamente necessário fazer valer os seus limites e quando não há problema em relaxar um pouco. Evidentemente, quando você está preso em uma situação sem saída, é preciso tomar uma decisão – seguro este rojão ou solto-o com tranquilidade? Seja criativo.

Vamos dizer que é hora da arrumação e sua filha está um pouco cansada. Quando você diz: "Hora de se arrumar", ela responde com um sonoro "Não!" Se ela é o tipo de criança que geralmente é boazinha na hora de guardar os brinquedos, por que provocar um problema? Ajude-a. Sugira: "Eu vou guardar os seus blocos e você guarda a boneca no baú." Se ela ainda relutar, então diga novamente: "Eu vou te ajudar" e comece a guardar tudo, exceto um dos brinquedos. Estenda-o para a sua filha e diga: "Olha, você deve colocar isso dentro da caixa de brinquedos." Elogie-a (mas não excessivamente) quando ela terminar: "Muito bem."

Suponha que você está tentando vestir seu filho. Se você já está atrasado e sabe que ele é indolente para se vestir, deveria ter planejado antes. Você não tem tempo para vestir uma peça de roupa nele a cada quinze minutos, como geralmente faz. Então, qual é a alternativa? Você permite que seu filho vá para a creche, ou aonde ele precise ir, de pijama. Ele logo perceberá que não está vestido apropriadamente para ser visto em público e provavelmente não o colocará nesta situação de novo (ele apenas terá de imaginar outra maneira de ser teimoso!).

O fato é que às vezes você precisa de uma solução rápida. O tempo é precioso, e alguma atitude precisa ser tomada. Use seu bom-senso e criatividade, mas não dê desculpas ou longas explicações. Por exemplo, você está no shopping, seu filho se recusa a dar mais um passo, e você já está atrasada. Não tente explicar ("Precisamos correr – mamãe tem consulta no médico em quinze minutos"). Seu comentário não só está além da compreensão dele, como também pode torná-lo ainda mais lento (as crianças sabem instintivamente em que ponto os pais são mais vulneráveis). Vá direto ao assunto; pegue-o no colo e vá aonde precisa ir, sem problemas.

7. Ofereça opções de final fechado. As crianças geralmente são mais cooperativas quando lhes oferecemos uma escolha, porque isso proporciona um senso de controle. Em vez de ameaçar ou *bater de frente* com o seu filho, portanto, tente envolvê-lo e torná-lo parte da solução. Contudo, certifique-se de oferecer opções de final fechado – questões ou frases que forçam uma resposta concreta, não um "sim" ou "não": "Você quer biscoito de chocolate ou de coco?" "Você quer guardar primeiro os seus blocos ou suas bonecas?" (veja o quadro abaixo para outros exemplos). As opções precisam ser reais, não falsas. Opções reais são alternativas às quais você chegou após eliminar outras em sua mente, que não deixam margem

Oferecimento de opções

Exigências/ameaças	Frases/perguntas relativas a opções
Se você não comer, não iremos ao parquinho.	Depois que você terminar de comer, poderemos ir ao parquinho.
Venha já para cá.	Você quer vir aqui sozinho ou quer que eu vá buscar você?
Tenho que trocar a sua fralda.	Você quer que eu troque sua fralda agora ou depois que lermos este livro?
Solte o brinquedo da Sally.	Se você não consegue largar o brinquedo da Sally, eu posso ajudá-lo.
Não, Paul, você não pode brincar com o meu batom.	Você quer me dar este batom ou será que devo ajudar você a largá-lo? Obrigada – foi muito legal da sua parte. Agora, você quer segurar a minha escova de cabelo ou o meu espelho?
Não bata a porta desse jeito.	Por favor, feche a porta com cuidado.
Pare de falar com a boca cheia.	Termine de mastigar; depois você poderá falar comigo.
Não! Nós não vamos parar para comprar sorvete no caminho de casa. Você vai estragar o seu apetite.	Sim, eu sei que você está com fome. Você pode comer [mencione um lanche gostoso] assim que chegarmos em casa.

para interpretação. Por exemplo, se você está despindo seu filho e diz: "Você está pronto para o banho agora?" você não está realmente pedindo a opinião dele. Você está indiretamente dizendo o que irá acontecer. E, transformando isso em uma pergunta, você também se arrisca a um "não" como resposta. Uma questão mais apropriada seria: "Quando você sair do banho, quer usar a toalha vermelha ou a azul?"

8. Não tenha medo de dizer "não". Não importa o quanto você planeje uma situação; em alguns momentos, você precisará negar um pedido do seu filho. Pergunte-se: "Eu sou uma daquelas mães que deve fazer o filho feliz o tempo todo?" Se você for, será difícil para você vê-lo desabar diante de um simples "não". Recentemente, por exemplo, passei o dia com uma mãe e seus filhos de 2 e 4 anos de idade. Sempre que eles queriam algo, eles choramingavam – e ela cedia sempre. Ela jamais conseguia dizer "não", porque desejava desesperadamente ver sorrisos eternos nos rostos dos filhos. Além do fato de isso não condizer com a realidade, as crianças precisam entender que existe uma gama de emoções humanas, que inclui tristeza, raiva e impaciência. A longo prazo, essa mãe acabará tornando ela mesma e os filhos infelizes, porque a vida é cheia de frustrações e decepções, e eles não estarão preparados para isso. Como aquela canção clássica dos Rolling Stones nos lembra, "nem sempre conseguimos aquilo que queremos". Preparamos as crianças para um brusco despertar da vida real se nunca as ensinamos a aceitar "não" como resposta (isso não significa, necessariamente, dizer sempre "não"; veja Dica na página 176).

> **DICA:** Quando seu filho está chateado, em vez de tentar dissuadi-lo (o que ignora seus sentimentos), ou tentar convencê-lo de que ele não se sente "realmente" mal (o que o incentiva a esconder seus sentimentos), deixe que expresse *todas* as suas emoções. Diga coisas como "Eu sei que você está desapontado" *ou* "Parece que você está realmente zangado", para que ele saiba que é normal ter reações emocionais e até se sentir infeliz.

9. Corte o comportamento indesejável pela raiz. "Flagre" o seu filho *antes* que ele se comporte mal, ou pelo menos o pegue no ato. Assistindo a um grupo de bebês com 19 meses de idade, notei que um dos meninos, Oliver, que tinha um histórico de se tornar um pouco agitado demais com seus coleguinhas, estava começando a perder o controle. Sua mãe, Dorothy, também havia percebido isso. Em vez de dizer a si mesma: "Esta é uma fase que ele superará", Dorothy ficou de olho no filho. Em certo ponto, Oliver pegou seu caminhãozinho e Dorothy, percebendo que ele pretendia jogá-lo longe, disse em tom brando, mas de alerta: "Oliver, não é certo jogar as coisas longe." Oliver baixou o brinquedo.

Nem sempre você conseguirá flagrar seu filho *antes* do ato, mas geralmente pode intervir *enquanto* algo está acontecendo. Por exemplo, Rebecca me ligou para se queixar do drama da família na hora das refeições. Normalmente, após quinze minutos no cadeirão, Raymond, de 15 meses, começava a jogar comida no chão. "Isso significa que ele não está a fim de comer", expliquei. "Tire-o imediatamente da mesa. Se você forçá-lo a permanecer sentado, vai ter problemas. Quando você tentar alimentá-lo, ele tentará sair da cadeira, arqueará as costas ou gritará."

"Sim! É exatamente isso que acontece", exclamou Rebecca, como se algum adivinho tivesse acabado de ter uma visão do que de fato acontece (ela não imaginava que eu já havia testemunhado centenas de crianças pequenas fazendo a mesma coisa). Minha sugestão foi simples: meia hora depois de tirar Raymond da mesa, ela deveria tentar recolocá-lo no cadeirão para ver se ele estava com fome. Ela executou o plano por dois dias. Pegá-lo e tirá-lo do cadeirão com tanta frequência foi realmente difícil, mas Raymond agora come, em vez de jogar a comida no chão.

Também é importante ajudar seu filho a entender *o que* está sentindo quando se comporta mal. Olhe o contexto. Se ele perdeu a soneca, provavelmente está cansado. Se ele não teve o que queria, provavelmente está frustrado ou zangado. Se alguém bateu nele, está obviamente magoado. Dê um nome para a emoção na mesma hora: "Eu sei que você está [insira a emoção]." Naturalmente, você nunca deve constranger o seu filho ou acusá-lo de ser "manhoso" por demonstrar uma emoção. Ao mesmo tempo, diga-lhe que as emoções não servem como desculpa. O comportamento inapropriado, seja bater, morder ou ter uma crise de birra, deve parar, independentemente de como ele se sente. O objetivo é ensinar seu filho a identificar e a *lidar* com suas emoções.

10. Elogie o bom comportamento e corrija ou ignore o ruim. Infelizmente, alguns pais estão tão focados no "não" que se esquecem de observar quando a criança faz as coisas direito. Na verdade, porém, é ainda mais importante perceber o *bom* comportamento da criança que repreender o mau. Considere, por exemplo, um adorável casal, Maura e Gil, que entrou em meu consultório um dia com a linda filha deles, Heidi. Eles diziam que a filha de 1 ano e meio "choramingava com frequência". Enquanto a mãe e o pai relatavam sua história, cada qual acusando o outro de "mimar" a criança, Heidi permanecia no jardim, brincando contente, ocupada em enfiar envelopes de plástico na caixinha de correio de brinquedo, abrindo e fechando suas várias portas e trincos.

Nesse meio-tempo, Maura e Gil mal notaram a menina, até que ela, sentindo que a atenção dos pais estava em outro ponto e não em suas maravilhosas conquistas, começou a choramingar. De repente, os dois estavam ali, fazendo grande alarde acerca do suposto sofrimento da filha: "Oh, coitadinha, qual é o problema?", perguntou o pai, solidário. "Vem cá, meu bem", disse Maura. Você quase podia sentir a pena que os pais estavam sentindo. Heidi, por sua vez, subiu no colo de Gil por alguns minutos e depois voltou a explorar outros brinquedos. O mesmo padrão se repetiu pelo menos cinco vezes durante a consulta de uma hora. Quando Heidi estava comportada, brincando de forma independente e *não* se lamentando, ninguém dizia uma palavra. Quando a menina se entediava, lamentava-se um pouco e então voltava-se para a mãe e o pai para se acalentar, ela era imediatamente recompensada.

Maura e Gil ficaram surpresos quando eu lhes disse que *haviam ensinado* Heidi a choramingar e a depender deles para consolo. O comportamento dos dois também estava comprometendo a capacidade de con-

Mais Segredos da Encantadora de Bebês

centração da filha. Eles olharam para mim, perplexos. "Em vez de esperarem que ela choramingue", sugeri, "elogiem sua filha enquanto ela está se divertindo. Basta dizer: "Que bom ver você bem, Heidi. Isso é maravilhoso!" Segura por saber que vocês estavam prestando atenção nela, Heidi se sentirá motivada a permanecer por mais tempo nas tarefas do que quando sente – com razão – que vocês não lhe dão atenção. Sempre que ela choramingar", acrescentei, "ignorem ou corrijam o comportamento dizendo 'Eu não posso responder, a menos que você fale com sua voz normal.'" Na primeira vez em que corrigissem Heidi, expliquei que ambos deveriam dar exemplo do que é uma "voz normal": "Não choramingue comigo, Heidi. Diga assim: 'Me ajude, mamãe.'"

> **DICA:** Esteja consciente do que você "está recompensando" com sua atenção – lamentos, choro, teimosia, gritos, sair correndo dentro da igreja. Em vez disso, elogie seu filho quando ele cooperar e agir com gentileza, quando estiver quieto, quando brincar de forma independente e quando se deitar para se acalmar. Em resumo, torne os bons momentos duradouros, reconhecendo-os.

11. Não recorra a punições corporais. Certa vez, eu estava em um shopping e vi uma mãe dar um rápido pontapé nas pernas do filho, seguido por um puxão. "Que covardia!", exclamei. A mulher ficou perplexa.

"Desculpe?", perguntou ela.

Sem desanimar, repeti: "Eu disse 'que covardia'. Como tem coragem de agredir alguém tão pequeno!"

Ela esbravejou uma série de palavrões e se foi.

Muitas vezes me perguntam: "Posso bater no meu filho?" Só pelo meu olhar, a maioria dos pais sabe qual será a minha resposta, e eu então jogo-lhes uma pergunta: "Quando você vê seu filho batendo em outra criança, o que você faz?"

A maioria responde: "Eu o impeço."

"Bem, se não é legal o seu filho bater em outra criança", aponto, "então o que dá *a vocês* permissão para bater? As crianças não são propriedades dos pais. Apenas um covarde bateria em alguém incapaz de revidar ou de se defender."

Isso também vale para leves tapas no bumbum ou tapas na mão. Minha sensação é a de que se você bate em uma criança ou demonstra violência em *qualquer* de suas formas, você perdeu o controle e é você, não o seu filho, que precisa de ajuda.

Às vezes, um pai argumenta: "Bom, o meu pai me bateu e isso não me fez mal nenhum."

"Bem", respondo, "isso não é verdade. Isso lhe *fez* mal, sim. Isso lhe ensinou que pode bater – e eu acho que não pode."

O castigo físico é uma solução de curto prazo, que *não ensina nada positivo*. Em vez disso, ele ensina às crianças que nós batemos quando estamos frustrados, batemos quando não sabemos mais o que fazer, batemos quando perdemos o controle.

12. *Lembre-se de que ceder não equivale a amar.* Muitos pais, particularmente aqueles que trabalham fora, consideram difícil disciplinar

Por que você não deve bater

Apesar das recentes afirmações em contrário de especialistas em criação de filhos, acredito que *qualquer* tipo de tapa ou agressão é ruim. Quando as pessoas defendem ("Uns tapas aqui e ali não *me* fizeram mal nenhum") ou minimizam ("Foi só um tapinha"), em minha mente é como se alguém com problemas com a bebida dissesse: "Eu só bebo cerveja."

É uma solução momentânea. Bater não ensina nada a uma criança sobre o mau-comportamento. Isso apenas ensina que apanhar dói. Ela pode se comportar melhor por um tempo, porque obviamente deseja evitar a dor. Mas assim a criança não aprenderá nenhuma habilidade e certamente não terá a oportunidade de desenvolver o autocontrole.

É injusto. A pessoa que perde o controle e bate em alguém menor está sendo covarde.

É um padrão duplo. Como você pode bater na criança quando está zangado ou frustrado, e não esperar que ela se vire e faça a mesma coisa?

Estimula a agressividade. Como a minha babá costuma dizer: "Batendo, você atrai o mal", porque quando apanham, as crianças se tornam *mais* desafiadoras. Pesquisas apoiam minha babá: crianças que apanham em casa tendem a bater em colegas, especialmente naqueles mais novos ou menores, e tentam resolver os problemas com violência.

os filhos. Eles pensam algo do tipo: "Estou fora o dia todo. Meu filho não me viu, e eu não quero ser o chato que cobra o tempo todo. Não quero que meu filho pense: 'Ah, droga, sempre que papai chega em casa,

Alerta para pavio curto!

Até mesmo os pais que são contra palmadas podem acabar batendo sem querer em uma criança. Isso às vezes acontece por conta do medo, uma reação imediata quando uma criança corre para a avenida ou confronta o perigo de alguma forma. Isso também pode ser o resultado da frustração dos pais. Você perde o controle e bate porque o seu filho faz repetidamente algo que a incomoda – por exemplo, puxa sua manga ou uma revista que você está lendo. Mesmo que você dê apenas um tapinha no bumbum, assuma a responsabilidade:

Desculpe-se. Diga: "Sinto muito. Foi errado a mamãe bater em você."

Olhe-se no espelho. Você está cuidando bem de si mesma? Você está se alimentando corretamente, descansando o suficiente, tendo problemas conjugais? Se há algum problema, seu pavio pode estar mais curto que de costume.

Avalie as circunstâncias. Houve algo, nessa situação particular, que tocou em um ponto fraco em você? Depois de saber o que a faz perder o controle, tente evitar situações semelhantes ou, pelo menos, afaste-se antes de seu sangue começar a ferver. Todos nós temos momentos críticos. Aqui estão as respostas mais comuns quando eu pergunto aos pais: "O que tira você do sério?"

- Ruídos.
- Choramingo.
- Problemas para dormir.
- Choro, especialmente inconsolável ou choro excessivo.
- Comportamento de teste (pedir que seu filho não faça algo e ele continuar fazendo).

Não se sinta culpado. Todos os pais cometem erros, não se autoflagele. Submeter-se às vontades do seu filho dá um controle excessivo a ele. A culpa também pode tornar mais difícil para você discipliná-lo adequadamente no futuro.

ele me repreende.'" Bem, meus queridos, lembrem-se de que a disciplina consciente é sobre o *ensino*, não a punição. Não se veja como um instrutor de exercícios do exército. Muito pelo contrário, você está ajudando seu filho a ver que cooperar é divertido e que é bom se comportar bem.

Se você não ajudar seu filho a aprender sobre limites, não estará fazendo nenhum favor a ele. Você pode ceder à sua própria culpa ("Coitadinho, ele não me vê o dia inteiro"), medo ("Ele vai me detestar se eu o disciplinar"), ou negação ("Ele superará isso"), ou você pode abdicar da responsabilidade ("Deixarei a babá se virar com isso"). De qualquer forma, você não está ensinando a ele o que toda criança precisa aprender: *como se controlar*. Cada vez que você cede, cada vez que se contenta com uma solução rápida para "comprar" o amor do seu filho ou para você mesmo se sentir melhor, eu lhe garanto que na *próxima vez* o seu filho terá um comportamento ainda pior. Além disso, em algum momento você vai ficar frustrado com o comportamento do seu filho – um comportamento que você mesmo incentivou, inadvertidamente. Você acordará um dia e sentirá que perdeu o controle. Você terá razão, pois *de fato perdeu* o controle. E a culpa não é do seu filho.

Ao mesmo tempo, eu insisto que você se dê permissão para cometer erros. A disciplina consciente requer muita prática. Desde que minhas filhas eram pequenas, estabeleci limites firmes e claros, assim como minha mãe e minha babá estabeleceram comigo. É claro que eu não fui perfeita; eu explodi mais de uma vez. E eu temia deixar marcas indeléveis quando perdia o controle. Entretanto, alguns erros e algumas inconsistências não arruínam toda uma infância. Agora que elas são adolescentes, as recordações da disciplina para crianças parecem brincadeira. Minhas filhas me testam o tempo todo. Eu tenho que ser criativa e otimista com tudo, mas ao mesmo tempo, preciso estar no controle. Apesar da experiência como encantadora de bebês, estou longe de ser perfeita.

O que descobri, e já vi também em outros pais, é que quando somos consistentes e claros sobre as regras, não apenas nos sentimos melhor conosco e com o tipo de pais que somos, mas a criança também se sente segura. Ela conhece seus limites e respeita você por sua palavra. Ela ama você por sua honestidade, sabendo que quando você diz algo, é porque vai cumprir.

A regra do Um/Dois/Três

Como a minha babá sempre aconselhava: "Comece do jeito que pretende continuar." Em outras palavras, preste atenção às mensagens que você envia ao seu filho. Em especial com crianças pequenas altamente impressionáveis, maus hábitos podem se desenvolver com rapidez. Christopher, o menininho que você conheceu no começo deste capítulo, já havia descoberto como ganhar doces no supermercado, e sempre que sua mãe cede, ele adiciona munição ao seu arsenal – ferramentas que virão a calhar à medida que ele se tornar mais exigente e perceber que pode continuar pressionando a mãe. Na mesma linha, uma criança hoje à noite pede – e consegue – mais duas historinhas para dormir, mais um copo de água, mais um abraço; amanhã à noite pedirá mais ainda (mais sobre dificuldades crônicas no próximo capítulo).

A disciplina consciente é uma questão de ponderar, de prevenir maus hábitos, em vez de esperar até precisar de uma cura. Quando você vê um certo tipo de comportamento indesejável, diga a si mesma: "Isso poderá vir a ser um problema, se eu deixar que saia do controle." Pode ser algo "engraçadinho" agora, como correr nu em torno da mesa de jantar, desafiando você a pegá-lo para o banho, mas quando seu filho ficar mais velho, o desafio não será tão adorável.

Será que outras pessoas disciplinariam melhor o seu filho?

Será que o seu filho respeita os limites determinados por outra pessoa que cuida dele – uma babá, um avô, uma tia – mais do que os seus? Muitos pais sentem ciúme quando isso acontece, temendo que os filhos não os amem tanto, mas isso não tem a ver com amor, e sim com determinar limites. Pode ser hora de *aprender* com as outras pessoas, em vez de sentir ressentimento.

Para cada situação, seja um pouco de manha ou um ataque de birra dos grandes, bater em você ou em outra criança, relutância para ir dormir ou acordar à noite, mau-comportamento à mesa ou chiliques em público, recusa a tomar banho ou relutância para sair da banheira, aplique esta regra simples de *Um/Dois/Três*:

Um. Na primeira vez que o seu filho fizer algo que ultrapasse os limites que você definiu – subir no sofá que está proibido para ele, bater em outra criança no parquinho, puxar sua blusa em público para ser amamentado depois que você já o desmamou –, *não deixe passar em branco*. Você também transmite à criança a ideia de que ela ultrapassou o limite (no fim deste capítulo, nas páginas 268-269, você encontrará sugestões e roteiros para muitos problemas comuns de comportamento). Por exemplo, se você está segurando seu filho e ele bate em você, na primeira vez em que isso acontecer, segure a mão dele e diga: "Ai, isso dói. Você não pode bater na mamãe." Algumas crianças param por aí, e isso é tudo o que precisam. Mas não conte com isso.

Indo longe demais

A seguir, apresento erros comuns que os pais cometem quando tentam disciplinar seus filhos, que envolvem falar demais ou dizer coisas além do entendimento de uma criança pequena.

Explicar demais: um exemplo clássico da vida real ocorre quando a criança está prestes a subir em uma cadeira e o pai inicia uma explicação elaborada: "Se você subir aí, você pode cair e se machucar." Em vez de falar, é melhor agir e conter fisicamente a criança.

Ser vago/impreciso: certas frases como "Não, isso é perigoso" têm múltiplos significados. Em vez disso, dizer "Não suba na escada" é específico e claro. Do mesmo modo, frases como "Você ia gostar se eu batesse em você?" (usada em geral quando a criança bate em alguém) também não significam nada para uma criança pequena. É melhor dizer: "Ai, doeu! Você não pode bater."

Levar para o lado pessoal: eu tremo quando ouço um pai dizer: "Eu fico triste quando você se comporta mal." Dizer às crianças que o mau-comportamento delas o faz infeliz lhes dá muito controle e poder. Isso também implica que *elas* são responsáveis pelo humor dos pais. É melhor dizer: "Quando você se comporta assim, não pode ficar perto de nós."

Suplicar/desculpar-se: a disciplina precisa ser ensinada sem ambivalência e com um senso de que você está no controle das suas emoções. Um pai que suplica ("Por favor, não bata na mamãe") e então se desculpa ("Mamãe fica triste quando precisa afastar você") não parece estar no comando.

Não lidar com sua própria raiva: a disciplina deve ser gerada pela sua compaixão, não pela raiva (ver também o quadro da página 267). Nunca ameace o seu filho. Além disso, é melhor não guardar ressentimentos. O seu filho logo esquecerá o episódio; você deve fazer o mesmo.

Mais Segredos da Encantadora de Bebês

Dois. A primeira vez que o seu filho morde alguém ou joga comida longe pode até ser um incidente isolado, mas se acontecer de novo, eu suspeito que você esteja testemunhando o início de um padrão e que esse comportamento pode se tornar habitual. Portanto, se o seu filho bater em você novamente, coloque-o no chão e lembre a regra: "Eu já disse, você não pode bater na mamãe." Se ele chorar, diga: "Eu vou pegar você no colo de novo, desde que não me bata." Lembre-se de que o *tipo* de atenção que damos a determinado comportamento determina se a criança continuará ou não a executá-lo. Bajular, mudar de ideia e ceder, assim como reações negativas extremas, como gritar, tendem a reforçar o comportamento indesejado. Em outras palavras, reações *exageradas* geralmente incentivam a criança a fazer de novo, porque ela percebe a interação como um jogo ou porque não está obtendo atenção suficiente por seu bom comportamento e essa nova estratégia é um modo eficiente de tentar ser notada.

Três. A definição de insanidade é fazer a mesma coisa várias vezes e esperar resultados diferentes. Se um padrão de comportamento negativo continua, pergunte-se: "O que estou fazendo para perpetuar isto?" Tente não chegar ao "três".

Digamos que o seu filho bata em outra criança: na primeira vez que isso acontecer, olhe bem nos olhos dele e diga: "Não. Você não pode bater no seu amiguinho. Machucou ele." Na segunda vez que acontecer, tire o seu filho do ambiente. Não faça isso com raiva; simplesmente tire-o dali e explique: "Se você bater, não poderá brincar com as outras crianças." Se você for firme, para começo de conversa, o seu filho provavelmente parará. Se não, e duas vezes se tornarem três, será hora de levá-lo para casa (permitir que a criança chegue constantemente ao "três" tende a estabelecer os tipos de comportamentos crônicos abordados no Capítulo Oito).

Lembra-se da história que contei no Capítulo Seis (páginas 228-229), sobre a mãe que foi convidada a sair de um grupo de brincadeiras, porque seu filho batia e empurrava outras crianças? A mãe não apenas deixou que Beth passasse do limite de Um/Dois/Três, mas dava desculpas constantes:

"É uma fase. Ela vai superar." Não é verdade, meus queridos. A única coisa que as crianças superam nesses casos, é a altura que tinham antes!

Nesse meio-tempo, senti pena da Beth. Ela sofria porque os adultos do grupo ressentiam-se com a atitude de sua mãe. Ao permitir que sua filha se comportasse mal, a mãe estava ensinando que é permitido usar a força, em vez de cooperar. É compreensível que nem crianças nem adultos a queriam por perto. Eu não acredito que Beth, ou qualquer criança, fosse inerentemente "desobediente". Claro, algumas crianças nos testam constantemente; elas veem até onde podem ir, qual é nossa reação e a que os pais respondem. Algumas perdem o controle com mais frequência que outras. Mas, apesar de tudo, elas esperam que os pais definam os limites. Quando uma mãe ou pai não reconhece os problemas de comportamento de um filho ou não toma medidas para ajudá-lo com isso, infelizmente é a criança que no fim ganha má reputação.

Intervenção com respeito

Quando o seu filho se comporta mal de alguma forma, sempre é melhor tomar providências com calma e rapidez. No entanto, também é importante *intervir respeitosamente*. Isto é, permaneça equilibrado e pense no bem-estar dele. Nunca constranja, envergonhe ou humilhe uma criança. E tenha sempre em mente que você deve ensinar, em vez de punir o seu filho.

Por exemplo, em um dos meus grupos de brincadeiras, Marcos, uma criança Enérgica por natureza, estava se tornando cada vez mais agitado.

Intervenção com respeito – um olhar rápido

Declare a regra: "Não, você não pode…"

Explique o efeito do comportamento: "Isso… dói/fez Sara chorar/não é gentil."

Faça a criança pedir desculpas e dar um abraço na outra criança: "Diga 'desculpe-me'" (contudo, não deixe o seu filho usar "desculpe" para se safar do mau-comportamento).

Explique a consequência: "Quando você [reafirme o comportamento], você não pode ficar; teremos de ir embora até você se acalmar." (Esta também pode ser uma boa oportunidade para um afastamento; veja as páginas 285-286.)

Isso é bastante normal para bebês, especialmente bebês Enérgicos, que são serelepes. Quando eles estão em um grupo, especialmente com quatro crianças ou mais, há muita coisa acontecendo. Eles copiam as outras crianças, querem usar os mesmos brinquedos, e isso às vezes gera conflito. Infelizmente, o que em geral acontece é que um pai tenta dominar ou apaziguar a criança hiperestimulada. Sentindo-se um pouco desesperado e envergonhado, um pai ou uma mãe pode tentar acalmar a criança ou calá-la oferecendo este ou aquele brinquedo. Ou ainda, o pai ou mãe toma o outro caminho, gritando ou fazendo com que a criança pare quieta à força. Qualquer das estratégias pode ter o efeito inverso. Quanto mais energia os pais colocam nessa ação, mais agitada e/ou obstinada a criança se torna. Na cabeça dela, ela diz a si mesma: "Ei, essa é uma ótima maneira de conseguir a atenção da mamãe (ou do papai). Ela não está nem conversando com as outras mães agora." Então, nesse caso, a intervenção da mãe é, de fato, uma recompensa pelo mau-comportamento.

Felizmente, nesse grupo de brincadeiras, as mães concordaram em tomar providências no exato momento em que a criança se torna agressiva. Portanto, quando Marcos, irritado e claramente exausto, de repente foi até Sammy e o empurrou, a mãe de Marcos, Serena, não perdeu tempo. Primeiro, ela deu atenção à criança machucada e chorosa que estava no chão: "Sammy, você está bem?" Quando a mãe de Sammy foi confortar o filho, Serena então iniciou a seguinte intervenção respeitosa com seu próprio filho:

ELA DECLAROU A REGRA: "Não, Marcos, você não pode empurrar."

ELA EXPLICOU O EFEITO DO COMPORTAMENTO DO MENINO: "Isso machucou Sammy."

ELA O FEZ PEDIR DESCULPAS E ABRAÇAR A OUTRA CRIANÇA: "Diga 'desculpe'. Agora dê um abraço no Sammy."

Marcos, como muitas outras crianças pequenas, disse "desculpe" e deu um abraço, mas em sua mente palavras e ações eram mágicas, negando e desculpando o que ele havia feito. Quando Serena percebeu isso e notou que o filho continuava agressivo, ela soube que havia chegado a fase "dois" e precisaria agir.

ELA EXPLICOU A CONSEQUÊN-CIA: "Foi bom você pedir desculpas ao Sammy, mas agora precisamos ir lá para fora até você se acalmar. Você não pode brincar com outras crianças quando empurra ou bate."

Algumas crianças ficam tão agitadas que ir embora para casa parece ser a melhor opção, mas geralmente basta tirá-la do ambiente por dez a quinze minutos. Essa é a forma de "afastamento" que prefiro utilizar com crianças pequenas, em vez de deixá-las sozinhas (veja o quadro da página 265). Na casa de outra pessoa, pergunte se você pode usar um cômodo vazio; na rua, pare em um corredor ou até mesmo em um banheiro. O objetivo é ajudar a criança a recuperar o controle. Se você sabe que segurá-lo vai torná-lo ainda mais relutante e que talvez ele bata em você, então coloque-o no chão. Encoraje-o a expressar qualquer emoção que o incidente trouxe à tona dizendo as palavras *por* ele: "Você parece estar com raiva." Quando a criança se acalmar, diga: "Agora que você está calmo, pode voltar para brincar com as outras crianças."

Ao serem interrompidas no meio da ação, a maioria das crianças se acalma e volta ao grupo sem incidentes. Do contrário, despeça-se imediatamente e volte para casa. Entretanto, não faça o seu filho sentir culpa por terem que ir embora. Lembre-se de que isso é difícil também para ele. Ele precisa saber que você é seu aliado para ajudá-lo a aprender a ter autocontrole (e, por falar nisso, se o seu filho apanhar ou testemunhar

---

Conheça a si mesma

O estilo de criação (veja páginas 70-73) está fortemente ligado às atitudes sobre disciplina e às ações tomadas pelos pais.

O **controlador** tende a disciplinar por meio da raiva. Ele muitas vezes grita ou puxa o filho ou, ainda pior, o pune fisicamente.

O **capacitador** tende a se desculpar por seu filho, dando motivos para o seu comportamento. Ele não faz muito para disciplinar o filho, até uma situação ficar tão fora do controle que se veja obrigado a tomar providências.

O **HELPer** está no ponto de equilíbrio. Ele se contém o suficiente para permitir que o filho resolva as dificuldades sozinho e avalie a situação, mas intervém imediatamente e com respeito quando necessário. Ele sabe que é importante para o filho ter seus sentimentos, de modo que não tenta convencê-lo de que aquilo que sente é errado ou adulá-lo para obter o bom comportamento. Ele é capaz de fazer regras e cobrar as consequências quando o filho ultrapassa os limites definidos.

uma cena assim, não explique *por que* Marcos foi tirado de lá, a menos que o seu filho pergunte. Lembre-se de que as crianças imitam as outras. Não é a sua intenção plantar ideias erradas na cabeça do seu filho, nem reforçar o mau-comportamento ao dar atenção a isso, ou rotular a outra criança como "menino mau").

Conheça os truques do seu filho

Muitas crianças são atores natos, elas conseguem ligar e desligar o seu charme à vontade. Os pais acham isso fofo, mas de uma hora para outra veem a disciplina ir para o espaço. Vi isso na casa de uma amiga recentemente. Enquanto eu estava ocupada conversando com a mãe dele, Henry começou a provocar Fluffy, o gato. Sua mãe interveio prontamente. "Não, Henry, você não pode bater no Fluffy assim. Isso machuca." Imobilizando a mão do menino, ela acrescentou: "Seja gentil." Henry olhou para ela e com o sorriso mais doce, mais angelical, falou "Oi", como se nada tivesse acontecido. Senti que mãe e filho já haviam passado por essa situação muitas vezes antes. Com apenas 19 meses, Henry sabia que o seu "oi" e o sorriso cativante que o acompanhava fariam a mãe se derreter. Dito e feito, a mamãe sorriu orgulhosamente. "Ele não é uma gracinha, Tracy?", perguntou, retoricamente. "Essa carinha não é adorável?" Poucos minutos depois, Henry bateu na cabeça do gato com seu caminhãozinho e agora perseguia o pobre bichano pela sala (não pude evitar de pensar que, se a mãe não disciplinasse Henry, Fluffy logo faria isso *por* conta própria... com suas garras).

E, depois, temos também o olhar de "sou um coitadinho, sintam pena de mim". As mesmas crianças que conseguem fingir que choram durante brincadeiras também podem fingir emoções em outros momentos. Gretchen, 17 meses, "fazia beicinho", como a mãe me contou, sempre que desejava atenção. A mãe considerava a expressão – olhos baixos, lábio inferior projetado para frente – absolutamente adorável e cativante. O único problema era que "aquela carinha" se tornara uma

Disciplina consciente: ensinando o seu filho a ter autocontrole

ferramenta no arsenal de Gretchen. Além do fato de que agora Gretchen podia manipular a mãe com seu falso ar de sofrimento, a mãe já não tinha como saber quando a filha estava realmente triste ou se estava tentando manipulá-la.

Tenho certeza de que *seu* filho também guarda alguns truques na manga. E, embora ele possa ser a criança mais fofa e esperta do mundo, se estiver usando o charme, carinha de triste ou algum outro truque para evitar a disciplina, é melhor não admirar seu talento para o drama. Lembre-se de que sempre que ignora o mau-comportamento, você não está ajudando seu filho a aprender o autocontrole. Bajular ou ceder é como colocar um curativo em um corte sem tratar a infecção sob ele. Você pode ter alívio momentâneo, mas o problema geralmente só piora. Quando você menos esperar, o seu filho terá um enorme chilique, ou seja, um ataque de fúria daqueles.

Duas etapas para acessos de fúria

Acessos de fúria, ou birra, infelizmente fazem parte da primeira infância. As chances de que essas crises reincidam diminuem de forma drástica se você seguir à risca as minhas regras de Um/Dois/Três e interferir com respeito. Ainda assim, se você for pai ou mãe de uma criança pequena (e presumo que seja, se não por que estaria lendo este livro, não é?), você provavelmente terá de lidar com um ou dois acessos de fúria ao longo do caminho. Eles em geral ocorrem nos ambientes mais constrangedores (para os pais), como casas de amigos, igrejas ou sinagogas, ou em locais públicos, como restaurantes ou supermercados. Seu filho se joga no chão, grita, esperneia e agita os braços para todos os lados, ou bate os pés no chão e grita com você no limite máximo de seus pulmões. De qualquer maneira, você deseja se rastejar até o buraco mais próximo e se enfiar nele.

As birras são, em sua essência, um comportamento de busca de atenção e perda do controle. Embora você não possa escapar desses acessos completamente, pode desencorajar seu filho a usá-los para subverter as regras ou ultrapassar os limites estabelecidos. Minha sugestão é, na verdade, um processo simples de duas etapas, no qual você *analisa* (entende o que causou o acesso) e *age*.

1. Analise. Compreender a causa de um determinado acesso de fúria lhe dá pistas sobre como impedi-lo. Existem muitas razões para os chiliques. Afinal, aquele conflito de "me ajuda!/me solta!" pode ser cansativo para uma criancinha. Cansaço, confusão, frustração e superestimulação são causas comuns.

Muitos desses acessos também ocorrem porque os bebês não conseguem se expressar, e se você observar com atenção, verá que o seu filho pode estar tentando lhe dizer alguma coisa. Minha filha Sophie nunca gostou de ir a festas infantis. Quando ela teve um chilique em sua primeira festa, eu achei que fosse uma ocorrência isolada. Contudo, na segunda ida a uma festinha de aniversário, quando ela ficou tão atordoada que fugiu chorando para a porta, eu me dei conta de que a socialização com muita gente era uma área-problema – estava evidente que uma festa era uma experiência muito frenética para ela. Por um lado, eu não via motivo para nunca mais ir a festas. Sophie era quietinha e tímida e precisava de prática em vários tipos de ambientes. Mas eu também queria respeitar o que os seus acessos estavam me contando. Assim, no início ficávamos nas festas por apenas alguns minutos, ou chegávamos bem na hora de cantar o "Parabéns" e comer o bolo. Eu perguntava aos pais se tudo bem, explicando: "Ela simplesmente não consegue aguentar a festa inteira."

O pior de tudo, porém, são os acessos de "eu quero isso", que visam manipular e controlar o ambiente – em outras palavras, *você*. Embora esses ataques sejam calculados para minar a vontade dos pais (e com frequência têm sucesso, garantindo a sua repetição), as crianças que os colocam em prática não estão realmente sendo mandonas ou malcriadas. Elas estão apenas fazendo o que os pais inadvertidamente lhes ensinaram a fazer.

Uma forma de saber a diferença entre as birras que visam manipular e aquelas que resultam de frustração ou de uma causa física, como fadiga e superestimulação, é aplicar a *técnica ABC* simples que eu apresentei no meu primeiro livro.

A – REPRESENTA O ANTECEDENTE – O QUE VEIO PRIMEIRO. O que vocês estavam fazendo naquele momento? O que o bebê estava fazendo? Você estava interagindo com ele ou estava ocupada com algo ou alguém mais? Quem mais estava por perto? Papai? Vovó? Uma outra criança? O que mais estava acontecendo no ambiente da criança? O seu filho estava se defendendo? Negaram a ele algo que ele desejava?

B – REPRESENTA COMPORTAMENTO (BEHAVIOR) *– O QUE O SEU FILHO FEZ.* Ele chorou? Ele parecia zangado? Frustrado? Ele está cansado, com medo ou faminto? Ele mordeu, empurrou ou bateu em alguém? O que ele fez é algo que nunca faz? Faz com frequência? Se ele provocou outra criança, isso é algo novo ou um hábito?

C – REPRESENTA A CONSEQUÊNCIA – O RESULTADO HABITUAL DE A E B. Aqui, é importante assumir responsabilidade pela forma como as *suas próprias* ações moldam o seu filho. Eu não acho que alguém possa "estragar" uma criança. O que acontece é que os pais inadvertidamente reforçam maus hábitos e não têm a consciência ou habilidades para alterá-los. Eu chamo isso de paternidade acidental (veja a página 276; além disso, cada um dos problemas apresentados no Capítulo Oito deve-se à paternidade acidental) – um processo pelo qual mães e pais, sem consciência de como podem estar reforçando um padrão, continuam fazendo o que sempre fizeram. Por exemplo, eles sempre adulam o filho para que saia do seu "mau-humor", são inconsistentes sobre as regras, com frequência amenizam as situações para evitarem constrangimento ou maiores conflitos, ou todos os anteriores. Os pais podem ter sucesso, parando o comportamento indesejável no momento, mas inadvertidamente reforçam o mau hábito a longo prazo. *Eles reforçam o comportamento ao cederem.*

A chave para mudar a consequência, portanto, é *fazer algo diferente* – permitir que a criança tenha as suas emoções, mas não tentar amainar a situação ou ceder às suas exigências. Vamos rever os exemplos de Francine e Christopher e de Leah e Nicholas, as mães e os filhos que você conheceu no início deste capítulo. Se você olhar para o ABC em ambos os casos, o *antecedente* era o desvio da atenção da mãe na fila do caixa, juntamente com a exibição irresistível de doces.

O *comportamento* de Christopher – choramingar e então chutar o carrinho – resultou na consequência de Francine ceder ao que o menino queria. Embora ceder à exigência de Christopher por doces aliviasse o estresse daquele momento embaraçoso de modo temporário no supermercado, Francine sem querer ensinou ao filho que seu arsenal de comportamentos de birra era bastante eficiente – e ele o usará novamente.

Com Nicholas, o *comportamento* foi o mesmo que o de Christopher, mas a *consequência* foi diferente, porque Leah *fez algo diferente*, de modo a não reforçar o comportamento inadequado: ela não cedeu. Nicholas provavelmente não usará seu arsenal de birra na próxima vez que ele e a mãe estiverem no supermercado. Se ele usar, porém, e ela manter-se firme, o menino *vai* aprender que não há recompensa por armar um escândalo. Não estou dizendo que Nicholas será "curado" da birra, ou que seu comportamento será sempre exemplar. Mas, uma vez que a mãe se recusa a dar atenção a esse tipo particular de interação desagradável, ele não se tornará arraigado.

Naturalmente, nem todas as birras são o resultado de paternidade acidental. Seu filho pode estar frustrado porque não consegue se expressar, está cansado ou no início de um resfriado, e tudo isso pode exagerar sua carência e ampliar suas emoções. Uma birra também pode ser o resultado de uma combinação de fatores que, como uma bola de neve, saem do controle: uma criança cansada não consegue o que quer ou é empur-rada por um companheiro. Mas quando você aplica o método ABC e percebe que uma série de birras – normalmente, rein-

---

Reflexões sobre constrangimento

Sim, é constrangedor quando o seu filho tem um chilique, mas não tão constrangedor quanto ele continuar fazendo a mesma coisa. Portanto, antes de tentar distrair o seu filho ou lhe dar algo para aplacar a raiva dele, considere isto: se você não mudar o padrão, terá de suportar incontáveis repetições das birras.

Disciplina consciente: ensinando o seu filho a ter autocontrole

Afastamento para pensar!

O que é: O uso de um período de afastamento para pensar é incrivelmente mal-interpretado. Não se trata de levar uma criança para o quarto como castigo. É um método de evitar uma batalha em larga escala, um tempo *longe do calor do momento*. Um afastamento apropriado ajuda a criança a readquirir o controle sobre suas emoções e evita que os pais reforcem acidentalmente o mau-comportamento. Com crianças pequenas, aconselho os pais a praticarem o afastamento com seus filhos, sem deixá-los sozinhos em um berço ou cercadinho.

Como é feito: Se você estiver em casa, afaste o seu filho da "cena do crime". Digamos que ele tenha um acesso na cozinha; leve-o para a sala e sente com ele até ele se acalmar. Se ele se comportar mal em público ou na casa de outra pessoa, leve-o para outra sala. De qualquer forma, diga-lhe o que espera dele. "Não, nós só podemos voltar quando você estiver mais calmo." Ele entende mais do que você imagina. Reforçar verbalmente e afastar-se da situação levarão sua mensagem ao destino certo. Volte quando ele estiver mais calmo e tranquilo, mas se começar a se comportar mal, saia novamente.

O que você diz: Nomeie a emoção ("Eu posso ver que você está irritado...") e fale sobre a consequência ("... mas você não pode jogar comida no chão"). Termine com uma frase simples e única: "Quando você se comporta assim, não pode ficar [conosco/com outras crianças]." *Não* diga: "Nós não queremos você por perto."

O que não fazer: Nunca se desculpe: "Eu não gosto de fazer isso com você" ou "Fico triste quando tenho que fazer isso com você." A criança nunca deve ser puxada ou ouvir gritos; em vez disso, leve-a com calma para longe do centro da ação. Nunca tranque uma criança em um quarto sozinha.

cidências de uma situação semelhante – é o resultado de você reforçar o comportamento negativo, é preciso tomar medidas para alterar o padrão.

2. Aja. Não importando o que cause um acesso de birra, quando uma criança pequena estiver descontrolada, *você* precisará ser a consciência dela. Ela não tem a capacidade cognitiva para raciocinar ou para pensar em causa e efeito. A melhor maneira de parar uma birra é manter a calma e permitir que a criança supere suas emoções *sem plateia*. Em outras palavras, retire a atenção que a birra visava obter. Para esse efeito, eu prescrevo os *Três Ds:*

DISTRAIR. A pequena capacidade de concentração do seu filho pode ser um presente quando ele está à beira de uma crise. Mostre-lhe outro brinquedo. Pegue-o no colo e deixe-o olhar pela janela. Distrair raramente funciona quando uma criança está em um acesso de birra, porque nesse ponto ele está preso em um ciclone emocional. E não confunda distração com bajulação, na qual você insiste com diferentes objetos ou atividades, mesmo enquanto o comportamento indesejado só aumenta.

DISTANCIAR-SE. Desde que o seu filho não esteja colocando a si mesmo, outra pessoa ou objeto de valor em perigo, é melhor ignorar um ataque maciço de birra. Se ele estiver no chão, gritando e esperneando, afaste-se ou, pelo menos, dê-lhe as costas. Se você estiver segurando-o e ele estiver gritando e batendo em você (ou sendo agressivo de qualquer outra maneira), coloque-o no chão. Diga calmamente, mas com ênfase: "Você não pode bater na mamãe."

DESARMAR. Quando as crianças têm birras, elas não têm o controle de suas emoções. Um adulto precisa ajudá-las a se acalmar. Algumas respondem bem aos braços de um dos pais em torno do seu corpo, enquanto outras se tornam ainda mais agitadas ao serem contidas. Você também pode desarmar tirando a criança do ambiente que a agitou. Se a raiva estiver aumentando rapidamente, dê-lhe um período de afastamento (veja o quadro da página anterior). Isso não apenas a tira da situação, evitando conflito e riscos adicionais, mas também permite que ela não se sinta constrangida diante das outras pessoas. No entanto, desarmar uma criança nunca deve ser feito com raiva ou brutalidade física.

Use o *D* que lhe pareça mais apropriado, ou use os três. É preciso avaliar a situação e também avaliar o que pode ser mais eficaz com o seu filho. Uma coisa é certa: ameaças vazias *não* funcionam – cumprir o que se promete, sim (veja os conselhos para acessos *crônicos* de birra no próximo capítulo, páginas 303-306).

Não há dúvida de que as birras, especialmente em público, podem ser humilhantes e causar frustração nos pais. Não importa qual dos *Ds* você empregue, também é importante conferir o *seu* próprio estado emocional. Se você ainda não parou para pensar nisso, familiarize-se com seus "sinais de raiva" – sinais físicos que lhe dizem que está prestes a perder a paciência (veja o quadro abaixo). Eu já disse repetidas vezes, neste capítulo, mas direi novamente: a disciplina consciente não é praticada com raiva. Nunca se deve humilhar, gritar, insultar, ameaçar, empurrar, bater, golpear ou usar qualquer tipo de violência ao disciplinar a criança, especialmente uma criança impressionável e indefesa. Se você tem dificuldade para lidar com sua própria raiva, não há como ajudar seu filho a controlar seus impulsos.

Quando sentir seu sangue começando a ferver, deixe a sala. Dê *a si mesmo* um período de afastamento. Mesmo se o seu filho estiver chorando alto, coloque-o no berço ou cercadinho para mantê-lo seguro e saia por alguns minutos. Eu digo frequentemente aos pais: "Nenhuma criança morreu por chorar, mas muitas sentem medo pelo resto da vida, por causa de seus pais cronicamente irritados." Fale com amigos; pergunte o que *eles* fazem quando o comportamento do filho está fora de controle. Ou busque ajuda com um profissional que possa lhe oferecer estratégias que ajudarão a lidar com a raiva.

Permanecer no comando e, ainda assim, demonstrar compaixão e carinho é um presente para o seu filho. Dizer o que pretende e cumprir o que disse lhe dá credibilidade e trará tranquilidade não apenas durante os primeiros anos da vida do seu bebê, mas lhe servirá bem quando ele chegar à adolescência (e não demora tanto quanto você pensa,

---

Sinais de raiva: o que está acontecendo comigo?

Tão importante quanto sintonizar-se com os humores do seu filho é o conhecimento das mudanças que ocorrem com *você* quando a criança bate o pé, diz "não" ou tem crises frequentes em público. Eu perguntei a algumas mães como seus corpos lhe dizem quando *elas* estão prestes a perder o controle. Se você não se reconhece em nenhum dos seguintes, descubra quais são os seus sinais de raiva.

"Sinto calor no corpo inteiro."

"Tenho calafrios."

"Começo a levar tudo para o lado pessoal."

"Meu coração dispara."

"É quase como se eu parasse de respirar."

"Meu peito começa a pesar e minha respiração se torna mais rápida."

"Minhas palmas suam."

"Começo a ranger os dentes."

querida). Ele respeitará você por lhe ensinar sobre os limites e por ter conseguido controlá-lo. E ele a amará ainda mais. Em resumo, a disciplina consciente não rompe o vínculo entre você e o seu filho; ela o reforça. Eu sei que às vezes é difícil manter a linha – os testes que uma criança pequena nos impõem podem desafiar até mesmo as almas mais tranquilas. Contudo, como você verá no próximo capítulo, se você afrouxar os limites, maus hábitos de longo prazo serão muito mais difíceis de romper.

Um guia simples para a disciplina consciente

Desafio	O que fazer	O que dizer
Superestimulação	Remova a criança da atividade.	Eu estou vendo que você está ficando frustrado. Vamos dar uma caminhada lá fora.
Birra em local público, porque ele quer algo	Ignore.	Uau, isso é impressionante, mas mesmo assim você não vai ganhar.
	Se isso falhar, remova-o.	Você não pode se comportar assim em [local onde você está].
Recusa em cooperar ao se vestir	Pare e espere alguns minutos.	Quando você estiver pronto, começaremos novamente.
Ele continua correndo	Pare-o; pegue-o no colo.	Poderemos sair quando você estiver com calçados e meias.
Gritos	Baixe a sua própria voz.	Será que podemos falar baixo, por favor?
Lamentações	Olhe-o nos olhos e imite uma voz "normal" (sem lamúrias).	Eu não consigo ouvir, a menos que você use sua voz normal.
Correr onde não é apropriado	Contenha-o colocando as mãos nos ombros dele.	Você não pode correr aqui. Se continuar, teremos de ir embora.
Chutar ou bater quando você o pega no colo	Coloque-o no chão imediatamente.	Você não pode chutar/bater em mim. Isso dói.

Desafio	O que fazer	O que dizer
Pegar o brinquedo de outra criança	Fique de pé, perto das crianças, e incentive-o a devolver.	William estava brincando com isso. Você precisa devolver a ele.
Jogar comida	Tire-o do cadeirão.	Nós não jogamos comida na mesa.
Puxar os cabelos de outra criança	Pouse a sua mão na mão que está no cabelo da outra criança; acaricie a mão do seu filho.	Seja gentil. Não puxe os cabelos.
Bater em outra criança	Contenha-o; se ele estiver agitado, leve-o para fora ou para outro ambiente até ele se acalmar.	Você não pode bater. Isso machuca o Jim.
Bater repetidamente	Vá para casa.	Precisamos ir embora agora.

CAPÍTULO OITO

Os devoradores do tempo: privação do sono, dificuldades de separação e outros problemas que roubam horas do seu dia

Meu conceito de criança mimada se refere a uma criança ansiosa, em busca de limites. Se ninguém lhe dá esses limites, ela precisa continuar à procura.

— T. Berry Brazelton

Como domar um rebelde: a história de Neil

Sempre sei quando os pais estão lidando com um "devorador do tempo", uma dificuldade de comportamento frustrante, aparentemente interminável e prolongada, que rouba horas – e noites – dos seus dias. Eles geralmente começam a sua narrativa triste dizendo: "Tracy, eu já comecei a ter medo de..." e então eles preenchem a lacuna com "sair de casa", "cochilos e hora de dormir", "banhos", "refeições" ou qualquer outra ocorrência cotidiana que se transformou em um pesadelo. Eles não fazem ideia de quantos outros pais são vítimas de situações igualmente exasperantes.

Para dar um exemplo, relatarei o caso real de Neil, 2 anos, e seus pais, Mallory e Ivan. A saga é meio longa, uma descrição ato por ato de como uma família geralmente passa suas noites. Preste atenção – isto é muito típico em todos os casos de devoradores do tempo que escuto. Talvez você até reconheça alguns aspectos de sua própria vida. Mallory, que nos conta a história, explica que em sua casa, o ritual de dormir de Neil começa às 19h30, com a hora do banho, que ele adora. "O problema", começa Mallory, "é que é sempre uma batalha tirá-lo da banheira. Eu o aviso duas ou três vezes, dizendo: 'Ok, Neil, a hora do banho está quase terminando.'

Porém, quando ele começa a choramingar, eu cedo: 'Ok... então só mais cinco minutos.' Cinco minutos passam. Eu aviso: 'Neil, agora você tem que sair.' Ele continua reclamando, e eu recuo um pouco, dizendo: 'Está bem, mas esta é a última vez. Termine de espremer suas bisnaguinhas e de brincar com o patinho, para que eu possa tirá-lo daí e aprontá-lo para dormir.'

Após alguns minutos, eu finalmente digo, com um tom meio áspero: 'Muito bem, acabou. Saia da banheira, *agora.*' Neste ponto, ele decide fugir de mim e eu me descubro lutando para agarrar o seu corpinho escorregadio. 'Venha cá, Neil', eu insisto. Eu o pego meio desajeitada e ele fica chutando e protestando com 'não, não, não!'.

Ele escapa dos meus braços, pingando, e corre para o seu quarto. Sigo sua trilha de pegadas úmidas no carpete, toda esbaforida, depois o enxugo e luto para vestir o pijama nele. Começo a pedir: 'Venha cá... Coloque a parte de cima do pijama... Me deixe terminar de vestir você.'

Finalmente, eu consigo enfiar o pijama na cabeça dele, e ele começa a gritar: 'Ai, ai!'

Eu me sinto muito mal. 'Ah, coitadinho do Neil', eu murmuro. 'Mamãe não queria machucar você. Você está bem?'

Nesse ponto, ele está rindo, de modo que eu volto ao que estava fazendo. 'Ok, é hora de ir para a cama. Já que você demorou tanto para sair da banheira, temos tempo para apenas uma historinha esta noite. Por que você não escolhe o livro que quer?' Neil vai até a prateleira. 'Você quer aquele?', pergunto, enquanto ele começa a puxar diversos livros e a jogá-los no chão. 'Não? Aquele ali? Ah, *aquele!*' Imagino que é melhor ignorar a bagunça que ele fez, embora isso me irrite, porque levei meia hora para fazê-lo arrumar seu quarto, e na verdade eu fiz mais que ele.

Mas pelo menos agora estamos progredindo para o fim do dia. Com o livro na mão, eu lhe digo: 'Muito bem, vá para a sua cama de menino grande.' Ele se enfia sob as cobertas. Eu o abraço um pouquinho e então começo a ler, mas ele ainda está bem agitado e não coopera, virando as páginas antes que eu termine a leitura. Subitamente, ele se senta e então se levanta da cama, tentando tirar o livro das minhas mãos. 'Deite-se, Neil', eu digo. 'É hora de dormir.'

Ele finalmente se deita, parece estar se acalmando e eu dou um suspiro de alívio. Digo a mim mesma: *Talvez hoje seja mais fácil,* mas pouco depois ele abre bem os olhos e exclama: 'Eu quero água!' *Era muito bom para ser verdade,* diz uma voz zombeteira dentro de mim.

'Está bem, vou pegar a sua água', ofereço, mas, quando estou saindo, ele grita. Eu conheço aquele grito: 'Não me deixe.' 'Você pode vir comigo', digo, resignada, porque, se eu não o deixo vir comigo, isso termina na Terceira Guerra Mundial. Eu o carrego escadas abaixo. Ele toma alguns goles – não estava com sede de verdade (nunca está), e subimos novamente. Enquanto o coloco na cama, algo captura sua atenção e ele se senta e tenta sair da cama.

Neste ponto, eu já cansei. Ponho as mãos nos ombros dele e levanto a voz. 'Volte para a cama *agora*, mocinho. Não me faça mandar de novo. É noite e você *precisa* dormir.' Começo a apagar a luz, mas ele está chorando e se agarra em mim como se sua vida dependesse disso.

Eu não suporto aquilo. 'Ok', eu lhe digo, rancorosa. 'Eu vou deixar a luz acesa. Você quer mais uma história? Mas agora será a última. Deite-se e então nós podemos ler.' Neste ponto, nada do que eu digo parece importar. Ele fica lá, duro como uma pedra, ainda com as bochechas rosadas. Ele não se mexe. 'Deite-se, Neil', repito. 'Por favor. Eu não vou mandar de novo', insisto.

Ele não se mexe. Então, eu tento distraí-lo: 'Aqui', digo, jogando-lhe o livro. 'Me ajude a virar as páginas.' Nada. Agora, eu ameaço, 'Ok, Neil. Deite-se ou eu vou embora. Se você não se deitar, mamãe não vai ler o livro.' Finalmente, ele se deita.

Leio por algum tempo e percebo que ele está caindo no sono, de modo que me mexo com muito cuidado para não perturbá-lo. Contudo, os olhos dele se abrem subitamente. 'Está tudo bem', digo. 'Estou aqui.'

Quando ele finalmente fecha os olhos de novo, espero alguns minutos e então ponho hesitantemente um pé no chão. Prendo a respiração. Ele aperta novamente minha mão. Então fico ali, totalmente imóvel, esperando mais alguns minutos. Tento sair da cama dele. Quase consigo, mas então ele abre os olhos. Ali estou eu, meio corpo na posição de levantar. Digo para mim mesma: *Um movimento em falso e eu caio no chão e aí que ele não dormirá mesmo.* Mas ele parece acomodado. Eu espero. Agora, meu pé está dormente e tenho cãibra em um dos braços.

Finalmente, rolo para o chão e, engatinhando, rastejo para a porta. *Consegui!* Abro lentamente a porta... e, para o meu horror, ela range. *Ah, não!* Então, ouço uma voz, baixinho, do outro lado do quarto: 'Não, mamãe, não vá dormir!'

As raízes de todos os devoradores do tempo

Os devoradores do tempo de outros pais e detalhes de como se mostram podem ser diferentes, mas as raízes podem estar em uma, diversas ou mesmo todas as seguintes:

- Os pais não aderem a uma rotina estruturada.

- Os pais permitem que a criança assuma o comando.

- Os pais não começam da maneira como pretendem continuar.

- Os pais não determinam limites.

- Os pais não têm limites – eles respeitam a criança, mas não exigem respeito em troca.

- Em vez de aceitarem o temperamento do filho, eles esperam que ele mude.

- Os pais não ajudaram a criança a desenvolver a habilidade de acalmar a si mesma.

- Uma crise ocorre, como uma doença ou acidente; os pais relaxam as regras, mas nunca as restauram, mesmo depois que a criança melhorou.

- Os pais discutem um com o outro, não prestando atenção suficiente ao filho – e, com o tempo, ninguém mais sabe qual é o problema.

- Os pais lidam com seus próprios "fantasmas" do passado, o que não lhes permite ver o filho com clareza.

Cerro os dentes. 'Estou bem aqui, querido. Eu não fui a lugar algum.' Mas minhas palavras carinhosas caem em ouvidos moucos. Neil começa a chorar. Então, eu volto *novamente* à cama dele e tento consolá-lo. Ele quer que eu leia mais uma história. Estou pronta para cortar meus pulsos ou sufocá-lo, mas leio a história de novo..."

A voz de Mallory falha. Ela sente vergonha de admitir que o processo recomeça todo novamente. Neil só dorme após as 23h, em cujo ponto Mallory novamente sai furtivamente do seu quarto, agachada. "Eu caio na minha cama exausta, todas as noites", ela diz, "e então me volto para Ivan, que estava assistindo à TV ou lendo, aparentemente sem perceber que fui mantida cativa nas últimas três horas por nosso filho. Quando eu digo: 'Mais uma noite infernal', ele parece surpreso e me diz: 'Achei que você estivesse no escritório, pagando contas, ou algo assim.' Informo a ele, com mais que um toque de ressentimento em minha voz: 'Bem, amanhã à noite é a *sua* vez.'"

Mallory já não sabe o que fazer. "É sempre uma provação, Tracy. Eu me sinto como refém do Neil. Será que é uma fase? Será que ele superará isso? Será por que eu trabalho fora e ele não me vê o suficiente? Será que tem um distúrbio do sono? Ou talvez TDA?"

"Nada disso", respondi. "Mas você tem razão sobre uma coisa: você *é* refém."

Os devoradores do tempo são cansativos: eles cortam nosso próprio tempo e o tempo do casal. Eles não apenas colocam estresse sobre o relacionamento entre pais e filho, mas podem causar ressentimentos também entre os adultos. Um dos pais culpa ou se ressente com o outro. Eles com frequência discutem sobre a melhor forma de lidar com a situação (mais sobre isso no próximo capítulo, páginas 347-349). Enquanto discutem, porém, ninguém se pergunta por que o problema apareceu, em primeiro lugar, ou como aliviá-lo.

Nossos bebês não querem ser bandidos, roubando-nos horas preciosas. E nós, pais, não queremos ser cúmplices, mas com frequência somos (veja o quadro da página anterior). A boa notícia é que é possível *mudar* esses problemas. Neste capítulo, eu reviso os devoradores do tempo mais comuns que encontro – dificuldade para dormir, ansiedade de separação, dependência da chupeta (que pode contribuir ou causar distúrbios do sono), acessos crônicos de raiva e mau-comportamento durante as refeições. Em cada caso, ajudo os pais a seguir um curso racional de ação (explicado em maiores detalhes abaixo):

- Descubra o que *você* tem feito para incentivar ou reforçar o problema.
- Garanta que *você* está pronto para mudar.
- Use o ABC para analisar o problema.
- Tenha um plano e fique firme nele.
- Dê pequenos passos; cada mudança pode levar duas ou três semanas.
- Seja respeitoso; o seu filho precisa ter algum controle.
- Defina os limites e fique firme neles.
- Preste atenção aos pequenos sinais de progresso.

Mais Segredos da Encantadora de Bebês

Assumindo a responsabilidade

Quando as mães e os pais me consultam sobre um dilema ligado a devoradores do tempo, eu não quero fazê-los sentir culpa ou constrangimento sobre suas habilidades na educação dos filhos. Ao mesmo tempo, a fim de que possam ajudar seus pequenos, eles precisam assumir a responsabilidade pela forma como o *seu comportamento* moldou o do filho, em primeiro lugar. Isso nos leva de volta ao conceito de paternidade acidental (páginas 263-264), na qual mães e pais reforçam, sem querer, comportamentos indesejáveis. Uma vez que os hábitos desenvolvem-se de maneira muito rápida em crianças pequenas, não se pode evitar totalmente a paternidade acidental. Cada pai ou mãe já cedeu, em um momento ou outro, a demandas absurdas dos filhos, respondeu com atenção demais a choramingos, ignorou o mau-comportamento quando um bebê lhe deu um sorriso lindo. Entretanto, quando padrões negativos de comportamento persistem durante muitos meses, ou mesmo anos, eles são mais difíceis de mudar. E se transformam em devoradores do tempo.

Para transformar praticamente qualquer tipo de problema de longa data que esteja perturbando a paz em um lar, em geral recomendo o seguinte curso de ação:

Descubra o que você tem feito para incentivar ou reforçar o problema. Não pense no seu filho como "mimado". Em vez disso, olhe-se no espelho (responda honestamente às perguntas do quadro "Olhe para você mesmo", da página 278). A incapacidade de Mallory para definir os limites e o fato de que ela estava deixando o filho tomar conta da situação de fato reforçavam a demora de Neil na banheira e sua teimosia na cama. Até que *ela* mudasse, ele certamente não mudaria.

Garanta que vocês estejam prontos para mudar. Quando os pais me consultam e então recebem cada sugestão que dou com "Bem, nós já tentamos isso", suspeito que eles não estão prontos para mudar a situação.

276

Os pais muitas vezes não estão conscientes de sua própria relutância – na verdade, eles se sentem realmente chateados pelo problema. Mesmo assim, pode haver uma motivação inconsciente em seus atos. Pode ser que a mãe se sinta necessária quando o filho é dependente dela ou quer mamar muito tempo depois que foi desmamado. Ou ela anseia pela proximidade do aconchego com seu "bebê", que agora está com 2 anos e meio, embora ela perceba que o fato de o filho ir para a cama dos pais todas as noites não está ajudando muito no seu relacionamento conjugal. Às vezes, mulheres que tinham uma carreira investem toda sua energia em ser mães, e lidar com um "problema" acende o antigo desafio e as faz sentir como se pudessem ter sucesso. Certos pais admiram secretamente a agressividade dos filhos. Outros relutam em discipliná-los, porque eles mesmos cresceram em lares rígidos e, portanto, estão determinados a "ser diferentes". Quando sinto qualquer tipo de reserva por parte de um pai, eu digo, com franqueza: "Seu filho não tem um problema, é *você* quem precisa de ajuda."

Use o ABC para analisar o problema. Use a técnica ABC (páginas 263-264) para descobrir o *antecedente* (o que veio primeiro), o *comportamento* (em inglês, *behavior*, o que seu filho faz), e as *consequências* (o padrão estabelecido como o resultado de A e B). Quando dificuldades de sono, alimentação e comportamento persistem ao longo do tempo, múltiplos problemas geralmente estão envolvidos. Ainda assim, se você olhar de perto e cuidadosamente, descobrirá o que está acontecendo e como pode mudar as coisas.

No caso de Neil, o antecedente era que durante períodos de transição, como a hora do banho ou de ir dormir, Mallory sempre relaxava nas regras. *Só mais um... mais cinco minutos... apenas um pouco de água.* O comportamento de Neil era o de testar constantemente e não respeitar limites. Além disso, ele temia que a mãe o deixasse. A consequência era que a mãe, sentindo-se "triste" por ele, cedia sempre, prolongando sem querer as dificuldades do filho e ensinando-o como manipulá-la. Expliquei a Mallory: "Neil aprendeu que você não faz o que promete. Além disso, você perdeu a confiança dele ao fugir sorrateiramente, de modo que ele não se sente seguro para relaxar. Ele sabe que se adormecer você sairá de perto. Para mudar a situação, você precisa mudar o que *você* faz."

Tenha um plano e fique firme nele. A consistência é fundamental para alterar um devorador do tempo. Se, nos últimos oito ou doze meses, uma mulher manteve o hábito de amamentar o filho diversas vezes durante a noite, a criança naturalmente *espera* ser alimentada às 3h da madrugada. Agora, para mudar o padrão, a mãe precisa ter a mesma consistência para recusar-se a permitir isso (nas páginas 283-292, eu conto um caso real dessa espécie). Do mesmo modo, se Mallory tentou uma abordagem para lidar com a demora de Neil hoje e outra coisa amanhã, isso não dará certo. Ela voltará à estaca zero. Eu não sou do tipo que insiste em horários rígidos ou em olhar o tempo todo para o relógio, mas se a hora do banho é das 19h30 às 20h, então ela não pode deixar que dure até às 21h. Ela precisa revisar sua rotina diária e manter-se fiel a ela.

Dê pequenos passos; cada mudança pode levar duas ou três semanas. Não existem soluções rápidas. Com bebês, é relativamente fácil alterar hábitos; com crianças pequenas, padrões de longa duração são mais seguros, e você não pode

---

Olhe para você mesma

Se você responder "sim" a qualquer destas perguntas, você pode ter mais problemas com devoradores do tempo do que imagina.

- Você se sente culpada por definir limites?
- Você tende a ser inconsistente com as regras?
- Se você trabalha fora, procura ser mais flexível com as regras quando está em casa?
- Quando diz "não", você sente pena do seu filho?
- Seu filho tende a ter acessos de birra só quando *você* está por perto?
- Você tende a ceder ou adular?
- Você tem medo de que seu filho não vá amá-la se você o disciplinar?
- Você fica chateada quando seu filho não parece feliz?
- As lágrimas do seu pequeno tornam *você* infeliz?
- Você sente com frequência que outros pais são "rígidos demais"?

fazer mudanças súbitas ou drásticas. Por exemplo, Roberto e Maria, pais de Luis, 19 meses, vieram me consultar por causa de dificuldades do filho para cochilar durante o dia. "Para fazê-lo dormir, temos de dar um passeio de carro, fazendo a volta no quarteirão várias vezes", Roberto explicou. "Quando ele está dormindo, nós estacionamos na garagem e o deixamos na cadeirinha de bebê no carro." Os pais instalaram um intercomunicador para que pudessem ouvir quando Luis acordasse. Isso acontece desde que o menino tinha por volta de 8 meses de idade. Os pais não poderiam cortar esse costume do filho de repente; precisariam reduzir aos poucos a dependência que o filho tinha da sensação de movimento.

Na primeira semana, eles tornaram o passeio cada vez mais curto. Na semana seguinte, deram partida no carro, mas nem saíram da garagem. Na terceira semana, colocaram Luis no assento, mas não deram partida no motor. Ele ainda não estava tirando sonecas no berço, de modo que agora os pais precisariam trabalhar esse aspecto. Eles passaram então para o quarto do filho, usando uma cadeira de balanço para tornar a transição mais fácil. Nas primeiras vezes, Luis levou quarenta minutos para adormecer – afinal, ele não estava no carro. Roberto e Maria reduziram gradualmente o tempo do balanço, estabelecendo novos objetivos a cada quatro ou cinco dias para desacostumar o bebê do balanço. No fim, eles não precisavam mais balançá-lo e conseguiram fazê-lo dormir no berço. Todo o processo levou três meses e foi necessária muita paciência por parte dos pais.

Sempre que uma situação devoradora do tempo exige uma série de etapas semelhante, cada uma delas aborda uma determinada parte do problema. Tim e Stacy, que permitiram que Kara dormisse na cama com o casal, primeiro tiveram de se revezar dormindo no quarto de Kara, em uma cama inflável colocada junto ao seu berço. Eles não poderiam abandoná-la assim, sem mais nem menos; era preciso respeitar seu medo e deixá-la saber que estavam ali pertinho. Na segunda semana, eles começaram a afastar a cama inflável cada vez mais do berço.

Dessa forma gradual, eles conseguiram finalmente fazer com que a menina se sentisse segura o bastante para dormir no berço.

Seja respeitoso; o seu filho precisa ter algum controle. Ofereça opções. Eu sugeri a Mallory que, quando Neil estivesse no banho, em vez de ela dizer: "É hora de terminar o banho", ao que ele poderia responder com um "não", ela deveria lhe dar uma opção: "Você quer puxar a tampa do ralo da banheira, ou quer que eu faça isso?" Escolhas dão à criança um senso de controle e, portanto, incentivam a cooperação (veja nas páginas 246-247 exemplos de frases e perguntas relativas ao oferecimento de opções às crianças).

Defina limites e se mantenha firme. Quando Neil optou por não puxar a tampa do ralo e disse "não sai do banho", Mallory precisou manter seus limites para não voltar ao antigo padrão. "Ok, Neil", ela disse, sem emoção. "Eu puxarei a tampa *por* você." Quando a banheira ficou sem água, ela o envolveu com uma toalha (enquanto ele ainda estava na banheira), levantou-o, levou-o até o quarto e fechou a porta, eliminando assim a rota de fuga.

Preste atenção a pequenos sinais de progresso. Os devoradores do tempo não desaparecem do dia para a noite, mas não perca a esperança. Mantenha seu objetivo em mente, embora você possa se aproximar dele a passos de formiga. Alguns pais, buscando soluções imediatas, ficam bloqueados e não conseguem ver além do problema. Ou quando eu os ajudo a conceber um plano, eles exclamam, horrorizados: "Dois meses? Vai levar tudo isso?"

"Vá com calma", eu respondo. "Pense em todo o tempo que você já perdeu lidando com esta questão. Dois meses não são nada! O segredo é valorizar as pequenas vitórias. De outro modo, você sentirá como se tivesse que lidar com este dilema pelo resto de sua vida!"

Mallory, por exemplo, estava tentando reverter o efeito de muitos meses de condicionamento inconsciente. Neil *continuaria* testando a mãe, e ela teria de enfrentá-lo a cada ocasião. Nós trabalhamos em diversos "roteiros" aos quais ela poderia recorrer e também repassamos várias partes do ritual de dormir. Em vez de deixar que ele a desafiasse, ela ofereceu a Neil opções para vestir-se: "Você quer vestir primeiro a parte de cima do pijama ou as calças?"

Quando Neil respondeu "Não!", em vez de persegui-lo e transformar aquilo em um jogo (na mente do menino) ou em uma batalha (na mente da mãe), ela *fez algo diferente*, que ensinou ao filho as consequências de seu comportamento. "Ok. Vamos pegar um livro, em vez de se vestir. Se você sentir frio, me diga, e aí vestiremos o seu pijama. Você quer este livro ou aquele outro?" Quando ele escolheu um livro, ela lhe disse: "Boa escolha. Eu vou ler quando você deitar." Algum minutos após iniciada a leitura, Neil disse: "Quero pijama." Mallory perguntou ao filho: "Está com frio, querido?" Assim, ela o ajudou a identificar a sensação de estar sem pijama depois do banho. "Ok, vamos vestir seu pijama agora, para você não sentir mais frio." E, o maior dos milagres, Neil cooperou! Sem a mãe gritando e humilhando-o, ele aprendeu as consequências naturais de se recusar a vestir-se.

Agora, preste atenção, esta não foi uma conversão mágica. Mallory (com um pouco de ajuda) manteve-se firme durante todo o ritual da hora de dormir. Ela disse a Neil: "Eu vou ler quando você estiver na cama. Quando o alarme tocar, precisaremos apagar a luz. Você quer ajustar o alarme? Não? Tudo bem, a mamãe acerta." Neil então reclamou: "Não, eu faço isso." Quando ele ligou o alarme, Mallory disse: "Bom trabalho." Para evitar a descida até a cozinha para buscar água, Mallory já tinha um copo ao lado da cama. "Quer tomar sua água agora? Não? Tudo bem. Está aqui para quando você quiser. Agora, deite-se que eu vou ler a história."

Quando Neil começou a se remexer e a protestar com "Não vai dormir", Mallory foi firme: "Neil, eu vou deitar aqui com você enquanto leio, mas você também precisa se deitar." Neste ponto, ela não disse mais nada – não tentou adulá-lo, nem convencê-lo ou ameaçar. Ele então se lançou à cantilena habitual, começou a chorar e se recusou a deitar-se, mas a mãe simplesmente repetiu: "É hora de dormir, Neil. Vou ler uma história quando você estiver embaixo das cobertas." O menino continuou protestando, mas ela não deu atenção às reclamações. Quando o despertador tocou, e ele ainda não estava deitado, Mallory levantou-se e o pegou gentilmente no colo. Quando ele começou a chutar e a gritar, ela lhe disse: "Não bata na mamãe", e então o deitou, sem dizer mais nada.

Depois de algum tempo, porque *Mallory* havia mudado e não respondia às chantagens do filho, ele parou. Ele não estava sendo recompensado com a atenção da mãe, então para que continuar? Resolveu então se deitar. Mallory disse, baixinho: "Bom menino, Neil. Ficarei aqui até você adormecer." Quando ele pediu água, ela lhe deu sem dizer nada. Ela não tentou escapar de mansinho. Diversas vezes, ele levantou a cabeça para ver se a mãe estava ali. Ela nada disse, mas o menino viu que a mãe ainda estava ali. Finalmente, ele caiu em sono profundo. Eram 22h, uma hora antes do habitual.

Para somar pontos a favor, Mallory e Ivan aderiram com firmeza ao plano durante as semanas seguintes. Eles se revezaram, o que deu a Mallory um descanso muito necessário. Cerca de duas ou três semanas após o estabelecimento da nova rotina para a hora de dormir e do cuidado para o estabelecimento de limites consistentes, Mallory e Ivan se tornaram *pais* novamente. Eles então conseguiram fazer outra mudança importante: em vez de se deitarem com Neil todas as noites, como antes, eles se sentavam ao lado da cama do filho, até vê-lo adormecer. Dois meses depois, conseguiram sair do quarto *antes* de Neil adormecer, o que na maioria das noites começou a ocorrer antes das 21h.

Obviamente, esta situação saíra do controle. Neil estava dando as cartas, e uma vez que seus pais não estavam trabalhando como equipe, a carga caía nos ombros da mãe (um problema comum; veja "Guerra pelas Tarefas Domésticas", nas páginas 344-346). O cabo de guerra existiu por mais de um ano. É claro que Mallory teria um problema bem menor nas mãos se tivesse tomado providências após perceber que o ritual noturno sempre ultrapassava o tempo desejado.

Certamente, todos os pais têm lapsos. E uma ou duas noites com uma criança mais agitada que o habitual nem sempre se torna um problema grave. Contudo, quando determinado padrão leva a frustração, irritação e discussões intermináveis, algo precisa mudar. É melhor não "esperar para ver". Os devoradores do tempo não se desfazem sozinhos. Quando os hábitos são reforçados ao longo do tempo, eles criam raízes profundas.

> ## Lembrete importante
>
> Os problemas não desaparecem em um passe de mágica.
>
> Se um devorador do tempo está causando conflito em seu relacionamento, vocês precisam fazer algo diferente com seu filho.
>
> Se o conflito no relacionamento entre adultos está causando um devorador do tempo, você precisa fazer algo diferente no seu relacionamento (páginas 344-354).

Leanne: um problema crônico de sono

O devorador do tempo mais comum é a privação do sono, e as piores situações envolvem um bebê que desperta várias vezes e precisa mamar para voltar a dormir. Nesses casos tipicamente são duas as opções: ou a mãe acorda durante a noite inteira, tentando acalmar o filho dando a ele uma chupeta ou o peito sempre que ele chora; ou ainda, os pais tentam a abordagem de resposta tardia, na qual a criança "chora até cansar" por períodos cada vez maiores. A primeira abordagem rouba o sono dos pais – e não ensina nada à criança. E a segunda pode ser traumática, violando a confiança da criança em seu ambiente. De qualquer forma, os pais estão mais do que exaustos.

Victoria era uma mãe assim. Sua filha Leanne, de 14 meses, tinha o hábito de se levantar a cada uma hora e meia, e não voltava a dormir se não fosse amamentada. Alguns dias antes de me procurar, de olhos vermelhos pelos meses de noites insones, ela havia batido com sua van em uma caminhonete. Felizmente, ninguém se feriu, mas o incidente salientou o caos em que sua vida havia se transformado. Esta era uma das mães a quem eu não tinha de perguntar se estava pronta para uma mudança.

Victoria admitiu que, até o acidente, ela achava que a filha superaria sua necessidade incessante por mamar. As outras mães do grupo de amamentação que Vicki frequentava alimentavam essa ilusão.

"Ela ainda não está pronta", Beverly insistia. "Quando estiver, dormirá como um bebê a noite inteira." Vicki dizia a si mesma: "Leanne não é exatamente um bebê", mas empurrava o pensamento para o fundo de sua mente.

"Joel levou dois anos", outra mãe falou.

"Minha filha mama cinco vezes durante a noite", opinou Doris, "e *eu* não tenho problema para levantar. É apenas um dos sacrifícios que fazemos, quando somos mães."

"Nós dormimos com nosso filho", disse Yvette, acrescentando que não era difícil virar-se e dar o peito ao filho.

Ao narrar os comentários das mulheres a mim, Victoria perguntou: "Será que estou esperando demais de Leanne?" Sem esperar resposta, ela continuou, nervosa: "Ela é tão adorável. Eu detesto vê-la triste. Eu sei que nem sempre ela está com fome quando a amamento, mas por que ela acorda com tanta frequência? Nós já experimentamos a rotina de dormir com ela, mas assim *ninguém* consegue dormir, e só torna as coisas piores. Quando eu dormia com ela, minha filha ficava com meu peito em sua boca praticamente a noite inteira. Quando eu me mexia, ela chorava e procurava o peito. Estou perdendo as esperanças."

Eu conduzi Victoria por um plano estratégico para devoradores do tempo.

Observe o que você tem feito para contribuir para o problema. Eu expliquei que entre 6 e 9 meses de idade, o padrão de sono de um bebê começa a se assemelhar ao dos adultos – a cada hora e meia a duas horas de sono, a criança passa por um ciclo de sono. Se você observar bebês e adultos gravados em vídeo, verá movimentos constantes enquanto vão do sono leve – ou sono REM, como é conhecido – para o sono profundo, durante a noite inteira. Eles se viram, se remexem, jogam uma perna para fora da cama, puxam o lençol, murmuram e chegam até a chorar. Bebês e crianças pequenas frequentemente despertam durante a noite, alguns por até uma hora ou mais, falando, balbuciando, gemendo. Se ninguém os perturba, eles voltam a dormir por conta própria.

Entretanto, o sono independente é uma prática *aprendida*. Desde o primeiro dia, os pais precisam *ensinar* o bebê a dormir por conta própria e a se sentir seguro no seu berço. Se não, quando a criança ficar maiorzinha, os pais com frequência verão sinais dessa dificuldade nos cochilos ou na hora de dormir, ou em ambos. Para mim, estava claro que Leanne nunca havia aprendido como ir dormir sozinha. Em vez disso, ela foi treinada (acidentalmente, é claro) para associar o ato de ir dormir com ter o peito da mãe na boca. Ao fim do ciclo do sono, quando ela entrava no REM, ela não possuía habilidades para voltar ao sono profundo. O peito da mãe tornou-se o que eu chamo de substituto – qualquer dispositivo, seja o peito ou uma chupeta, ou ainda uma intervenção, como balançar ou o movimento de um veículo, que causa sofrimento ao bebê quando retirado.

"Ah, eu estraguei ela", lamentou-se Victoria.

"Eu não iria tão longe", falei, para tranquilizá-la. "E não queremos nada dessa coisa de 'Ah, coitadinha da Leanne'. Sentir pena dela não a ajudará nem resolverá o seu problema. Você fez o melhor que podia até agora, e na verdade, fez um grande trabalho, em termos de consistência. Agora, precisamos lhe mostrar como ser consistente com as práticas corretas! A sua capacidade para aderir ao plano a ajudará a transformar o hábito de Leanne de mamar a noite inteira em um padrão mais positivo."

Use os ABCs para analisar o problema. Era óbvio (pelo menos para mim) que o *antecedente* aqui era o fato de Leanne jamais ter aprendido a dormir sozinha; seu *comportamento* era a extrema irritabilidade e a exigência pelo peito da mãe sempre que era hora de cochilar ou dormir à noite. A *consequência,* um padrão firmemente arraigado de sucção excessiva, era reforçado repetidas vezes, porque Vicki sempre cedia. Ouvindo Vicki narrar um dia típico, eu tive ainda mais certeza: Leanne geralmente desperta por volta das 5h30. A mãe a amamenta e então desce para o térreo da casa. Leanne brinca durante quarenta minutos, mais ou menos. Quando ela começa a bocejar, a mãe a leva de volta ao quarto, senta-se em uma cadeira de balanço e a amamenta até que a filha durma. "Alguns dias, se eu tenho sorte", Vicki acrescentou, "ela me deixa deitá-la novamente no berço. Em outros dias, ela não deixa eu me mexer."

Uma lâmpada se acendeu em minha cabeça.

"Espere um minuto: você disse que ela não *deixa* você se mover. O que quer dizer?"

"Bem, embora ela pareça estar dormindo, no momento em que eu tento levantar da cadeira de balanço, ela chora. Então eu a ponho no peito de novo e ela dorme novamente. Se tento novamente alguns minutos depois, ela fica histérica. Então, depois de duas tentativas, eu geralmente só fico ali sentada na cadeira, por uma hora."

"Uau", eu exclamei, "isso deve ser desconfortável".

"Não muito", disse Victoria, "não mais. Meu marido comprou uma banqueta que mantemos junto à cadeira. Eu deslizo minhas pernas lentamente e as coloco sobre a banqueta, quando Leanne dorme. Ele comprou para mim porque uma vez, de manhã, eu estava tão cansada que cochilei e Leanne quase caiu dos meus braços."

Quando Leanne acorda novamente, geralmente por volta das 7h30, Victoria a veste e se apronta para o dia. Leanne come alimentos sólidos no café da manhã, e então, por volta das 10h30, quando fica cansada, Victoria a leva para cima e a amamenta. "Em geral, ela é tão boazinha que adormece em cinco ou dez minutos em uma soneca que dura mais ou menos vinte minutos. Se eu a pego, posso fazê-la voltar a dormir em cinco minutos amamentando-a novamente. Mas se eu perco seu primeiro choro, então posso levar até uma hora para fazê-la dormir de novo. Nesse ponto, porém, ela está com fome, de modo que a amamento e ela geralmente volta a dormir por mais vinte minutos."

Queridos pais, se vocês estão cansados só de ler esta aventura, acreditem, eu fiquei exausta ao escutá-la. E até aí chegamos apenas às 11h30 da manhã! Quando Leanne acorda, Victoria consegue dar uma breve caminhada. A mãe nunca coloca a filha no berço durante o dia para brincar, porque tem medo que isso faça a menina gritar. Às vezes, Vicki leva a filha quando precisa fazer algo na rua, mas apenas se a amamenta no carro para fazê-la dormir primeiro, porque, como Victoria explica, Leanne "não a deixa" colocá-la no assento do carro. Ela arqueia as costas e grita com desespero. "Eu juro que em alguns dias os vizinhos pensam que eu estou torturando minha filha", confessa.

"Bem, para mim parece" eu disse, neste ponto, "que *ela* está torturando *você.*"

O resto do dia segue mais ou menos do mesmo modo, até que o pai, Doug, que trabalha como encanador, chega em casa do trabalho, às 17h. Depois que a mãe alimenta a filha, o pai dá banho em Leanne e Victoria desabafa: "Ele é *tão* bom. Ele lê historinhas para ela e então a entrega para mim. Eu a amamento novamente e ela dorme por uma hora."

Eu pergunto por que ela não deixa o pai colocar Leanne para dormir. "Doug já tentou, várias vezes", ela responde, "mas Leanne não deixa. Ela grita e eu não suporto isso. Então eu vou até lá e a amamento. Ela dorme novamente, acorda às 20h, brinca com papai e, por volta das 23h30 eu a amamento. Ela dorme até por volta de 0h30, e eu a amamento e ela volta a dormir. Se eu tiver sorte, ela dormirá até as 3h, mas isso não acontece com frequência. Ela geralmente acorda de novo às 4h e às 5h30, quando um novo dia começa." Victoria faz uma pausa e então diz, em tom de devaneio: "Uma noite eu anotei na minha agenda que ela dormiu direto por cinco horas... mas isso aconteceu apenas uma vez."

Obviamente, este era um problema profundamente enraizado e de longa duração, que não seria resolvido da noite para o dia. Victoria e Doug precisariam de um plano, uma série de etapas que reduziriam aos poucos os problemas devoradores do tempo de Leanne e os substituiriam por habilidades de autossuficiência.

Tenha um plano e fique firme nele. "Duas vezes por dia, quando Leanne estiver satisfeita", aconselhei Vicki, "coloque-a no berço. Na primeira vez em que você fizer isso, ela poderá agarrar-se a você e chorar. Tente tirar o foco do humor dela, distraindo-a. Ponha um cobertorzinho sobre a cabeça dela e brinque de esconder. Divirta sua filha. Pule, banque a boba. Se você persistir, ela ficará encantada. Isso pode durar apenas quatro ou cinco minutos, no começo. Diga a ela: 'Você está bem, querida. Mamãe está bem aqui', e assim garanta a ela que está segura.

"Agora, preste atenção: não espere que ela chore. Tire-a do berço quando ela estiver contente, mesmo se ela ficou ali por apenas dois minutos. A cada dia, aumente o tempo – tente chegar a quinze minutos durante o curso de duas semanas. Dê-lhe brinquedos no berço e a incentive a vê-lo como um ótimo lugar para ficar. Durante esse período, porém, não mude nada mais. Ela passará cada vez mais tempo divertindo-se se você não ficar em cima. Depois de duas semanas, quando ela estiver ocupada com um brinquedo, comece a se afastar do lado do berço. Não tente fugir. Diga casualmente à sua filha: 'Mamãe está bem aqui.' A intenção é fortalecer a confiança dela em você. Fique no quarto, mas dobre roupas ou arrume o armário dela."

Uma conspiração de silêncio

Embora os devoradores do tempo mais comuns estejam ligados ao sono, existe uma propensão para uma conspiração de silêncio em relação a problemas para dormir, como a experiência de Rebecca ilustra:

"Eu participava de um júri e conversava com um grupo de mulheres na sala de espera, contando que eu havia levado horas para fazer Jon dormir, na noite anterior", ela recorda. "Uma mulher mais velha tomou minha mão de forma tranquilizadora e me confessou que quando sua filha era bebê, ela e o marido precisavam dormir com a menina todas as noites. Apenas agora, com a filha já adolescente, a mãe sentia que podia falar sobre isso. 'Eu sentia tanta vergonha', a mulher admitiu. Com isso, outra mulher se pronunciou, constrangida por dizer que estava fazendo a mesma coisa naquele momento.

"Isso me fez sentir muito melhor, ao perceber que não estava sozinha, mas também fiquei intrigada. 'Isso é estranho', eu disse às duas. 'Estive em uma festa de aniversário recentemente, e todas as mães disseram que os *seus* filhos dormem logo e a noite inteira'.

"'É mentira!', as duas mulheres responderam ao mesmo tempo, rindo."

No passado, Leanne entrava em pânico sempre que Vicki tentava colocá-la no berço, porque sabia que a mãe sairia de perto. Ela ainda não aprendera a ficar sozinha, nem mesmo para dormir, e não conseguia relaxar por causa do medo. Ceder sempre, amamentando-a, certamente não havia melhorado a situação. Na verdade, isso enviou uma mensagem à menina: "Você *precisa* de mim." Agora, Vicki precisava aumentar a confiança da filha em si mesma e ajudá-la a suportar algum tempo sozinha em seu berço, de modo a sentir-se segura quando despertasse e não visse a mãe. Contudo, eu alertei Victoria para ir devagar. Reforçar a confiança de Leanne e incentivar sua independência demandaria tempo – e muita paciência por parte dos adultos.

Dê pequenos passos e respeite a necessidade de controle do seu filho. "Você tinha razão, Tracy", relatou Victoria duas semanas depois. "Na primeira vez, ela chorou. Peguei então um fantoche que ela adora e fiquei pulando com ele na mão, e ela riu. Na segunda vez e na terceira, porém, a brincadeira não funcionou tão bem. Ela ficou talvez uns dois minutos no berço. Mas eu a peguei todas as vezes quando ela ainda estava bem. Depois, tudo foi melhorando, surpreendentemente.

"Ao fim da segunda semana, eu estava nervosa por me afastar do berço. Assim, fiz uma brincadeira de 'mamãe bobinha', primeiro. Então fui na direção da cômoda, que fica no outro lado do quarto, e comecei a arrumar as gavetas. Para a minha surpresa, ela ficou bem, mas um pouco insegura, então falei com ela, de modo casual e calmo,

---

Cuide-se!

Alterar os hábitos de sono do seu filho pode ser difícil para você. Aqui estão algumas estratégias para aliviar o seu estresse:

- Use fones ou protetores auriculares para reduzir o volume fenomenal do choro do seu filho em seus ouvidos.

- Se você estiver perdendo a paciência, entregue a criança ao seu parceiro. Se você não tiver um parceiro, ou ele não estiver em casa, coloque a criança em um local seguro e saia do cômodo por um instante.

- Mantenha uma perspectiva de longo alcance. Você se sentirá orgulhosa depois que conseguir ensinar seu filho a dormir.

Os "Dez Mais" da Tracy: coisas que você nunca deve fazer ou dizer ao seu filho

Invariavelmente, quando os pais relatam um devorador do tempo, um destes dez itens é parte da história:

1. **Bater** (veja as páginas 250-252)
2. **Dar tapas**
3. **Envergonhar:** "Você é um chorão."
4. **Gritar:** (pergunte a você mesma: "Se eu grito com meu filho, não será por que eu o deixo ir tão longe que no fim acabo perdendo a paciência?")
5. **Humilhar:** dizer algo como "Ai, você mijou na roupa!" em vez de "Acho que preciso trocar sua fralda."
6. **Culpar:** "Você me fez perder a cabeça" ou "Você me fez chegar atrasada."
7. **Ameaçar:** "Se você fizer isso novamente, vou largá-lo aqui mesmo" ou "Estou avisando, você vai se ver comigo!" (e a pior de todas: "Espere até seu pai chegar em casa.")
8. **Falar de uma criança na presença dela:** a maioria dos comentários pode esperar, mas se você precisar dizer algo, soletre ou mude o nome e o gênero da criança.
9. **Rotular:** "Você é um menino mau", em vez de "Se você ficar empurrando os outros, não poderá brincar com o Ralph."
10. **Fazer uma pergunta que a criança não pode responder:** "Por que você bateu na Priscilla?" ou "Por que você não se comporta no supermercado?"

transmitindo-lhe a mensagem de que eu achava que ela ficaria bem. Ao término da terceira semana, me aventurei mais e realmente saí da sua frente por um segundo. Eu disse a ela: 'Eu já volto. Tenho de levar essas roupas sujas ao cesto.' Prendi o fôlego, mas ela ficou brincando sozinha, sem problema. Eu acho que ela nem percebeu minha ausência!"

Eu dei os parabéns a Victoria. Por conta de tamanho sucesso, eu sabia que ela ansiava por avançar para a próxima fase do plano, que se concentrava na amamentação excessiva. Tínhamos de começar com os cochilos. Vicki não podia esperar que a filha parasse de mamar de repente, mas eu lhe disse que deveria cortar o vínculo físico entre as duas no momento em que a filha caísse no sono. Ela tinha certeza de que a menina começaria a chorar. "Você provavelmente está certa", eu disse. "Isso é previsível. Coloque-a de volta ao peito e tão logo ela adormeça, rompa o vínculo de novo. Faça isso por quinze minutos. Se ela ainda estiver chorando, mude o cenário. Vá até a cozinha. Vinte minutos depois, volte para o quarto e recomece o processo."

Leanne *não* gostou da mudança. Na primeira vez, ela ficou furiosa e começou a gritar. "Eu senti pena dela", Victoria admitiu, em um telefonema para mim na semana seguinte, "Então, eu cedi. Mas no segundo dia, eu estava determinada, de modo que a tirei do meu peito tão logo ela começou a adormecer. Quando ela se zangou, eu a tirei do quarto por alguns minutos, como você sugeriu. Depois de cinco tentativas, ela finalmente dormiu no meu colo, sem o peito. No sétimo dia, eu consegui sentar com ela na cadeira de balanço, e ela brincou com minha blusa, mas dormiu sem mamar."

Preste atenção a pequenos sinais de progresso. Três semanas depois, Leanne conseguiu adormecer, na hora do cochilo, sem o peito da mãe na boca, mas ainda acordava durante a noite querendo mamar. Doug e Victoria teriam de trabalhar como uma equipe, eu expliquei. Perguntei diretamente a Victoria: "Você está disposta a deixar que seu marido participe mais?" Nesse ponto, Victoria tinha um grande empecilho: ela estava gostando de ser *a* mãe e não estava muito disposta a compartilhar sua autoridade.

"Neste momento, você está tirando Leanne de Doug", apontei. "Ao fazer isso, você envia a *ela*, sem querer, a mensagem de que o papai é o vilão e você é a salvadora. Quando Leanne acordar no meio da noite, você precisa deixar que Doug vá até ela também."

Expliquei então a ideia de *sono sensível* – um método equilibrado, pelo qual encorajamos a criança a dormir em sua própria cama, mas ao mesmo tempo a confortamos em vez de deixá-la sozinha sem saber o que pensar. As crianças que estão acostumadas a receber uma gratificação oral sempre que choram têm naturalmente uma dificuldade para dormir sem isso, de modo que não seria fácil. Contudo, sabíamos que Leanne podia adormecer sozinha durante o dia. Com a ajuda dos pais, eu não tinha dúvida de que ela poderia aprender a fazer o mesmo à noite.

Instruí os dois do seguinte modo: "Quando ela chorar, fiquem ao lado dela. Usem sua presença física, não o peito de Vicki, para que sua filha saiba que vocês estão ali. Quando ela chorar muito, peguem-na no colo e a abracem. Ela vai ficar bem chateada nas primeiras noites, e poderá chorar bastante, mesmo estando no colo. Ela poderá até arquear as costas e tentar afastá-los com os pés. Vocês provavelmente terão de abraçá-la durante aproximadamente quarenta minutos ou mais, para que ela se acalme. Tão logo ela pare de chorar, coloquem-na no berço. É provável que ela comece a chorar de novo. Peguem-na no colo imediatamente. Façam isso quantas vezes forem necessárias. Vocês poderão pegá-la e colocá-la no berço umas cinquenta vezes, talvez até cem!" Eu lhes disse que deveriam realmente contar, para que pudessem ver seu progresso, manter um registro, e me dizerem o resultado dali a duas semanas.

Na primeira noite, Leanne chorou em intervalos por quase duas horas. Seus pais permaneceram com ela, para confortá-la. "Foi tão difícil vê-la chorando", Victoria contou, "mas nós não a deixamos sozinha. Nós a pegamos e deitamos, quarenta e seis vezes na primeira noite, vinte e nove na segunda, e doze na terceira. Na quarta noite, ela dormiu direto, das 21h até as 4h30. Eu não tinha certeza se era por exaustão ou se estávamos cansados demais para ouvi-la. Mas então, na sétima noite, ela dormiu por nove horas seguidas. Na nona noite ela acordou duas vezes, mas nós continuamos com o plano – não cedemos. Acho que ela estava nos testando. Agora, já somamos onze noites de sono ininterrupto de Leanne. O que mais nos impressiona é que quando ela acorda de manhã, nós a ouvimos conversando com seus bichinhos. Ela realmente brinca sozinha. Assim que ela reclama um pouco, porém, nós a tiramos do berço, para não rompermos novamente sua confiança." Embora Vicki e Doug insistissem que fazer Leanne dormir a noite inteira era um "milagre", para mim o sucesso era testemunho da determinação e da força desses pais.

Cody: "Mamãe... não me deixe!"

A ansiedade de separação é um componente de muitos devoradores do tempo. Tanto Neil quanto Leanne tinham o mesmo temor: se eu deixar mamãe sair da minha frente, pode ser que nunca mais a veja. Se isso soa dramático demais, tenha em mente que, para a maioria das crianças na primeira infância, as mães são sua única proteção. Os dois maiores desafios para crianças pequenas são: 1) aprender que quando a mamãe sai da sala, ela não desapareceu para sempre, e 2) desenvolver as habilidades para acalmar-se sozinhas, o que as fará superar as ausências.

Embora a ansiedade de separação seja comum nessa idade, quando eu vejo uma criança pequena que demonstra dependência incomum ou tem dificuldade na hora do cochilo ou do sono noturno, imagino se os pais não teriam cedido demais ao pequeno ou se, de algum modo, em algum ponto, a confiança da criança foi quebrada. Os pais podem não ter sido sempre honestos, talvez escapando de mansinho ou dizendo que "voltarão logo" para reaparecerem apenas horas depois. Quando tentam sair, será que podem culpar a criança por ter um ataque? Na verdade, os pais também sofrem muito. Eles acabam saindo de casa atrasados, zangados e provavelmente se sentindo culpados, porque a criança que deixaram em casa está gritando como se o mundo fosse acabar.

Certamente, se uma criança não está ganhando atenção suficiente, ou se os pais não estão afinados com suas necessidades (ou, ao contrário, se ficam "em cima" da criança o tempo todo), ou se não são totalmente honestos com ela, todos esses problemas devem ser abordados. Ao mesmo tempo, quando uma criança depende exclusivamente de formas externas de tranquilização, também precisamos começar a lhe ensinar como usar seus *próprios* recursos. Nesses casos, se a criança ainda não adotou alguma espécie de item de segurança por conta própria, sinto-me inclinada a sugerir que os pais tentem introduzir um. Quanto mais idade a criança tiver, mais tempo isso levará, porque ela já se tornou dependente do "outro", e agora precisa aprender como recorrer a si mesma.

Como eu disse anteriormente (páginas 194-196), muitas crianças escolhem automaticamente um objeto de transição quando estão com 8 ou 10 meses de idade, e essas crianças tendem a ser mais independentes e sabem melhor como se acalmar sozinhas durante a infância que aquelas que não adotaram tal objeto. Cody, cuja mãe, Daryl, ligou-me quando o filho estava com 14 meses de idade, enquadrava-se nesta última categoria. Pelas costas, muitas pessoas o chamavam de "Cody, o chiclete". Outras o rotulavam de "mimado". Contudo, o que havia acontecido em sua casa certamente não era culpa dele. O menino apenas estava fazendo o que todos haviam ensinado a ele – um caso clássico de paternidade acidental que evoluíra para um devorador do tempo – de modo que ajudei Daryl a criar um plano de ação.

Descubra o que você tem feito para incentivar ou reforçar o problema. Desde que era bebê, Cody nunca teve a oportunidade de passar algum tempo sozinho. Quando Daryl não estava com ele no colo, a babá estava. Ele nunca foi deixado no berço ou cercadinho. Na verdade, se os seus olhos estavam abertos, alguém estava ao seu lado, ou com ele no colo, ou interagindo com ele de alguma outra forma. Mesmo quando começou a se sentar sozinho e já conseguia brincar com brinquedos de um modo mais interativo, Daryl estava sempre ao seu lado, explicando, ensinando – mas jamais deixando que ele fizesse suas próprias descobertas. Como resultado, Cody mal podia brincar por cinco minutos sem gesticular para a mãe ou chorar. Isso é que é um devorador do tempo! Daryl literalmente não ia a lugar nenhum sem ele.

Use o ABC para analisar o problema. Ouvindo tudo isso, eu perguntei: "O que o Cody faz quando está cansado de brincar, ou quando você sai do quarto?"

"Ele chora como se o mundo fosse acabar", Daryl respondeu.

É claro, só tinha de fazer isso mesmo. Analisando essa situação com o uso dos ABCs, o *antecedente* era que Cody nunca era deixado sozinho e, portanto, nunca havia aprendido a se acalmar por conta própria. Seu *comportamento* (*behavior*) era previsível; ele chorava quando estava sozinho. Uma vez que a *consequência* era sempre a mesma – alguém, em geral a mãe, vinha correndo –, o padrão estava estabelecido.

Garanta que você está disposta a mudar. Percebi que este problema familiar tinha dois componentes. O primeiro deles era que Daryl precisava dispor-se a mudar. Ela precisava aprender como recitar o mantra do H.E.L.P. (veja as páginas 50-51), que a lembraria de se conter e incentivar o filho a explorar, em vez de sempre correr para "salvá-lo". Em segundo lugar, quando Cody ficasse abatido, com medo ou carente, precisaríamos descobrir um modo de transferir sua dependência da mãe para um objeto inanimado, que ele poderia acessar *por conta própria*, mesmo se ela não estivesse por perto. As duas mudanças levariam tempo. No início eu aconselhei Daryl: "Você terá que monitorar seu próprio comportamento com o mesmo cuidado que dedica ao comportamento do seu filho."

Crie um plano. Nós dividimos o plano em pequenas etapas, começando com a hora de brincar de Cody. Ensinei o H.E.L.P. a Daryl e insisti que *ela* se contivesse, sempre que Cody pegasse um brinquedo ou iniciasse uma atividade. Isso seria tão difícil para ela quanto para o menino. Ela estava acostumada a brincar com o filho e a interagir constantemente com ele, em vez de observar e deixar que ele tomasse a iniciativa. Eu, porém, salientei: "Você precisa apenas dar passos pequenos e graduais. E comece durante o dia, quando Cody está menos propenso a ficar de mau-humor."

Dê passos graduais. Inicialmente, Daryl posicionou-se no chão. Quando Cody levou um dos seus brinquedos até a mãe, ela teve o cuidado de deixá-lo tomar a iniciativa. É claro que, por estar acostumado com a intervenção da mãe, ele geralmente largava um brinquedo, como seu pequeno xilofone, no colo da mãe e pedia que ela tocasse, enquanto ele observava. Agora, para incentivá-lo à independência, Daryl tirou o xilofone do seu colo, colocou-o na mesa de centro e entregou o martelinho para ele. "Cody, *você* toca para a mamãe", falou, em tom alegre. Cody tentou segurar o braço dela, uma mensagem clara que dizia: "Não, *você* faz isso", mas em vez de reforçar a dependência, Daryl permaneceu firme. "Não, Cody, *você* toca, não a mamãe", ela repetiu.

Em alguns dias, Cody tocava sozinho. Em outros, ele se enfurecia. Em uma questão de semanas, porém, ele se tornou mais confortável para divertir-se sem a intervenção de Daryl. A mãe estava tão contente que tendia a exagerar nos elogios. Entretanto, ela descobriu que dizer "Muito bem, Cody" tendia a perturbar a concentração do menino e o impedia de continuar. Sua voz servia como um lembrete da sua presença, e ele queria imediatamente reverter ao antigo padrão de interação. Eu sugeri que ela esperasse dez ou quinze minutos antes de aplaudir as brincadeiras independentes do filho. E ela deveria cumprimentá-lo de um modo mais casual, em vez de fazer um grande alarde.

Defina limites e fique firme neles. Nesse ponto, Cody podia brincar por conta própria apenas quando a mãe estava no mesmo cômodo, mas estava muito mais independente do que antes. É importante observar o progresso, mas não travar em determinado ponto. É fundamental continuar levando a criança rumo ao objetivo, que nesse caso era fazer com que Cody suportasse a ausência da mãe. Pouco a pouco, Daryl começou a afastar-se dele e, finalmente, conseguiu levantar-se e sentar no sofá, de modo que agora ele brincava a mais ou menos dois metros de distância. Embora isso fosse muito difícil para ela, Daryl também tratou de se ocupar, lendo ou cuidando do orçamento doméstico. Sempre que Cody ia até ela para sentir-se melhor, ela dizia: "Estou bem aqui. Não fui a lugar nenhum." A mãe, então, voltava ao que *ela* estava fazendo, dando ao menino a mensagem de que era hora de voltar à atividade *dele*.

Uma coisa era Daryl sair do chão e ir para o sofá, mas outra bem diferente seria deixar a sala. Quando tentou pela primeira vez, dizendo (e falando sério): "Eu já volto, Cody. Tenho de pegar algo na cozinha", ele começou a chorar imediatamente, parou o que estava fazendo e correu atrás dela. Daryl parou e voltou à sala. "Cody, eu disse que já voltava. Eu posso ver você da cozinha, e você também pode me ver."

Dê algum controle ao seu filho. Este era o momento ideal para apresentar a Cody um objeto de transição ao qual ele poderia recorrer na ausência da mãe, algo que *ele* poderia controlar (ver também páginas 194-196). Uma vez que ele não parecia preferir um bichinho de pelúcia ou adotar algum tipo de cobertorzinho por conta própria, Daryl lhe deu uma camiseta macia e bem usada e sugeriu que ele a segurasse para a mamãe até ela voltar. Ela continuou falando com ele, enquanto saía da sala e enquanto estava na cozinha. Ao longo de semanas, ela tornou os períodos de ausência cada vez mais longos, mas com incrementos de apenas um minuto por dia.

Uma vez que podia sair da sala e permanecer fora por bons quinze minutos, Daryl começou a lidar com a hora do cochilo – uma transição classicamente difícil para uma criança pequena e dependente que se preocupa com a possibilidade de a mãe não estar ali quando despertar; portanto, ele raciocina, é melhor nem dormir. Agora, quando o coloca-va no berço para cochilar, Daryl também lhe dava a camiseta. No início, o menino jogou-a sobre a grade do berço. Contudo, Daryl recolheu-a com calma e a segurou, junto com a mão de Cody. Ela permaneceu com ele, falando em tom suave e reconfortante. Aqui ela também trabalhou *gradualmente*, permanecendo um minuto menos a cada dia.

Não desista com muita facilidade, se o seu filho inicialmente rejei-tar um item de segurança. Em vez de presumir que ele não o deseja, continue oferecendo. Tenha paciência. Apresente o objeto quando ele precisar acalmar-se – e quando você estiver acalmando-o –, para que ele comece a fazer a associação. Tenha em mente que o seu objetivo é ajudá-lo a desenvolver sua independência emocional e também a man-ter o foco de atenção por mais tempo. Quando ele não estiver mais tão preocupado por você estar ou não ali, conseguirá concentrar-se melhor e atentar para os seus próprios interesses por períodos cada vez mais longos.

Alegre-se com as pequenas vitórias. Daryl sabia que estava com pro-blemas quando Cody subitamente apegou-se tanto à sua camiseta que a queria ao seu lado ou nas suas mãos quase o tempo todo. Daryl co-meçou a chamá-la de seu "lovey" (algo como "amorzinho", um termo criado pelo pediatra T. Berry Brazelton), e logo o menino usava o mesmo termo. Certo dia, Daryl perguntou ao filho, com esperteza: "Onde podemos guardar o seu amorzinho para que você sempre consiga encontrá-lo?" Ele enfiou a roupa atrás de uma almofada, na sala.

O teste máximo veio quando Daryl decidiu sair de casa. Na primeira vez, disse ao filho: "Vou à mercearia, querido, e Freda ficará aqui com você enquanto estou fora. Quer que o seu amorzinho lhe faça companhia enquanto eu estiver fora?" Cody não estava feliz, mas agora ele já usava o seu objeto de transição para dormir. Com relutância, ele o enfiou sob o braço.

Na verdade, todo o processo levou seis semanas. Poderia ter sido mais, se Cody fosse mais velho (ou se Daryl não tivesse se mantido firme no plano). Poderia ter levado menos tempo, se a mãe tivesse me ligado antes de os hábitos de Cody se tornarem tão arraigados. Este não é um caso isolado ou incomum. Em muitas famílias, hoje, os pais tendem a se concentrar *excessivamente* nos filhos. Eles fazem isso por amor e por um desejo de serem atenciosos. Quando a situação sai do controle e os pais sem querer limitam a independência emocional da criança, é preciso recuar um pouco.

Adeus às chupetas

Enquanto falamos sobre o tema da separação, seria descuido de minha parte não tratar do uso das chupetas. Talvez você tenha percebido que elas não estão entre os objetos de autocontrole mencionados nas páginas 194-196. Eu prefiro ver um bebê chupando o dedo ou uma mamadeira (com água), do que mastigando um objeto que ele não consegue levar à boca sozinho.

Não que eu seja totalmente contra as chupetas. Eu chego a recomendá-las para bebês com menos de 3 meses, quando o reflexo de sucção é mais intenso. Nesse ponto, um bebê ainda não tem capacidade física para encontrar suas mãos, e uma chupeta proporciona a estimulação oral de que ele precisa. Contudo, após adquirir o controle dos membros, se um adulto continua enfiando uma chupeta em sua boca, o objeto se torna um substituto (veja a página 285). A criança não o escolheu; ela não pode colocá-la na boca sem ajuda, de modo que não é um método de *autocontrole*. Ainda assim, a criança se torna dependente da sensação da chupeta em sua boca. E, se ela ainda não se livrou de sua chupeta aos 6 meses, o hábito se torna mais difícil de abandonar.

Na verdade, analisando os muitos devoradores do tempo relacionados ao sono que motivam os pais a me consultarem, eu descubro, com frequência, que o bebê é dependente de sua chupeta. Milhares de mensagens enviadas ao meu site na internet vêm de pais ansiosos que se levantam quatro ou cinco vezes por noite para devolver a chupeta à boca da criança. Uma das histórias, de uma mãe que me enviou um e-mail, serve de exemplo, espelhando a triste situação de muitos pais: Kimmy, 14 meses, dormia todas as noites com a chupeta na boca. Depois que ela caía em sono profundo, sua boca se abria e a chupeta caía. Uma vez que Kimmy estava muito acostumada à

Como lidar com o "cobertorzinho"

- **Deixe-o em paz!** A menos que o seu filho esteja usando de forma obsessiva um objeto de autocontrole – ficando o dia inteiro envolvido e excluindo outras atividades –, deixe-o em paz (isso não se aplica a chupetas; veja a seção "Adeus às Chupetas", nas páginas 298-302). Além disso, a melhor maneira de romper maus hábitos em crianças é ignorando-os. Ao tentar convencer, ou pior, brigar com seu filho por causa disso, você provavelmente apenas aumentará a dedicação do pequeno a esse objeto ou atividade que tanto adora. Eu garanto que, se você o deixar em paz, ele acabará por encontrar maneiras mais próprias (e aceitáveis) de desligar-se do resto do mundo.

- **Lave!** Itens de segurança de tecido ou felpudos devem ser lavados com frequência (e quando seu filho estiver dormindo). Se você esperar demais, o cheiro, além do objeto em si, se tornará fonte de conforto para ele. Portanto, lavar será quase tão traumático quanto levá-lo embora.

- **Duplique-o!** Se o seu filho gosta de um determinado bichinho de pelúcia ou brinquedo, compre pelo menos três iguais. Ele provavelmente não levará o seu cobertorzinho amado para a faculdade, mas conte com vários anos de uso e de desgaste.

- **Leve junto!** Se for viajar, não se esqueça de levar junto aquilo que faz seu filho se sentir seguro. Uma família perdeu o voo quando o pai se lembrou de que o ursinho adorado tinha ficado para trás.

sensação da chupeta, sua ausência invariavelmente a despertava – sua segurança tinha desaparecido. Nas noites "boas", Kimmy procurava a chupeta e a enfiava de volta na boca sozinha. Porém, com maior frequência, o objeto se emaranhava nas roupas de cama ou caía no chão. A pobre Kimmy despertava do sono profundo e em pânico gritava a plenos pulmões até que sua mãe vinha e a ajudava a encontrar a chupeta. Somente desse modo a menina podia voltar a descansar (assim como o resto da casa).

Também descobri que os pais às vezes prolongam a dependência da criança. Eles usam chupetas o dia inteiro, como um "cala a boca" – para acalmar a criança, ou pior, para fazê-la calar-se mesmo (e é por isso que na Inglaterra nós as chamamos de "dummies", algo como "bobo", ou "estúpido"), o que, obviamente, nada faz para ajudar a criança a aprender a ter autocontrole. Quando um pai ou mãe me diz algo como Josie disse ("Scooter não me deixa tirar sua chupeta"), insisto que o adulto atente para as *suas* necessidades. Afinal, é ele quem dá a chupeta; é ele quem está no controle.

"Eu sempre carrego a chupeta comigo, mesmo quando ele não pede", Josie confessou. Em resumo, a chupeta era a bengala *dela*, não de Scooter. Josie dotara a chupeta de propriedades mágicas: *ela manteria seu filho quieto. Com a chupeta sempre disponível, ela poderia fazê-lo cochilar*

Menino grande/ cama grande?

Muitos pais se perguntam qual será a hora certa para fazer a transição do berço para uma cama de verdade. Eu digo: espere o máximo que você puder! Muitas crianças na fase dos primeiros passos ainda têm a cabeça muito pesada; o resto do corpo precisa crescer para terem um equilíbrio. Além disso, espere até que ele esteja confortável no seu berço. De outro modo, você apenas estará dando a ele outro móvel de que ele não gostará. Nesse meio-tempo:

Mantenha uma cama no quarto dele. Em vez de investir em uma cama cheia de enfeites, da qual ele se cansará em um ou dois anos, compre uma cama de solteiro normal e adicione laterais para maior segurança.

Espere até o seu filho demonstrar interesse por dormir na cama. Se a cama for do tipo "box", comece apenas com o colchão, para que ele fique mais próximo do chão, e deite-o nele apenas na hora do cochilo, como um agrado especial.

Atente para os riscos – abajures e outras coisas que ele possa puxar e derrubar. Se você não tiver certeza, passe algum tempo no quarto observando-o, para ver se algo perigoso o atrai.

em qualquer lugar. Ela nunca se sentiria constrangida em público. Essa aparente mágica não apenas era uma ilusão, como também, ao oferecer a chupeta no momento em que o filho começava a ficar inquieto, Josie não permitia que o menino se expressasse – ela não o ouvia.

Se você está lendo este livro e o seu filho ainda usa chupeta, eu presumo que ele tem 8 meses ou mais. Obviamente, cabe a você tirá-la ou não dele. Eu percebo que isso pode ser assustador para alguns pais. Na verdade, uma tia de crianças de 4 e 5 anos resumiu deste modo sua relutância: "É a única coisa que eu tenho." Ainda assim, tenha em mente que sempre que uma criança não conseguir encontrar a chupeta, você será chamada para procurá-la. E quanto mais você esperar para ajudar a desenvolver estratégias de autocontrole, que por sua vez apoiarão a independência do seu filho, mais difícil será livrar-se da vexatória chupeta – e mais noites em claro você terá. No quadro abaixo, eu apresento métodos para romper o hábito. Apenas você pode descobrir quais funcionam melhor para o seu filho.

Dois métodos para abandonar a chupeta

Quanto mais idade tiver o seu filho, mais difícil será largar o hábito da chupeta, independentemente do método usado. De qualquer modo, antes de tentar eliminá-la, apresente um objeto de conforto a ele, caso ainda não tenha um (releia o caso de Cody nas páginas 292-298). Depois que ele se apegar a uma roupa macia ou a um bichinho de pelúcia, pode ser que ele se torne automaticamente menos dependente da chupeta.

Eliminação gradual. Comece reduzindo durante o dia. Por três dias, deixe que seu filho comece os cochilos com a chupeta, mas assim que ele adormecer, tire-a dele. Durante os três dias seguintes, elimine a chupeta na hora do cochilo (suponho que você já o acostumou com um objeto de transição ou apego). Diga, simplesmente: "Sem chupeta para a hora do cochilo." Se ele chorar, conforte-o, em vez de enfiar um objeto sem graça na boca do pobrezinho. Dê-lhe o objeto de segurança, abrace-o ou acaricie-o, dando a ele o conforto da sua presença física, e diga: "Você está bem, querido. Você pode dormir agora."

Depois que o seu filho estiver acostumado a tirar sonecas sem a chupeta – isso leva geralmente uma semana para bebês de até 8 meses, e pode levar um pouco mais de tempo para crianças acima dessa idade –, faça a mesma coisa à noite. Primeiro, deixe que ele durma com a chupeta na boca e depois tire-a. Ele poderá acordar no meio da noite pedindo a chupeta, o que provavelmente já faz há tempos. A diferença agora é que você não a devolverá a ele. Conforte-o com gestos, não com conversa, e garanta que ele tenha seu objeto de conforto à mão. Não ceda, nem aja como se tivesse pena dele. Afinal, você está fazendo algo bom ao ensinar-lhe a habilidade de ir dormir sem depender de algo.

Retirada repentina. Não recomendo a retirada súbita para crianças com menos de 1 ano, porque elas não entendem o que significa "para sempre". Entretanto, crianças mais velhas às vezes não têm problema para abandonar a chupeta, especialmente quando percebem que ela simplesmente não está mais lá. Como uma mãe da Inglaterra disse à sua filha: "Ah, benzinho, a chupeta se foi."

"Para onde?", perguntou a filha.

"Para a lixeira", disse a mãe, em tom leve.

A menina provavelmente nem sabia o que era a lixeira, mas aceitou a partida da chupeta e foi em frente com sua vida. Algumas crianças choram por uma hora, mas depois parecem esquecer o objeto. Outras continuam pedindo e permanecem tristes, mas isso geralmente dura apenas alguns dias. Por exemplo, Ricky, de 22 meses, ficou absolutamente maluco quando o pai lhe disse, certo dia: "Sua chupeta se foi. Ela estava estragando os seus dentes." Ricky não poderia se preocupar menos com seus dentes. Ele chorou muito, mas o pai, pensando no bem do filho, não demonstrou nenhuma emoção em resposta às lágrimas do filho. Ele não disse: "Ah, coitadinho do Ricky, perdeu sua chupeta." Três noites depois, Ricky superou a perda.

Uma abordagem combinada. Alguns pais fazem uma combinação de eliminação gradual e retirada repentina. Para romper o hábito da chupeta para Ian, 11 meses de idade, Marissa tornou o abandono do objeto uma parte do ritual de despertar. Todas as manhãs, ela cumprimentava o filho, dava-lhe um grande abraço, estendia a mão e dizia: "Agora é hora de dar a chupeta para a mamãe." Sem qualquer problema, Ian entregava o objeto. Observando-o à noite, Marissa percebeu que a chupeta não era um hábito que perturbava o sono de Ian, porque ele não despertava quando ela caía da sua boca. Assim, certa noite Marissa finalmente comunicou ao menino: "Chega de chupeta. Você já está grandinho."

Seja qual for o método usado, seja realista. Afinal, isso é uma espécie de "abstinência" para o seu filho; mas não desista. Algumas noites de choro são esperadas, mas depois tudo melhorará. E no futuro, a história de como vocês se livraram da chupeta fará parte das lendas da família.

Os devoradores do tempo

Phillip: acessos crônicos de birra

Embora eu tenha abordado as estratégias para birras no capítulo anterior (páginas 261-268), quero apontar aqui que quando os pais cedem repetidamente às birras, o comportamento exigente e descontrolado de uma criança pode tornar-se um devorador do tempo devastador. Além disso, as birras geralmente indicam a existência de outros problemas, um deles sendo o da perda da autoridade dos pais.

Passei uma hora ao telefone com Carmen e Walter, pais moradores de St. Louis, nos Estados Unidos, que ligaram para falar sobre o filho de 22 meses de idade. Phillip, para usar as palavras desses pais, "transformou-se em uma criança horrivelmente agressiva e má" quando Bonita, agora com 6 meses, nasceu. Parece que o menino não suporta quando a atenção dos pais não está focada nele, especialmente se o alvo da atenção é a irmãzinha. Quando Carmen troca Bonita, por exemplo, Phillip com frequência tem um acesso de raiva. Para acalmá-lo, Carmen tenta fazer-lhe carinho, mas então ele a chuta e morde. Quando isso não funciona, o pai intervém, dizendo: "Isso não é legal, Phillip", e os adultos acabam rolando no chão, na tentativa de acalmá-lo.

À noite, o garotinho dorme entre os pais e não pega no sono a menos que segure a orelha do pai ou da mãe. Se ele belisca ou puxa, eles deixam. Ninguém jamais disse a ele: "Isso dói." Nem preciso dizer que os pais estão exaustos. A avó, Rosa, que vive a centenas de quilômetros de distância, tenta vir pelo menos uma vez por semana para que Carmen possa descansar um pouco, mas ninguém passa um tempo a sós com Phillip.

Carmen e Walter tentam impedir o problema antes que ele comece, ou pelo menos é o que pensam que estão fazendo. Por exemplo, eles me contaram que, quando levaram Phillip e Bonita recentemente para um passeio, eles deixaram que o menino levasse uma grande sacola com brinquedos no carro. Isso não fez diferença, porque o menino logo se cansou deles. E, quando ele se aborreceu, tentou tirar o cinto de segurança. "Se você soltar o cinto, eu vou parar o carro!", Walter gritou,

303

ameaçando. "Sente-se aí até chegarmos em casa – ou você terá de se ver comigo, menino!" Phillip finalmente parou, mas Walter precisou elevar a voz vários decibéis para que o filho o escutasse.

Para mim, ficou muito claro que todos estavam deixando que o menino controlasse a situação. Ele não tinha nem 2 anos ainda, mas Carmen e Walter já tentavam argumentar com ele. Ao se recusarem a estabelecer limites – na verdade, abdicando de sua responsabilidade como pais –, a mãe e o pai de Phillip estavam, sem querer, ensinando o filho a manipular as pessoas. Seu comportamento "agressivo" e "mau" era, de fato, um pedido por limites.

"Amar não é deixar que seu filho se agarre à sua orelha, permitindo que ele inflija dor sem dizer uma palavra", eu disse a Carmen e Walter, com a maior delicadeza possível, "nem tem a ver com dar a ele um monte de brinquedos para alegrá-lo. E certamente, amar não é deixar que ele tiranize vocês e a irmãzinha. Seu filho está clamando por limites – gritando, na verdade. Eu temo que seja uma questão de tempo antes que ele machuque a irmãzinha. *Isto* certamente faria vocês prestarem atenção nele, não?"

"Mas somos uma família tão amorosa", Walter repetia. E eram, sem dúvida. Carmen era calma e falava em tom brando, e o pai também era claramente um homem sensível. "Antes, Phillip era um amor de criança", Carmen acrescentou. Eu não duvidei disso, mas em algum ponto, os dois precisariam começar a ser pais. Phillip precisava mais que amor – ele precisava que os pais lhe dessem limites.

"Vamos começar com os acessos de birra", sugeri, porque este era o problema mais urgente. "Sempre que ele perder o controle, vocês precisarão fazer algo que lhes pareça confortável", expliquei. "Por exemplo, quando ele começar a fazer birra, digam: 'Isto é inaceitável.' Levem o menino para o quarto, sentem-se ao seu lado, mas não conversem com ele."

Carmen e Walter concordaram. Contudo, em vez de se alegrarem após sua primeira tentativa – que funcionou, a propósito –, eles começaram a ter pena do garoto. "Não queremos ser pais rígidos ou deixá-lo triste", Walter admitiu. "Quando lhe dissemos que seu comportamento era inaceitável, ele baixou a cabeça e saiu de perto de nós."

Eu expliquei que, muito provavelmente, Phillip inicialmente tinha acessos espontâneos de birra – por frustração, cansaço e um pouco de ciúme de Bonita, a pequena intrusa de rostinho rosado que estava roubando o tempo dos pais com ele. Em vez de cortarem o comportamento pela raiz, os pais o reforçaram, tentando adulá-lo e apaziguá-lo sempre que ele perdia o controle. E agora, Phillip sabe exatamente como ganhar a atenção dos pais.

Tentei fazer também com que esses pais vissem o quadro mais amplo. "Regras, limites e desapontamento fazem parte da vida. Phillip precisa ser preparado para a realidade de que os professores lhe dirão 'não'. E quando ele não conseguir entrar para o time de beisebol, ou quando levar o primeiro fora de uma namorada que o trocou por outro garoto, essas derrotas partirão seu coração. Mesmo assim, ele precisa ser capaz de lidar com momentos dolorosos, e *vocês* precisam proporcionar a ele as habilidades necessárias. Além disso, vocês não acham melhor que ele aprenda essas lições agora, nas mãos de pais amorosos, em vez de aprender com o mundo cruel?"

Com base nos incidentes relatados por Walter e Carmen, nós elaboramos um plano simples:

Primeiro, *eles* precisavam tornar-se responsáveis. "Escutem o que estão dizendo: 'Phillip não me deixa...' Uma coisa é minha filha de 15 anos insistir, dizendo 'Minha mãe não deixa', mas quando vocês dizem 'Meu *filho* não deixa', o que será que está acontecendo? Até que ponto vocês perderam o controle em sua casa, para que um menino de 2 anos não 'deixe' seus pais fazerem algo? Vocês querem que ele fique feliz o tempo todo. Mas se não intervirem *agora*, esta criança começará a manipular o ambiente... porque vocês estão permitindo que ele faça isso."

Em segundo lugar, eles deviam começar a afirmarem-se como pais. Sugeri que limitassem as opções do filho durante o dia – nas refeições, um de dois tipos de cereal; no carro, um de dois brinquedos. Contemplando essa parte do plano, Carmen perguntou: "Mas e se ele choramingar e disser 'Eu quero esses aqui também', e pegar a sacola cheia de brinquedos, como sempre?"

Eu lhe disse que ela precisava ter *autoridade*. "Você diz: 'Não, Phillip. Você pode levar o seu robô *ou* o seu caminhão.' Você não pode deixar que ele a controle", salientei.

Finalmente, se Phillip tivesse um acesso de birra enquanto qualquer dos pais estivesse brincando com Bonita ou trocando-a, eles diriam: "Phillip, isto é inaceitável." Se ele continuasse, eles deveriam levá-lo para outro cômodo, mesmo se ele gritasse e esperneasse. Alertei-os de que, nessa idade, o comportamento sempre fica pior antes de melhorar.

Shannon: loucura na hora das refeições

Embora os pais não necessariamente percam o sono por isso, maus hábitos na hora das refeições podem ser embaraçosos, irritantes e um desperdício colossal de tempo. O pior é que maus hábitos alimentares podem durar por anos. O problema começa inocentemente – os pais podem ser adeptos das boas maneiras ou se preocupar porque o filho não está comendo o bastante. Eles podem forçar ou adular o filho para que coopere. De qualquer forma, isso não apenas os faz perder a batalha, mas os dramas na hora das refeições então contaminam o restante do dia.

Carol havia pedido que eu a visitasse porque sua filha Shannon, de 1 ano, estava se tornando "extremamente teimosa". Ela dizia "não" para tudo. Por si só, este não parecia ser um grande "problema", já que a maioria das crianças dessa idade passa por um estágio de negatividade. Contudo, o que frequentemente acontece é que os pais dão demasiada atenção à negatividade e reforçam acidentalmente os comportamentos negativos que, depois, voltam para assombrá-los.

Eu cheguei na hora do almoço. Shannon estava no cadeirão. A mãe tentava dar a ela um pedaço de pão doce, embora a menina insistisse em jogar a cabeça para trás e se afastar dela. A mãe e a filha pareciam mais aborrecidas a cada minuto que passava.

"Tire-a da cadeira agora", sugeri.

"Mas ela não comeu todo o pão."

Eu pedi que Carol observasse com atenção. Sua filha estava remexendo as pernas, fazendo caretas – seu rosto estava contorcido e seus lábios eram uma fina linha apertada. Mesmo assim, a mãe suplicava:

"Só mais um pedacinho, querida, por favor... Abra a boca."

Nesse ponto, Carol achou que o problema era o pão. "O que você quer então, querida? Quer cereal? Quer uma banana? E iogurte? Eu também posso lhe dar melão. Está vendo?"

Shannon recusava-se a olhar. Em vez disso, ela apenas estava sentada ali, balançando a cabeça de um lado para outro, aparentemente com mais veemência a cada oferta.

"Tudo bem, então", Carol finalmente disse. "Eu vou tirá-la daí."

Ela tirou a filha do cadeirão, lavou as mãozinhas dela, e Shannon se afastou. Carol foi atrás dela até a sala de brinquedos com uma tigela de purê de maçã em uma das mãos e um pedaço do que restara do pão na outra. "Mmmm...", disse, atrás de Shannon, que continuava andando. "Delicioso. Pegue um pedacinho... só um pedacinho, querida."

Isso é que é desrespeito a uma criança!

"Você acabou de dizer a ela que a hora de comer terminou", eu disse, recitando o óbvio. "Agora, ela está no 'modo brincar' e você ainda a segue. Olhe só: ela está no chão, puxando brinquedos, e você a persegue, tentando colocar pedaços de comida em sua boca."

Carol olhou para mim, finalmente entendendo. Conversamos um pouco mais, e eu perguntei sobre outras partes do dia de Shannon. Descobri, então, que Shannon "não cooperava" também na hora do banho nem na hora de dormir. "Você sempre oferece a ela diversas opções, como fez na hora do almoço?", perguntei, em determinado momento.

Carol pensou um pouco, antes de responder: "Bem, sim", disse, com orgulho. "Eu não quero impor a *minha* vontade a ela. Quero que ela aprenda a pensar por si mesma."

Eu pedi que ela me desse exemplos.

"Bem, na hora do banho eu pergunto: 'Você quer ir para o banho?', e quando ela diz que não, eu digo: 'Ok, você quer brincar mais alguns minutos?'"

Sabendo muito bem que Shannon não tinha a menor ideia do que significavam "mais alguns minutos", e tendo visto situações assim mais vezes do que consigo contar, interrompi:

"Deixe-me tentar adivinhar o que acontece depois. Quando alguns minutos se passam, você lhe dá um pouco mais, e talvez ainda mais alguns minutos depois disso. Finalmente, você fica tão irritada que a pega e a arrasta para o banho. Neste ponto ela provavelmente está esperneando e gritando, certo?"

Carol olhou-me, surpresa. Eu continuei:

"E eu aposto que depois de vesti-la, você *pergunta* se ela quer dormir, certo?"

"Certo", respondeu Carol, com voz mansa. "E ela sempre diz não."

Eu pude ver que essa mãe estava começando a ver aonde esta conversa levaria.

"Carol, ela é uma *criança*. Você é a mãe!", observei.

Expliquei que o comportamento de Shannon na hora das refeições era sintomático de um problema maior: Carol estava dando a ela muito controle e demasiadas opções – e essas opções eram falsas, para começo de conversa. Uma opção real é quando o pai ou a mãe escolhe duas alternativas aceitáveis e diz à criança: "Você pode comer pão ou iogurte", em vez de oferecer uma lista interminável. "Você quer tomar banho agora?" não é uma escolha real, porque sabemos que a criança *precisa* tomar banho. Além disso, esse tipo de pergunta exige uma resposta de "sim" ou "não", o que dá à criança uma saída fácil (mais sobre a oferta de opções nas páginas 246-247).

Ironicamente, embora ela cedesse um controle excessivo à filha, ela não lhe dava respeito suficiente. "Quando ela não estiver com fome, não a faça ficar sentada", aconselhei. "Escute sua filha. Aja de acordo com as necessidades físicas dela, não com o seu desejo de ter uma menina

Os devoradores do tempo

'boa de garfo'. E, pelo amor de Deus, não fique andando atrás dela. Isso apenas piora as coisas. Você precisa *prepará-la* para o que espera que ela faça, não pegá-la de surpresa."

Eu alertei Carol: "Não serão necessários muitos *rounds* desse drama na hora de comer, antes que Shannon se recuse de vez a ir para o cadeirão. Ela associará comer com uma situação estressante. E isso certamente não melhora o apetite de uma criança. Você não vencerá esta luta pelo poder, Carol."

Aqui, tínhamos o devorador do tempo em formação, uma situação que provavelmente pioraria nos meses seguintes: Shannon já estava bem adiantada no caminho de se tornar a Rainha-Bebê, a ditadora da casa. Sua teimosia só iria aumentar. E, se os pais não lhe dessem limites e ensinassem a se controlar em casa, como poderiam esperar que ela agisse apropriadamente *fora* de casa?

"Nem mesmo tente levar esta criança a um restaurante, até recuar e deixá-la ver que você a respeita e que a hora da refeição não precisa ser uma luta sem fim", aconselhei. "Se você não fizer isso, garanto-lhe que em um local público ela fará o possível para perturbar a sua refeição. E, quando você visitar seus familiares para o jantar de Ação de Graças, Shannon também não sentará à mesa lá. A vovó vai ter um ataque, porque Shannon estará correndo por todos os lados, derrubando coisas no sofá, e você sentirá vontade de se esconder debaixo dele!"

Nos dois meses seguintes, Carol e eu mantivemos conversas semanais por telefone. A primeira parte do plano era trabalhar nas refeições. Carol deveria tornar claro que, se Shannon quisesse comer, seria na mesa (em seu cadeirão), mas ela também terminaria a refeição quando a menina não quisesse mais comer.

Em duas semanas, Shannon aprendeu a regra – sem cadeirão, sem comida. Ela começou a acreditar que, quando terminasse de comer, não precisaria jogar a cabeça para trás ou espernear, para dar o seu recado. Ela sabia que, quando levantasse os braços, em vez de forçá-la a continuar sentada, Carol a ajudaria a descer. E, muito importante, Carol também melhorou. Em vez de oferecer falsas opções, e permitir que

309

Shannon desse as cartas, ela tornou-se melhor na verbalização de opções reais ("Você quer ler na cama com mamãe ou papai?" e "Você quer o livro sobre fadas ou aquele com o dinossauro?"). Desnecessário dizer que outras partes do ritual diário também ficaram mais fáceis. É claro que a pequena Shannon ainda tem seus momentos de negatividade, mas Carol agora está no comando e não desperdiça mais várias horas todo dia entrando em batalhas que nunca vencerá.

Certamente, desfazer um problema crônico é tão cansativo, no início, quanto lidar com o próprio devorador do tempo. Contudo, é importante ver sob uma perspectiva maior. Tenho certeza de que você não quer que o seu filho continue tendo problemas para dormir, acessos de birra excessivos ou qualquer desses outros problemas quando ele tiver 3 ou 4 anos. Portanto, é melhor lidar com esses desafios *agora*. Mais algumas semanas ou até meses de dias difíceis e noites insones valem a pena, para alterarmos qualquer situação que saiu dos trilhos.

Tenha em mente também o quadro mais amplo. A criação de filhos é não apenas um trabalho difícil, mas também o mais importante que você terá. Criar os filhos sozinha ou como parte de uma equipe exige criatividade, paciência, esperteza e uma expansão dos seus limites maior do que qualquer coisa que você já tenha feito, especialmente no que se refere à disciplina. E, como você verá no último capítulo deste livro, esta visão atenta e com uma perspectiva de longo alcance se tornará ainda mais importante quando você decidir expandir a sua família.

CAPÍTULO NOVE

Quando três se tornam quatro: o aumento da família

Nada é permanente; exceto a mudança.

— Heráclito

É só um pouco mais fácil governar uma família que todo um reino.

— Montaigne

Mais Segredos da Encantadora de Bebês

A grande questão

Perguntar aos pais de uma criança pequena quando eles terão mais um filho, ou se estão tentando engravidar novamente, é o bastante para fazer tremer suas bravas almas. Certamente, alguns casais são planejadores metódicos. Mesmo antes da concepção do primeiro filho, os parceiros parecem saber qual será o melhor espaçamento entre filhos (pelo menos para eles) e, se tiverem sorte e poder de decisão suficientes, seus corpos cooperarão. Entretanto, nem todo mundo tem essa paz de espírito ou boa sorte. De fato, minha experiência diz que a questão de ter outro filho – e, se sim, quando –, em geral está carregada de indecisão e preocupação. Será que poderemos lidar com isso? Poderemos arcar com os custos? Se o primeiro filho era uma criança fácil de lidar, será que continuaremos com sorte? Se foi um bebê difícil, seremos capazes de passar por isso outra vez?

Durante a primeira gestação, o casal pode ter tido preocupações vagas, mas agora eles *sabem* como é realmente ser pai e mãe – como isso é gratificante e também cansativo, como é emocionante e também complexo. Os pais de uma criança pequena já têm uma família. Será que querem mesmo torná-la maior?

Neste capítulo, examinaremos o tema dos futuros filhos e o tamanho da família, como preparar-se e ajudar o seu filho a lidar com um irmão e, também importante, como manter sua própria estabilidade e a de seu relacionamento. É bom ter em mente que, à medida que você adiciona novos membros à família, cresce também o número de personalidades que precisarão ser acomodadas. Você precisa estar preparado não apenas para os prazeres de uma prole em crescimento, mas também para os problemas que poderão surgir.

Ser ou não ser (uma gestante de novo)

Não se engane: esta *é* uma decisão importante. Certamente, pai e mãe precisam pesar se há dinheiro suficiente no banco, espaço na casa e, é claro, amor em seus corações para darem ao segundo filho o tipo de carinho e atenção de que ele precisará. Em geral, a mãe é quem precisa pensar em sua carreira: se ela a abandonou para cuidar do primeiro filho, estará disposta a ficar em casa ainda mais tempo para cuidar de outro bebê? Se ela já voltou ao trabalho, e foi difícil dividir seu tempo entre o primeiro filho e o emprego, será que poderá dar conta de tudo com dois filhos? O contrário também pode ocorrer: com o primogênito, a mulher descobriu que cuidar de uma criança era tudo o que ela precisava – ela adorou amamentar, aconchegar e cuidar de um bebê bem mais do que imaginou ser possível. Quando o bebê começou a andar, parou de mamar ou começou a falar, ela soube que a lua de mel havia acabado e sentiu saudade de ter um bebê em seus braços. Mesmo assim, ela precisa se perguntar se está realmente pronta para passar por tudo isso novamente.

Outros parceiros não concordam em relação ao momento ou até mesmo se devem ou não ter um segundo filho, e o debate subsequente pode se tornar uma tormenta difícil de superar em um relacionamento (veja as páginas 344-354 para saber mais sobre casais). Não existe algo como "um pouquinho grávida", querida, e os casais *precisam* resolver as diferenças. Cada um precisará investigar honestamente *por que* deseja um segundo bebê. Será por pressão de parentes ou amigos? Será por algum motivo enraizado em suas infâncias? Ou por que um ou os dois têm algo contra filhos únicos e pensam que *precisam* dar um irmãozinho ao filho que já têm? Será que o relógio biológico está correndo rápido demais? Ou todas as questões acima?

A seguir, você lerá histórias de três casais que se descobriram no dilema de terem ou não outro filho. Dois deles sofreram para tomarem uma decisão; um dos casais teve uma pequena ajuda da Mãe Natureza.

John e Talia. A primeira filha tão aguardada de John e Talia, Kristen, agora com 3 anos, veio ao mundo após cinco anos de tratamentos para infertilidade e dois abortos espontâneos. Talia, que estava com quase 40 anos, sabia que suas chances de engravidar novamente pelo uso de embriões congelados ficavam menores à medida que o tempo passava. Mas John, treze anos mais velho que a esposa e com dois filhos de um casamento anterior, não estava tão certo sobre terem outro filho. Ele certamente adorava seu "presente da meia-idade", como se referia à sua preciosa menininha, mas estaria na casa dos 70 anos quando Kristen chegasse à adolescência. Talia usava o argumento de John para apoiar seus próprios argumentos. "É exatamente *por isso* que é importante tentarmos ter mais um filho", ela insistia. "Kristy precisará de companhia – alguém além dos pais já idosos." Depois de alguns meses de indecisão,

---

Será que deveríamos... ou não?

Embora cada história do tipo "será que devemos ter mais um bebê" tenha sua própria trama, para tomar essa decisão os pais precisam considerar muitos fatores:

- **Preparo físico.** Quantos anos vocês têm, e qual é sua atual forma física? Vocês têm energia para cuidar de outro filho?

- **Preparo emocional.** Considere seu temperamento e sua disposição para investir mais tempo e energia. E vocês estão prontos para abdicar da intensa intimidade com seu primeiro filho?

- **Seu primeiro filho.** Qual é o temperamento dele, como foram seus primeiros meses e anos de vida? Até que ponto ele se adapta a mudanças?

- **Finanças.** Se um de vocês tiver de abandonar o emprego, terão condições de viver bem? Conseguirão pagar alguém para ajudar? Têm economias suficientes para emergências?

- **Carreira.** Você está disposta a deixar seus planos de carreira de lado por algum tempo? Será que ainda terá a chance de voltar quando as crianças forem um pouco maiores – e você se importa com isso?

- **Logística.** Vocês têm espaço suficiente para dois filhos? Onde o novo bebê dormirá? Será que ele pode dividir o quarto com seu primeiro filho?

- **Motivo.** Vocês realmente desejam esta criança ou sofrem pressão de outras pessoas? Vocês estão preocupados por serem pais de apenas uma criança? Será que a infância de vocês, com muitos irmãos ou nenhum, está influenciando sua decisão?

- **Apoio.** Especialmente se você é pai/mãe solteiro, quem o/a ajudará?

Quando três se tornam quatro: o aumento da família

John finalmente concordou com Talia. Ele não queria que Kristy crescesse sozinha. Para a surpresa de todos, Talia engravidou quase que imediatamente, e Kristen agora tem um irmãozinho.

Kate e Bob. Kate, proprietária de uma pequena loja de roupas, queria "dar um irmão ao meu filho", mas havia muitos outros fatores a considerar. Aos 35 anos, ela gostava de ter seu próprio negócio. Quando nasceu Louis, ela tirara uma folga de bom grado, mas sempre planejara voltar a trabalhar e assim o fez quando Louis estava com 6 meses. Isso, porém, não foi fácil, mesmo com uma babá trabalhando em turno parcial, porque seu menininho era um genuíno Enérgico, obstinado e com padrões de sono bastante irregulares. Em muitas manhãs, Kate precisara arrastar-se para a loja. Bob, que vinha de uma família de cinco filhos, queria pelo menos dois, e Lou já estava com 2 anos e meio. Para complicar as coisas, o pai de Kate estava morrendo. "Espero que ele viva o suficiente para ver a irmã ou irmão de Lou", dizia a mãe de Kate, acrescentando: "Eu também não vou ficar mais jovem."

Kate sentia-se torturada e culpada. Ela também sempre desejara dois filhos, mas a recordação das noites insones ainda estava viva em sua mente, e a ideia de voltar a usar bombas de leite e fraldas a deixavam em pânico. No fim, Kate cedeu e ficou feliz por isso. Malcolm, um menino Anjo, chegou poucos dias antes do quarto aniversário de Lou.

Fanny e Stan. Às vezes, embora um marido e esposa discutam ou argumentem acerca de terem mais um filho, a decisão *deles* é tomada por forças além do seu controle. Fanny e Stan, ambos com 40 anos, haviam adotado seu primeiro filho após perderem uma longa, longa batalha contra a infertilidade. O pequeno Chan, que chegou a eles vindo do Camboja quando tinha apenas 2 meses, foi a realização dos seus sonhos. O menino apegou-se imediatamente aos dois, adaptou-se facilmente à casa e era um bebê Anjo, muito fácil e agradável de tratar. Certa manhã, quando Chan estava com 5 meses de idade, Fanny despertou sentindo-se nauseada. Ela achou que havia contraído a mesma virose que Stan apresentara uma semana antes. Imagine seu choque quando o médico lhe comunicou a gravidez! Embora a notícia fosse maravilhosa, ela imaginou se teria energia para dois filhos com menos de 2 anos, sem mencionar os recursos financeiros. Entretanto, era inútil preocupar-se com essas coisas àquele ponto, porque o bebê número dois já estava a caminho.

Se vivêssemos em um mundo perfeito, tudo se encaixaria corretamente no seu devido lugar. Ponderando sobre a decisão de ter mais um filho, você percorreria uma lista de considerações; depois disso perceberia, contente, que tudo estava certo. Você decidiria sobre a diferença etária (intervalo) entre os seus filhos (veja o quadro abaixo). E você ficaria grávida no momento em que desejasse.

Com maior frequência, porém, os pais precisam lidar com o fato de que nem tudo sai como planejado. Gostaríamos de ter mais dinheiro no banco, mais espaço, mais tempo com o primeiro filho. Ou poderíamos não ficar muito animados por engavetar determinado projeto por algum tempo. Ainda assim, nos sentimos divididos. O relógio biológico está correndo, ter o primeiro filho foi muito divertido, e seu parceiro pressiona, querendo mais um bebê. Embora nem tudo seja perfeito, você salta de cabeça (ou não; veja o quadro da página 318).

Diferentes idades/diferentes estágios

Não existe um momento "ideal" para ter um segundo filho. Em última análise, você precisa decidir o que é melhor para você e torcer para que a Mãe Natureza coopere.

11-18 meses. Alguns pais preferem ter filhos com intervalo de um ano uns dos outros, mas qualquer diferença etária pequena é difícil. Os dois bebês usam fraldas e você precisa duplicar o equipamento para bebês. Disciplinar a criança mais velha também pode ser mais difícil, porque a vida diária é fisicamente cansativa. A parte boa é que você supera os anos mais difíceis antes, diferente de quando as crianças vêm em intervalos maiores.

18-30 meses. Esta fase cai bem no meio do primeiro período de negatividade do primeiro filho e é um momento em que ele apresenta ambivalência quanto à independência. A criança mais velha não terá tanto de você quanto precisa ou deseja.

Atenção e um tempo reservado para a criança mais velha podem remediar muitos problemas. E, dependendo do temperamento do primeiro filho, ou surgirão muitas brigas ou um vínculo forte e duradouro se estabelecerá entre os dois.

2½ a 4 anos. A criança mais velha está menos propensa a sentir ciúme, porque está mais independente, tem seus próprios amigos e uma rotina estável. Em virtude do maior espaçamento, os dois não são companheiros compatíveis de brincadeiras e podem não ser tão íntimos ao crescerem, embora seu relacionamento possa mudar com o aumento da idade.

Mais de 4 anos. No nascimento do bebê, a criança mais velha com frequência se sente desapontada com aquele pedacinho de gente, porque havia imaginado um companheiro instantâneo de brincadeira. Ela pode participar mais nos cuidados do irmão menor, mas os pais precisam ter o cuidado de não a tornar *excessivamente* responsável. Existe menos rivalidade entre irmãos e, muitas vezes, também menos interação.

A espera

Seus hormônios estão agitados, há uma nova vida crescendo dentro de você, e seu filho corre à sua volta. Em alguns dias, você se sente no paraíso, imaginando uma cena idílica com sua família feliz – à mesa de jantar, ao abrir presentes na manhã de Natal ou talvez ao visitar um parque de diversões nas férias. Em outros dias, você se sente no inferno. "Como vou contar ao meu filho?", você se pergunta. "O que posso fazer para prepará-lo? E se ele não ficar feliz com a notícia? E se meu parceiro mudar de ideia?" Enquanto sua mente fica remoendo esses pensamentos, você sempre acaba na pergunta mais temida de todas: "No que eu fui me meter?"

Nove meses podem parecer um longo tempo quando você está em uma montanha-russa emocional. Você precisa se cuidar, permanecer ligada ao seu parceiro e, ao mesmo tempo, ajudar o seu pequeno a se preparar. Vamos começar com os adultos.

Saiba que o que você está sentindo é normal. Não há um pai ou uma mãe que não diga: "Espero que estejamos fazendo a coisa certa" em meio a uma segunda gravidez. O pânico ataca em diferentes momentos

E qual é o problema em ter um único filho?

Pela primeira vez na história, existem mais famílias com filhos únicos nos Estados Unidos que famílias com dois ou mais filhos. Ironicamente, embora os pais atuais optem cada vez mais por um único filho, ainda há um forte preconceito *contra* ter só uma criança. Os preconceitos óbvios geralmente são verbalizados: um filho único é mimado e exigente. Ele nunca aprende a compartilhar. Ele espera que o mundo o aceite e o receba tão bem quanto seus pais superprotetores. Sem um irmãozinho ou irmãzinha, insistem os pessimistas, ele tende a ser solitário. G. Stanley Hall, psicólogo do começo do séc. XX, coloca a questão de forma ainda mais dura: "Ser filho único é a doença em si."

Ah, faça-me o favor! Os estudos mais recentes indicam que filhos únicos tendem a ter leve vantagem no que se refere à autoestima – e maior inteligência que os companheiros com um irmão. Obviamente, seus pais podem ter de se esforçar um pouco mais para fazerem muitos planos sociais para o filho e para incluir amigos em passeios da família, de modo que ele não seja o único foco de sua atenção. Eles precisam ser cuidadosos para manterem os limites e não tornarem o filho um "companheiro" com quem compartilham informações e emoções mais apropriadas a adultos. Contudo, um bom pai é um bom pai. Se há uma ou cinco crianças em casa, as habilidades, o bem-estar físico e emocional, e o amor e limites que os pais proporcionam significam bem mais que o número de lugares à mesa de jantar.

Um pouco de ambivalência sobre aumentar sua família é normal e compreensível, mas se após uma consideração cuidadosa a ideia de engravidar novamente perde a força, defenda o seu direito de ter um único filho. Não há problema em ter uma família de três. Enquanto seu filho cresce, saliente que esta foi *sua opção*. Culpa, desapontamento e arrependimento são mais eficientes para fazer com que uma criança se sinta privada de um irmão do que o fato de ela ser sua única. (Além disso, alguns irmãos crescem e nunca falam um com o outro!)

e por diferentes razões. Os meses iniciais podem ser suportáveis, mas quando você começa a ganhar peso e levantar o seu filho fica mais difícil, o parto iminente começa a parecer um desastre iminente. Ou a vida parece estar tranquila, mas de repente o seu filho passa por uma fase difícil. Você não consegue imaginar ter de lidar com *duas* crianças ou ter de passar por isso uma segunda vez. Sensações de medo podem invadi-la em momentos inesperados: você está andando pela rua com seu parceiro, talvez saindo de um cinema ou de um bom restaurante. Isso a lembra de como a vida era *antes* do seu primeiro filho. Do jeito que está, com pouco tempo para romance, você pensa com seus botões: "acho que estamos loucos por fazer isso novamente".

Quando o pânico bater, recite a prece da serenidade: "Deus, dai-me a serenidade para aceitar as coisas que eu não posso mudar, a coragem para mudar as coisas que eu posso e a sabedoria para saber a diferença." Querida, a gestação é algo que você *não pode* mudar, mas sua atitude é outra história. Assim, respire fundo, chame uma babá ou amiga e faça algo bom para você mesma (considere as sugestões nas páginas 354-357).

Fale sobre os seus medos. Recentemente, Lena, uma *designer* de interiores no sétimo mês de sua segunda gestação, e Carter, um contador, pediram-me que os visitasse porque estavam cheios de conflitos. Eu os havia conhecido quando Van nasceu, dois anos e meio antes.

Socorro! Mamãe precisa de ajuda! (atitudes a serem tomadas pelos papais)

A mamãe ficará ainda mais cansada durante sua segunda gestação do que na primeira. Ela não apenas está carregando um peso extra, mas também precisa correr atrás de uma criança pequena. O pai (ou qualquer pessoa que possa ajudar – a babá, os avós, uma tia, a melhor amiga, outras mães, uma pessoa paga para isso) deve vir em seu auxílio. O pai e os outros ajudantes devem seguir algumas destas instruções, ou todas elas:

- Tirar a criança dos cuidados da mamãe sempre que possível, e ter dias para sair com ele também.
- Fazer coisas na rua (supermercado, pagar contas etc.).
- Cozinhar ou trazer comidas prontas.
- Dar banho na criança – curvar-se é difícil e desconfortável para a mamãe.
- Não se queixar sobre o trabalho extra, porque isso fará a mamãe se sentir pior.

"Estou pensando principalmente no Van", disse Lena, "se lhe dou atenção suficiente agora. Será que poderei me dividir com um segundo filho?"

"Acho que não tivemos tempo suficiente com Van", Carter concordou. "E, agora, ter um outro filho..."

"Quando seria o tempo *certo*?", perguntei, sabendo muito bem que não existe algo como tempo certo. "E como vocês vão saber quando Van já teve tempo *suficiente* com vocês dois? Quando ele tiver 4 anos? 5?"

Os dois encolheram os ombros, entendendo aonde eu queria chegar. Sugeri que eles recordassem *por que* haviam decidido engravidar, sete meses atrás. "Nunca quisemos que Van fosse filho único", disse Lena. "Sempre planejamos ter dois filhos ou mais. Quando Van nasceu, eu parei de trabalhar por alguns meses, mas só progredi na minha carreira desde então. O trabalho vai bem para nós dois, de modo que estamos em excelentes condições financeiras. E nós imaginamos que Van estaria com 3 anos quando o bebê chegasse. Ele estaria em um grupo de brincadeiras com amigos e teria uma vida própria."

Eram argumentos razoáveis. Lena e Carter também haviam reformado parte da casa, optando por expandir o local em que moravam, em vez de se arriscarem a uma mudança para uma nova casa, o que perturbaria suas vidas. Obviamente, haviam feito o dever de casa. E, além disso, os dois pareciam gloriosamente felizes. Van era um menino maravilhoso, eles tinham uma babá muito boa que residia com o casal e Lena recentemente conquistara um prêmio por seu trabalho com *design* de interiores.

Contudo, não era só isso. Em primeiro lugar, Lena era alvo de um ataque de hormônios e estava com pelo menos 20 quilos acima do peso. Van com frequência mostrava-se triste porque a mãe não conseguia carregá-lo e ela tinha dificuldade em lhe explicar por quê. Lena também me contou sobre uma inesperada nuvenzinha cinza no plano cuidadosamente traçado por ela e por Carter. Impressionado pelo sucesso recente da *designer*, um homem muito rico havia pedido que ela o ajudasse a reformar sua mansão recém adquirida em Malibu. Embora este projeto pudesse lhe trazer muito dinheiro, prestígio e visibilidade, e muito provavelmente pudesse trazer muitos trabalhos adicionais, ele também significava tempo – tempo que uma mulher prestes a dar à luz seu segundo bebê não tinha.

Enquanto conversávamos, eu sabia que a causa do sofrimento de Lena era seu corpo e o espectro de uma oportunidade perdida, não a vinda de um segundo filho. "Você deve estar se sentindo como um velho cavalo de carga", falei, usando uma expressão de Yorkshire para cavalos que puxam o carrinho em uma mina de carvão. "Só isso já pode fazer com que a vida pareça sombria". É importante notar, também, que o telefonema do cliente parecia ser uma oportunidade única na vida de um profissional e Lena sabia, lá no fundo, que teria de rejeitá-la.

"Você precisa demonstrar seu desapontamento", eu disse. "Se tentar varrer isso para baixo do tapete, há uma boa chance de que ele ressurja e a ataque mais tarde. Pior ainda, você ficará ressentida com o bebê quando ele finalmente chegar."

Lembre-se de que a vida não é como o Burger King: você não pode ter tudo "do seu jeito". Todos temos desejos na vida, coisas que queremos fazer, mas não podemos ter ou fazer todas elas. Quando você tiver dúvidas, além de rever suas razões para engravidar, em primeiro lugar, e de *sentir* seu desapontamento pelas oportunidades perdidas, você deve aceitar que a vida é o que é. Como eu disse a Lena: "Você poderia tentar negociar este projeto com o homem, pedir para trabalhar e ainda atender às exigências da sua família, mas será que é isso o que você realmente quer fazer? Embora não pareça assim agora, você terá outras oportunidades de trabalho fabulosas, mas nunca mais terá a chance de passar tempo com seu bebê".

Alguns dias depois, Lena ligou-me para dizer que se sentia muito melhor. "Eu fiquei pensando na razão para decidirmos ter este bebê – este *é* o momento certo para nós. Eu também fiquei em paz com minha decisão de recusar este projeto, e agora estou até um pouco aliviada." A situação de Lena é comum entre outras mulheres atualmente. Com carreiras e filhos, algo sempre se "perde". Apenas lembre-se de que trabalhos vêm e vão, mas bebês são para sempre.

Pequenas crianças/grandes expectativas

Uma coisa é lidar com seus próprios problemas, outra bem diferente é lidar com uma criança pequena que pode não ter idade suficiente para entender por que a barriga da mamãe está aumentando ou por que você não pode mais erguê-la em seus braços. Aqui estão algumas medidas paliativas que podem tornar a transição um pouco mais suave.

Lembre-se de que o seu filho não entende tudo. Quando você diz: "Tem um bebê na barriga da mamãe", seu filho não tem a menor ideia do que isso significa (ei, já é bem difícil para os adultos entender o milagre da vida!). O seu filho pode apontar orgulhosamente para a sua barriga e repetir as palavras certas, mas não tem ideia do que o novo habitante da casa significará para *ele.* Não quero dizer, com isso, que você não deva prepará-lo; apenas que, quando o fizer, não crie muitas expectativas.

Não fale cedo demais. Nove meses é uma eternidade na vida de uma criança pequena. Se você disser ao seu filho: "Você terá um irmãozinho/irmãzinha", ele pensará que isso vai acontecer amanhã. Embora muitos pais contem a novidade meses antes da chegada do bebê, em minha opinião, quatro ou cinco semanas antes da data prevista do parto é tempo suficiente para começar (nesse meio-tempo, prepare-o de outras maneiras, como eu explico abaixo). Entretanto, você conhece o seu filho: baseie sua decisão na personalidade dele. Obviamente, se ele perceber que sua barriga está crescendo e perguntar sobre isso, faça disso o seu ponto de partida.

Independentemente do momento em que você contar a novidade, não complique muito: "Mamãe tem um bebê na barriga. Você terá [um irmão/uma irmã, presumindo que você saiba o gênero do bebê]." Responda com sinceridade a quaisquer perguntas que seu filho lhe fizer, como "Onde o bebê irá ficar?"

E-mail: A mãe que contou logo a novidade

Durante a nossa segunda gravidez, nós contamos para o nosso filho sobre o novo bebê, com a franqueza que poderíamos na idade dele. Contamos de onde vinha o bebê, como seria a vida quando ele viesse ao mundo etc. Tentamos preparar nosso filho mentalmente e acostumá-lo à ideia muito antes da chegada do bebê. Quando nossa filha chegou, compramos um presente para o nosso filho e dissemos que vinha da sua nova irmãzinha (uma ideia que tiramos de uma revista). Isso o ajudou a sentir que a irmãzinha o amava e não estava chegando à sua vida para ser má com ele.

ou "Ele vai dormir no meu quarto?". Além disso, tente passar a mensagem de que este bebê não virá ao mundo já andando e falando. Muitos pais dizem animadamente aos filhos: "Você terá um novo amiguinho." Então, eles trazem para casa uma criaturinha que não faz nada além de dormir, chorar e sugar o peito da mamãe. Quem não se sentiria decepcionado?

Seis meses antes da data prevista para o parto, inscreva seu filho em um grupo de brincadeiras. Compartilhamento e cooperação são lições que se aprende melhor com companheiros. Mesmo se a diferença etária for pequena, seu filho mais velho terá pouco em comum com o bebê. Apenas gêmeos aprendem um com o outro sobre compartilhar. Estar com outras crianças pelo menos dará a ele algum entendimento do que é compartilhar. Mas não espere que ele dê este salto automaticamente, assim que o bebê nascer. Ele já terá dificuldade suficiente para entender o conceito de compartilhar brinquedos; portanto, não tenha expectativas altas demais no que se refere a compartilhar *você*.

Demonstre carinho por outras crianças. Deixe que seu filho a veja interagindo com outras crianças (uma boa ideia, mesmo se você não estiver grávida; veja o quadro da página 225). Algumas crianças não se importam quando veem a mãe beijando ou segurando outra criança. Outras ficam indignadas – nunca lhes ocorreu que a mãe poderia interessar-se por outra pessoa. E outras, ainda, espantam-se muito ao verem isso. O olhar de Audrey, 14 meses, quando sua mãe, Peri, pegou no colo outra criança do grupo de brincadeiras foi de choque extremo. Seus olhinhos arregalaram-se e a expressão em seu rosto dizia: "Ei, mamãe, o que você está fazendo? Essa aí não sou eu." Foi bom Peri mostrar a Audrey que a mamãe podia ser compartilhada.

Em casa, também, quando o seu filho empurrar o papai porque ele está beijando ou abraçando a mamãe, deixe-o saber que há amor suficiente para *todos*. Uma mãe contou-me, recentemente, que seu filho de 2 anos "detesta quando eu e meu marido demonstramos carinho um

E-mail: Transformando menos em mais

Uma das maneiras como preparei meu filho mais velho para a chegada do bebê foi assim: enquanto minha gestação avançava, ficava cada vez mais difícil pegar meu filho de 3 anos no colo, por causa do tamanho da barriga. Eu dizia a ele: "Mal posso esperar que o bebê chegue, para poder pegar você no colo novamente." Ou, ainda, eu perguntava: "Qual é a primeira coisa que a mamãe vai fazer quando o bebê chegar?" E meu filho respondia: "Me pegar no colo!"

Quando meu marido levou meu filho ao hospital depois que nosso bebê nasceu, eu coloquei o bebê no bercinho e peguei meu filho e o abracei, como havia prometido!

com o outro". Em vez de se resignar à situação, eu insisti que a mãe corrigisse o comportamento da criança, dizendo: "Venha cá – nós três podemos nos abraçar."

Exponha o seu filho a bebês. Leia para ele livros sobre irmãozinhos e irmãzinhas; mostre-lhe fotos em revistas, assim como fotos dele mesmo quando bebê. E, melhor ainda, deixe que ele veja bebês de verdade e fale sobre eles. Diga: "Este bebê é maior que o da barriga da mamãe" ou "Nosso bebê não será tão grande ao nascer". Diga-lhe também sobre a fragilidade dos bebês: "Este é um bebê novinho. Olhe como os dedos são pequenos. Temos de ter muito cuidado com ele, porque é frágil." Acredite, será muito mais fácil para ele ser gentil com o bebê de qualquer outra pessoa do que com aquele que você trouxer do hospital.

DICA: Muitos pais que esperam um bebê fazem passeios ao hospital e levam o primogênito junto, achando que isso dará a ele uma ideia de onde a mamãe estará quando tiver o bebê. Eu discordo. Os hospitais podem ser lugares assustadores para uma criança pequena. Também pode ser confuso pensar que o bebê virá de um lugar aonde as pessoas vão quando estão doentes.

Tenha consciência do ponto de vista do seu filho. Embora ele não entenda plenamente o que está acontecendo em um nível intelectual, eu lhe garanto que seu filho sabe que as coisas estão mudando. Ele ouve conversas (mesmo quando você acha que ele não está ouvindo) que

Quando três se tornam quatro: o aumento da família

invariavelmente incluem a frase "quando o bebê chegar" e sabe que algo *grande* está por acontecer. Ele nota que você se deita com mais frequência e provavelmente imagina por que todo mundo fica dizendo: "Tenha cuidado com a barriga da mamãe." Ele observa enquanto um cômodo, antes sem uso, da casa é pintado "para o bebê". E talvez você tenha começado a movê-lo para "uma cama de gente grande" (veja o quadro da página 300). Embora ele talvez não relacione isso necessariamente com sua gravidez, este é outro desvio significativo da rotina.

Atente para as suas palavras. Não pegue coisas antigas do seu filho, dizendo: "Isto aqui era seu, e agora o bebê vai usar". Leve-o em compras do enxoval, mas não faça muito alarde, falando como as roupinhas de bebê são lindas. Quando ele for tocar um brinquedo para bebês, deixe que o examine, mas não diga: "Isso é para o bebê – você já está grandinho." Não faz muito tempo que o seu filho adorava bichinhos de pelúcia de cores suaves. Por que ele não *deveria* presumir que são para ele? E, mais importante, *não* diga a ele o quanto ele vai adorar ter um irmãozinho, porque talvez isso não aconteça!

Planeje passar uma noite em algum lugar sem o seu filho. Assim, quando você for para o hospital, não será a primeira vez que ele ficará sem você à noite. O vovô e a vovó, uma tia querida ou um bom amigo podem vir à sua casa, ou levar o seu filho para dormir na casa deles. Você também pode pagar alguém para passar a noite em sua casa. Três dias antes é tempo suficiente para preparar uma criança com menos de 2 anos para passar a noite sem a mãe: "Joey, você vai ficar na casa da vovó daqui a três dias (ou 'a vovó virá aqui ficar com você'). Será que devemos marcar o dia no calendário? Vamos marcar os dias que passam." Além disso, deixe que ele ajude a colocar seus pertences na mochila

---

Lembretes sobre o desmame

Vá com calma. Lembre-se de que isso levará pelo menos três meses.

Não mencione o bebê. Você está fazendo o desmame pelo bem do seu filho mais velho, não porque já tem outro bebê a caminho.

Faça isso como se você não estivesse grávida. Veja as sugestões nas páginas 132-140.

– ponha nela o pijama e os brinquedos dele. Se ele ficar em sua própria casa com os avós, deixe que ele a ajude a aprontar a cama ou o quarto.

Um ou dois meses depois, quando a época prevista para o parto se aproximar, arrume a mochila dele novamente, e o faça participar disso. Quando chegar a hora de ir para o hospital, saliente mais a ida para a casa da avó (ou a vinda desta para a sua casa) que sua ida ao hospital para ter o bebê. Diga, simplesmente: "Mamãe vai ter o bebê hoje. Você ficará [conte-lhe sobre os planos]." Uma vez que ele já teve uma experiência de passar a noite com outra pessoa sem você, lembre-o como foi divertido e que, como na última vez, você o verá novamente em breve.

Use o bom-senso e confie em seus instintos. Você receberá muitos conselhos acerca de como preparar o seu filho para a chegada do bebê. Alguns centros familiares chegam a oferecer cursos de preparação para os irmãos, mas não leve tudo o que você ouvir tão a sério. Em um desses cursos, os pais foram aconselhados a "fazer todas as vontades" do filho mais velho. Maya, que não aceitou o que ouviu, disse-me: "Esta criança está vindo à nossa vida para enriquecê-la, não para ficar isolada e ter um irmão mais velho que tiraniza a casa com suas vontades. Eu sabia que isso causaria problemas." Maya está certa: em uma família, as necessidades de *todos* são importantes.

Desmame o seu filho, se possível. Como eu discuti no Capítulo Quatro, o desmame ocorre em todas as espécies animais como uma consequência natural do crescimento. Dependendo de como você lida com isso, a experiência será traumática ou uma transição suave para o seu filho. Em algumas sociedades, quando os bebês vêm ao mundo com um intervalo pequeno em relação uns aos outros, as mulheres rotineiramente amamentam todos os filhos sem desmamar os mais velhos, mas esta é uma proposta cansativa. Obviamente, se você tem filhos nascidos com intervalo de um ano entre si, ou o primeiro bebê ainda necessita da nutrição que apenas o leite materno pode fornecer, você pode ter de amamentar duas crianças, mas eu sempre aconselho as mães a considerarem

Quando três se tornam quatro: o aumento da família

com atenção se pode haver uma solução alternativa. Certamente, se o seu filho tem 2 anos ou mais e ainda mama para se acalmar, em vez de pela necessidade do leite materno, desmamá-lo antes da chegada do bebê é melhor *para ele*. Se ele estiver mamando apenas para sentir-se bem, você precisará imaginar outros modos de confortá-lo e acalmá-lo sem o uso do peito. Também é boa ideia introduzir um objeto de segurança agora, antes do nascimento do bebê, e ajudar seu filho a encontrar maneiras de acalmar-se sozinho (releia a história de Leanne, páginas 283-292, e de Cody, páginas 292-298). De outro modo, há uma boa chance de ele se ressentir amargamente com o bebê, e será muito mais difícil lidar com sua raiva quando seu novo filho chegar.

A chegada do pequeno intruso

Não se pode culpar *nenhuma* criança pequena por sentir-se desalojada quando um novo bebê chega à família. Imagine como *você* se sentiria se o seu marido trouxesse outra mulher para viver com você *e* lhe dissesse que você deve amá-la e cuidar dela. Em essência, isto é o que pedimos que as crianças pequenas façam. A mamãe desaparece do dia para a noite, e, um ou dois dias depois, ela volta do hospital com um embrulhinho chorão que é a primeira coisa que os visitantes pedem para ver, e que parece capturar toda a atenção e preocupação dos pais. Para piorar as coisas, todos dizem que agora ele precisará ser "um menino grande" e cuidar do novo bebê. "Ei, espere um minuto!", diz uma vozinha na cabeça dele. "Como é que eu fico? Eu nunca pedi que esse intruso viesse para a

Será que meu filho deve ir ao hospital?

Com frequência, os pais levam o filho mais velho ao hospital após o nascimento do bebê. Esta escolha pode ser sua, mas lembre-se de levar em consideração o temperamento do seu filho. Ele pode sentir-se chateado ao perceber que a mãe não vai voltar para casa com ele. Além disso, não fique desapontado se ele não se inflar de orgulho genuíno ao ver o bebê. Dê-lhe tempo e deixe que demonstre sua curiosidade e expresse seus sentimentos – mesmo se não forem aqueles que você esperava.

E-mail: Apaixonado pela irmãzinha

Tivemos nosso novo bebê há pouco tempo. Nós preparamos nosso filho, que tem quase 3 anos, falando constantemente sobre o bebê, explicando que a mamãe teria de ir a um hospital para recebê-lo. Eu também fiz com que Tyler me ajudasse a decorar o quarto de Jessica, o que ele adorou fazer. Ele até juntou seus brinquedos antigos e os levou para o quarto da nova irmãzinha. Enquanto eu estava no hospital, ele foi às compras com meu marido e comprou para Jessica um brinquedinho macio, do qual se orgulhou muito. Ele absolutamente a adora e não consegue parar de beijá-la e de falar com ela. Acho até que ele exagera, às vezes!

nossa casa!" Esta é uma reação normal. Todos sentem ciúmes, mas os adultos sabem como escondê-lo. As crianças, porém, são as criaturas mais sinceras do planeta – elas mostram todos os seus sentimentos.

Não há como saber com certeza como uma criança reagirá a um novo bebê. Sua personalidade, o modo como ela é preparada e os eventos após a chegada do bebê têm influência em sua reação. Algumas crianças ficam tranquilas desde o início e continuam assim. A primogênita da minha coautora, Jennifer, que tinha 3 anos e meio quando Jeremy chegou em casa, tornou-se uma pequena mãe para o irmão assim que o viu. Em parte, isso se deveu ao seu temperamento – ela era uma criança calma e carinhosa, do tipo Anjo – e provavelmente também em razão da diferença etária. Ela tivera bastante tempo sozinha com o pai e a mãe, o que sem dúvida contribuiu para a sua disposição a aceitar essa criaturinha sem temer perder seu território.

No extremo oposto está a criança que imediatamente se ressente com o bebê e se torna muito difícil de lidar. A raiva de Daniel era explícita. No momento em que ele bateu na cabeça do bebê pela primeira vez, este esperto menino de 23 meses de idade imediatamente apreendeu uma importante realidade: "Ah, então é assim que consigo afastar a atenção dos meus pais desse bebê idiota." Olivia também demonstrou claramente sua insatisfação. Alguns dias depois que o novo bebê chegou em casa, quando a tia Mildred sugeriu que a família posasse para uma foto, ela tentou o tempo inteiro empurrar Curt, o bebê, para tirá-lo do colo da mãe.

Na maioria das vezes, o desdém de uma criança pelo bebê surge de maneiras mais sutis. Ela pode tornar-se agressiva com outras crianças, rebelando-se fisicamente porque não consegue se expressar com palavras ou foi desencorajada a exprimir sua raiva em relação ao bebê. Ela pode recusar-se a fazer pequenas tarefas que jamais rejeitou antes, como guardar seus brinquedos. A criança também pode começar a jogar a comida longe quando está na mesa ou se recusar a tomar banho. Outras podem regredir e começar a engatinhar novamente, embora já caminhem há meses, ou acordar durante a noite, após meses dormindo a noite inteira. Algumas crianças também entram em greve de fome ou tentam agarrar o peito da mãe, embora já não mamem há tempos.

> ## Uma boneca não ajuda
>
> Eu não concordo com a ideia de dar à sua filha pequena uma boneca no dia do nascimento do seu bebê, para que ela tenha seu próprio "bebê". Uma boneca *não* é como um bebê – é um brinquedo. Não se pode esperar que uma criança trate um brinquedo como uma coisa viva. Em vez disso, sua filha arrastará a boneca pelos cabelos, jogará em qualquer lugar e a abandonará atrás de qualquer móvel. Alguns dias depois, você descobrirá a boneca com o rosto todo melecado, porque sua filha tentou alimentá-la com pão e geleia. Isso não é modo de tratar um bebê de verdade!

Será possível acabar com os problemas antes que comecem? Nem sempre. Às vezes, você simplesmente tem de lidar com o que surgir no momento. Contudo, os conselhos a seguir poderão ajudar a minimizar esta transição.

Marque um tempo a sós com o seu filho. Quando o bebê chega e dorme bastante, aproveite alguns minutos para ficar com o seu filho mais velho. Dê-lhe um abraço a mais; brinque um pouquinho a mais do que você faria normalmente; deixe que ele fique quietinho ao seu lado enquanto você descansa. Contudo, não deixe esse tempo ao acaso. Marque "encontros" com o seu filho como faria para um almoço com amigos. Se o clima permitir, tente afastar-se de casa por curtos períodos durante o dia – vá a um parque, a uma cafeteria ou simplesmente dê uma volta pela cidade. Reserve também a hora de dormir para ficar um tempo a sós com ele.

Contudo, independentemente do seu planejamento, o bebê exigirá a sua atenção em algum ponto, quando você menos esperar. É melhor ser honesta sobre essa possibilidade e preparar o seu filho. Se, por exemplo, você estiver prestes a se envolver na leitura do livro favorito do seu filho, alerte-o: "Vou ler esta história, mas se o bebê acordar, terei de ir até ele."

Deixe que seu filho ajude como puder, mas não peça que aja como se tivesse mais idade. Quando uma criança é gentil com o bebê e deseja ajudar, se você não a deixa participar nos cuidados, é como dizer: "Aqui está um pacote de balas, mas você não vai comer nenhuma." Eu costumava pedir para que minha Sara, que gostava de tarefas que a mantivessem ocupada, enchesse a caixa de fraldas para mim. Tenha em mente, porém, que quando uma criança pequena é carinhosa e anseia por cooperar, é fácil esquecer do quanto ela é jovem. Não é justo transformar alguém de 2 ou 3 anos em cuidador.

> **DICA:** Um bebê pode ser um alvo fácil para um irmão mais velho, mesmo para aquele que parece amar e aceitar o recém-chegado. Nunca deixe seu filho mais velho e o bebê sozinhos. Mesmo se você estiver no mesmo cômodo, fique sempre alerta.

Aceite, mas não incentive, o comportamento regressivo. Se o seu filho passar por um período de regressão, não exagere em sua reação. Isso é bastante comum. Ele pode querer subir no trocador, entrar no berço ou brincar com os brinquedos do bebê. Tudo bem, mas o importante aqui é "experimentar". Quando Sara quis entrar no cercadinho de Sophie, eu a deixei... mas só um pouquinho. Depois, eu disse: "Ok, você já experimentou, mas o cercadinho não é para você. É para Sophie. Ela não pode andar como você, então precisa ficar no cercadinho." A verdade é que o entusiasmo pelas coisas do bebê dura uma ou duas semanas. Quando os pais deixam que a criança satisfaça sua curiosidade, ela volta tranquilamente aos seus próprios brinquedos.

Porém, o "experimentar" não se aplica à amamentação. Shana, uma mãe de Montana que entrou em contato comigo recentemente, havia desmamado Anne, 15 meses de idade, cinco ou seis meses antes da chegada do novo bebê. Alguns dias após levar Helen para casa, Anne começou a pedir o peito da mãe também. Shana sentiu-se confusa. Diversas mães que ela conhecera no grupo de apoio da La Leche League disseram-lhe para oferecer o peito a Anne, se ela pedisse – e que seria "psicologicamente prejudicial" negar. "Mas isso não me pareceu certo", disse Shana. Eu concordei, acrescentando que seria ainda mais prejudicial permitir que Anne controlasse sua mãe. Minha sugestão foi que Shana dissesse à filha já de início: "Não, Anne, isto é comida de bebê. Precisamos guardar para a Helen." Uma vez que Anne também começava a comer alimentos sólidos, na hora das refeições Shana podia reforçar a diferença, apontando: "Aqui está a nossa fruta e o nosso frango. Esse é o tipo de comida que a Anne e a mamãe comem. Esta [apontando para o peito] é a comida da Helen, que ainda é bebê."

> ## Como posso manter meu filho mais velho quieto enquanto o bebê está dormindo?
>
> Assim como você fez (espero que sim) com seu filho mais velho, é preciso respeitar a necessidade do bebê por silêncio. Ainda assim, nem sempre é possível fazer com que uma criança cheia de energia fale baixinho, mesmo se você pedir, ou ela pode não ter idade para entender o que você quer dizer. Se este for o caso, seja esperta. Distraia o irmão barulhento e brinque com ele tão longe do quarto do bebê quanto a sua casa permita.

Incentive seu filho a expressar o que sente. Com todo o planejamento que fiz para a minha segunda gestação, eu nunca esperei que Sara perguntasse: "Mamãe, quando o bebê vai embora?" Inicialmente, como muitos pais fazem, eu considerei o comentário "engraçadinho". Porém, algumas semanas depois, ela me disse que "odiava" Sophie, porque "mamãe só está ocupada o tempo todo, agora". Ela também começou a esvaziar as gavetas do armário, sempre que eu amamentava Sophie. Trancar

> ### Alerta para os sentimentos!
>
> Frases como estas não são "engraçadinhas". Elas lhe dizem como o seu filho se sente; assim, preste atenção quando escutar:
>
> - Eu não gosto quando ele chora.
> - Ele é feio.
> - Eu odeio o bebê.
> - Quando o bebê vai embora?

os armários deu fim a essa molecagem. Mas, então, Sara começou a tentar dar descarga no vaso sanitário com o rolo de papel higiênico dentro. Obviamente, eu não tinha me dado ao trabalho de interpretar os sinais comportamentais de Sara ou de me atentar a como ela realmente se sentia. E era verdade: sempre que ela tentava capturar minha atenção – geralmente no meio da amamentação ou de uma troca de fraldas –, eu lhe dizia: "Mamãe está ocupada agora." Essas palavras obviamente ficaram gravadas na mente dela.

Percebendo o quanto ela sentia falta de mim, ajudei-a a montar uma "sacola de atividades": um pacote de giz de cera e livros de colorir que ela podia usar para divertir-se sempre que eu tinha de alimentar Sophie ou fazê-la dormir. Nós tornamos isso parte da rotina. Eu dizia: "Vamos pegar sua sacola de atividades do armário, para você ter algo para fazer enquanto eu cuido da sua irmã."

O que quer que você faça, *nunca* tente convencer seu filho de que ele está sendo tolo ou está errado. Não sugira que ele "realmente" ama o irmãozinho. E não leve para o lado pessoal – os sentimentos dele para com o bebê nada têm a ver com suas habilidades como mãe ou pai. Em vez disso, explore os comentários por meio de diálogo. Pergunte: "O que você não gosta no bebê?" Muitas crianças dizem: "O choro." Será que você pode culpá-las? O choro dos bebês também irrita muitos adultos, e para o seu filho isso é ainda mais terrível, porque captura imediatamente a atenção da mamãe. Explique que esta é a "voz" do bebê. Lembre a ele: "Você também falava comigo assim, quando era bebê." Ou dê um exemplo mais atual: "Lembra de quando você estava aprendendo a saltar e precisava praticar com frequência? Um dia o nosso bebê terá palavras, como nós, mas agora tudo o que ele pode fazer é praticar sua voz."

Atenção ao que você diz. Crianças pequenas imitam tudo o que escutam e veem ao seu redor. Seu filho está sempre escutando, e é fácil plantar ideias na cabeça dele. Se ele escutar coisas como "Ele sente ciúme do bebê", isso pode lhe dar ideias.

Além disso, preste atenção no que você diz *sob a perspectiva do seu filho*. Nós, pais e mães, às vezes esquecemos como é traumático para crianças pequenas sentirem-se deslocadas. Ao fazer afirmações como "Você precisa amar seu irmão", ou "Você precisa proteger a sua irmã", o seu filho provavelmente diz a si mesmo: "Protegê-la? Esta criatura que faz barulhos como um gato e afasta a mamãe de mim? Até parece!" Também é insensível dizer a uma criança pequena: "Não aja como uma criancinha", o que ela não entende, ou insistir, "Você é um menino grande agora – que dorme em uma cama de menino grande e usa o banheiro como gente grande." As crianças não se sentem "grandes" e, além disso, que criança de 2 aninhos quer um fardo desses?

> ### Coisas que você nunca deve dizer ao seu filho sobre o irmãozinho mais novo
>
> "Você tem que cuidar dele."
>
> "Você tem que gostar dele."
>
> "Seja bonzinho com o novo bebê."
>
> "Você precisa proteger o bebê."
>
> "Você não ama o nosso novo bebê?" – e então, quando seu filho diz "Não", você insiste: "Ah, você ama, sim."
>
> "Brinque com seu irmãozinho."
>
> "Você precisa tomar conta do seu irmão."
>
> "Cuide do seu irmãozinho enquanto estou fazendo o jantar."
>
> "Divida suas coisas com seu irmão."
>
> "Agora você é um menino grande."
>
> "Não aja como uma criancinha."

DICA: Nunca use o bebê como desculpa, como: "Temos de sair agora, porque é hora do cochilo do Jonathan."

Leve a sério as queixas do seu filho. Justine tinha 3 anos quando seu irmãozinho, Matthew, nasceu. Inicialmente, tudo corria bem, mas quando o bebê estava com 4 meses, tudo ficou fora de controle. Embora Justine não usasse mais fraldas havia meses, ela começou a fazer xixi na cama e a sujar o banheiro ao fazer cocô. Ela se recusava a tomar banho e tinha acessos de birra na hora de dormir. "Não conhecemos esta criança", a mãe de Justine, Sandra, me disse. "Normalmente, ela é muito boazinha, mas agora está má. Tentamos argumentar com ela, mas nada funciona."

"Você gosta do Matthew?", perguntei a Justine, que veio com os pais. Contudo, antes que ela tivesse a chance de responder, o pai interferiu: "Ela adora o irmãozinho, não adora?"

Justine olhou zangada para o pai, como se dissesse: *Adoro? Mas que droga, claro que não!*

Ao ler sua expressão, eu continuei o diálogo:

"O que você não gosta nele? Que tipo de coisas ele faz que você não gosta?"

"O choro", respondeu Justine.

"O choro é a voz dele", expliquei. "Até que ele aprenda a falar, esta é a forma que ele tem para nos dizer o que deseja. Um tipo de choro significa: 'Mamãe, eu quero comer', e o outro é 'Mamãe, preciso trocar a fralda.' Seria realmente bom se você pudesse ajudar a mamãe a descobrir o que o choro do Matthew significa."

Eu pude perceber as engrenagens girando na cabecinha de Justine, enquanto ela ponderava se *queria* ou não ajudar. "E o que mais você não gosta?", perguntei.

"Ele fica na cama da mamãe", ela respondeu.

"Você não leva a sua bonequinha para a cama?"

"Não" (e aí, o pai novamente a contradisse: "Sim, você leva, querida").

"Bem", continuei, "a mamãe leva o bebê para a cama apenas para alimentá-lo. O que mais você não gosta?"

"Eu tenho que tomar banho com ele".

"Bem, talvez possamos fazer algo sobre *isso*", eu propus, contente porque finalmente tínhamos algo que seus pais poderiam mudar.

Quando Justine perdeu o interesse por minha conversa e voltou a brincar, eu expliquei a Sandra e seu marido: "Se Justine sempre viu o banho como um momento especial, e agora não está feliz e não quer ir para o banheiro, vocês precisam atentar para isso. Eu sei que é mais rápido colocar os dois juntos na banheira, mas ela não gosta disso. Está claro que ela sente falta do tempo com você e está transferindo a tristeza e a raiva para o irmãozinho." Sugeri que dessem banho em Matthew primeiro, e então deixassem Justine à vontade na banheira. "Dar dois banhos são um pequeno preço a pagar pela paz", acrescentei.

É claro que existe uma diferença entre escutar uma criança e deixar que ela domine a casa. Quando o seu filho se queixar, pense no passado: será que isso é algo que ele estava acostumado a fazer e agora sente falta? Considere também a natureza da solicitação. Se o que ele quer lhe parece razoável – e não prejudica ou exclui o bebê –, tente fazer-lhe a vontade.

O filho do meio

Quando um novo bebê chega, o filho do meio com frequência sente-se mais traumatizado do que o irmão mais velho se sentiu quando ele nasceu – o golpe para ele é duplo. Ainda curando-se do ressentimento do irmão mais velho com seu nascimento, agora vem *mais um* para tirar-lhe a atenção. De repente, a mamãe diz: "Eu trouxe um bebê para casa e você precisa amá-lo." Quem pediu isso? No que se refere ao segundo filho, essa criaturinha chorona não traz nenhum benefício. E não é apenas da mãe que ele sente falta. Ele não entende por que a babá não tem mais tempo para levá-lo ao parquinho. Para piorar as coisas, todos lhe dizem: "Você precisa cuidar do seu irmãozinho mais novo." Que criança de 3 anos desejaria *isso*?

> **DICA:** Tente pegar seu filho "em flagrante" sendo gentil e amável com seu irmão e o elogie: "Que bom irmão você é" ou "Que lindo ver você segurando a mão da Gina." (Veja também as páginas 65-67 sobre elogios.)

Diga ao seu filho o que você espera dele. Se você estiver ocupada com o bebê, diga isso. Seu filho precisa acostumar-se a ouvir isso. Quando ele for mau ou machucar o bebê, diga-lhe. No caso de Daniel, como seus pais sentiam "pena" dele, eles relutavam em discipliná-lo. Não nos surpreende que ele batia ou beliscava o irmão sempre que podia. Quando perguntei à mãe dele por que ela não intervinha, ela respondeu: "Ele

Corte pela raiz

Quando o seu filho se sente negligenciado, ele não consegue dizer: "Mamãe, eu preciso da sua atenção durante a próxima meia hora." Ele fica zangado e impulsivo e sabe que machucando o bebê terá a sua atenção. Assim, sempre que o seu filho decidir atacar o bebê, faça o que você faria nas situações que descrevemos antes. Contenha a mão dele e, sem raiva, diga: "Você não poderá ficar aqui se beliscar o bebê. Isso machuca seu irmãozinho." Lembre-se de que a disciplina é educação emocional (veja a página 234). A lição, aqui, é que não é certo demonstrar seus sentimentos atacando outro ser humano ou animal.

não sabe fazer diferente." Eu lhe disse: "Bem, então é melhor *você* lhe ensinar."

Infelizmente, sem perceberem o problema que estão criando para toda a família, os pais com frequência fazem concessões ou têm pena do primeiro filho: "Pobrezinho – ele se sente deixado de lado." Ou eles insistem: "Ele adora o novo bebê", alguns momentos depois que o anjinho bateu com uma caneta na cabeça da irmãzinha. Apresentar razões para o comportamento de uma criança ou negá-lo não o altera. Em vez de dizer: "Você precisa amar seu irmão", quando Daniel beliscou o bebê, eu disse para a mãe insistir na regra: "Você não pode beliscar o Crocker. Isso o machuca." Ela deve reconhecer os sentimentos do filho ("Eu sei que você está frustrado"), mas também deve ajudá-lo a lidar com a realidade atual: "Eu preciso ficar com ele para cuidar dele, assim como fiz com você, porque ele ainda é só um bebê."

Preveja o comportamento de "teste", mas seja firme com os limites. Embora seus pais insistissem para que ela fosse boazinha com o bebê, Nanette, 3 anos, sempre os testava. Ela subia no berço de Ethel, de 8 semanas, sempre que os pais afrouxavam a vigilância, sem saber que havia uma câmera sobre o móvel. Nanette cutucava e provocava até fazer o bebê chorar. Na primeira vez em que a mãe viu o ataque sorrateiro de Nanette pelo monitor de TV na cozinha, ela correu, tirou Nanette depressa do berço e lhe disse que ela não poderia mais tomar suco. Nanette protestou: "Eu só estava beijando ela!" Elaine não disse nada, preferindo deixar passar o incidente a chamar a filha de mentirosa.

Elaine pisava em ovos quando estava perto da filha. Receosa de que os choramingos de Nanette se transformassem em um real acesso de birra por ciúme sempre que ela pegava o bebê, a mãe tinha começado a deixar o bebê com uma babá ou com a avó. Elaine também disse aos parentes e amigos que compravam presentes para o bebê que seria melhor trazerem um presente também para Nanette. "Eu odeio discipliná-la", admitiu Elaine quando ela relatou a situação para mim algumas semanas mais tarde, "porque ela já se sente deixada de lado".

No dia em que eu a visitei, Elaine estava se preparando para levar Nanette ao parque. "Por que você não leva o bebê também?", perguntei.

"Nanette não quer que ela venha conosco", ela respondeu, sem perceber que estava permitindo que

Quando o filho mais velho tem um acesso de birra

O pior pesadelo de uma mãe é ficar sozinha com um bebê e uma criança pequena que berra sem parar. De fato, o seu filho mais velho geralmente escolhe os momentos em que você está envolvida com o bebê para se comportar mal. Que melhor momento haveria para ter uma crise? Ele sabe que você está cativa – e isso é verdade. Alguém precisa esperar, e não pode ser o bebê.

Como eu instruí Elaine, "Na próxima vez em que Nanette tiver um acesso de birra quando você estiver ocupada com Ethel, termine o que você está fazendo com o bebê, coloque-o no berço e então dê um período de afastamento à sua filha." Eu também apontei que, além de precisar manter o bebê seguro, a razão para lidar primeiro com o bebê é enviar a mensagem à criança mais velha de que a birra não captura a sua atenção (ver nas páginas 261-268 e 303-306 algumas táticas para lidar com birras).

uma criança de 3 anos lhe desse ordens. Neste momento, olhamos para o monitor de TV. Nanette estava no berço novamente e, desta vez, estava prestes a agredir Ethel.

"Você precisa ir até lá agora mesmo", falei. "Diga-lhe que a viu e que isto é totalmente inaceitável."

Esta situação poderia ter-se tornado facilmente um devorador do tempo, porque Elaine estava reforçando o comportamento egoísta e exigente da filha – e colocando em risco a pequenina Ethel. Por minha insistência, ela foi até o quarto e disse: "Não, Nanette! Isso machuca a Ethel. Você não pode bater no bebê. Agora, você precisará ir para o seu quarto!" Elaine foi para o quarto de Nanette com ela e ficou por perto, enquanto a menina tinha uma crise horrível. "Eu sei que você está triste, Nanette, mas mesmo assim não pode bater no bebê", Elaine falou. Desde então, sempre que Nanette ia beliscar Ethel, Elaine a tirava da situação. Em contrapartida, quando ela demonstrava qualquer gentileza com o bebê, a mãe a elogiava. No fim, Nanette percebeu que o tipo de atenção que conquistava quando era boa era muito melhor que ser mandada para o quarto.

Elaine também parou de responder aos choramingos ensaiados de Nanette. Em vez de entregar Ethel à babá quando a filha mais velha protestava, Elaine disse: "Eu não vou falar com você quando ficar choramingando, Nanette. Use a sua voz normal." Ela também transmitiu à filha, de maneira clara, que não cederia mais. "Eu tenho de ajudar o bebê neste momento. Ela também precisa da minha atenção. Nós somos uma família."

Tente não exagerar em sua reação. Quando o seu filho faz birra para chamar a sua atenção, eu sei que isso é frustrante demais – e o seu instinto é manifestar a sua raiva. Entretanto, como expliquei em detalhes nos Capítulos Sete e Oito, reações exageradas apenas reforçam o mau-comportamento. Certa vez, quando eu estava me arrumando para irmos ao almoço de domingo na casa da minha avó, pedi para minhas filhas vestirem seus lindos vestidinhos brancos. Sem que eu soubesse, Sara deixou Sophie entrar no compartimento de carvão da lareira. Quando descobri Sophie coberta de cinzas de carvão da cabeça aos pés, eu respirei fundo, ignorei Sara e disse calmamente a Sophie: "Ah, parece que teremos de trocar você e chegaremos atrasadas na casa da vovó."

Liana, cujas filhas, Karen e Jamie, têm dois anos e meio de diferença uma da outra, recorda os primeiros meses depois que Jamie nasceu: "Eu precisava atentar para que Karen não beliscasse o bebê nem dobrasse seus dedinhos – principalmente quando eu estava amamentando. Para evitar isso, eu sugeria a ela que pegasse um livro para ver, enquanto eu amamentava sua irmã. Às vezes isso funcionava, mas nem sempre. Eu simplesmente tive de aceitar que a Karen tinha seus momentos, independentemente do que eu fizesse. Em muitas ocasiões, ela chegava a ficar roxa de frustração quando não tinha a minha atenção. Mas quando percebeu que eu não reagia a isso, os acessos pararam."

> **DICA:** Mantenha a sua rotina. Como Liana aponta, "Ter uma rotina sólida ajuda com a disciplina, porque eu sempre posso dizer 'Nós não fazemos isso agora'." É verdade, o bebê não tem a mesma rotina do seu filho mais velho, mas, para ele, isso é tudo o que conhece. Em outras palavras, ter de suportar o irmão mais velho malcomportado é a rotina do bebê.

Não tente forçar seu filho a amar ou mesmo gostar do bebê. Margaret já não sabia o que fazer. Depois de um mês dizendo a Liam para "ser gentil" e lembrando a ele: "É o seu irmão", o filho mais velho parecia pior ainda quando estava com o bebê. Ao visitar a família, eu entendi por quê. Liam levantava a mão como se fosse bater em Jesse e então olhava para a mãe. Em voz doce e quase se desculpando, Margaret dizia: "Não, Liam, não podemos bater no bebê". Depois, em qualquer ida à rua com Liam, ela lhe comprava um brinquedo novo.

"Você não está sendo firme o suficiente com ele", eu lhe disse, "e suspeito que é porque tem medo de, ao exercer plenamente sua autoridade, provocar o ressentimento de Liam por Jesse. Mas ele já se sente assim. Não podemos forçar alguém

---

Dê um jeito nisso!

Você não conseguirá evitar totalmente as brigas entre irmãos, mas pode minimizá-las.

- Deixe as regras bem claras. Em vez de avisos vagos como "Seja gentil", diga, "Vocês não podem bater, empurrar ou dizer palavrões um ao outro."

- Não espere demais antes de intervir.

- Não superproteja o caçula. Com crianças com menos de 3 ou 4 anos, as situações costumam sair rapidamente do controle.

- Trate cada criança como um indivíduo. Conheça seus pontos fracos e fortes, além dos truques empregados por cada uma delas.

- Discuta a disciplina com o seu parceiro quando as crianças não estiverem por perto. Nunca discordem na frente delas.

Mais Segredos da Encantadora de Bebês

a gostar de outra pessoa. Tudo o que você pode fazer é aceitar os sentimentos de Liam e ser clara sobre as regras que definir." Eu também sugeri que quando o filho mais velho a acompanhasse à rua, em vez de lhe comprar um brinquedo por culpa, ela o informasse antes de saírem: "Vamos comprar fraldas para o Jesse. Se você quiser um brinquedo, leve um dos que você tem."

> **DICA:** Ajudar seu filho a lidar com suas emoções é fundamental durante os primeiros meses após a chegada do bebê. Quando perceber que ele está começando a perder o controle, lembre-se da regra de Um/Dois/Três (páginas 254-257) e não o deixe ir muito longe. Uma intervenção simples e oportuna, como "Você está ficando agitado?" pode mostrar que você está prestando atenção e que está ali para ajudá-lo também.

Não deixe que o bebê viole as regras também. Ao escutar o choro, a sua reação natural será a de ver o seu filho mais novo como "vítima", mas este nem sempre é o caso. Muitas vezes, isto é o que realmente aconteceu: seu filho mais velho passou a manhã em um projeto com blocos de montar, construindo com cuidado um castelo, mas então o Sr. Engatinhador passou por ali e estragou tudo... mais uma vez. Solidarize-se com a criança. Certamente, quando o bebê já tem idade suficiente para engatinhar ou andar, ele também já tem idade para começar a entender o "não". Estudos mostram que bebês de apenas 8 ou 10 meses começam a se conectar e a desenvolver afinidade com seus irmãos. Aos 14 meses, eles podem até mesmo antecipar as ações de um irmão mais velho. Em outras palavras, o seu bebê provavelmente tem mais consciência do que você pensa.

> **DICA:** Não peça constantemente ao filho mais velho para compartilhar e não dê desculpas pelo bebê quando ele invadir ou destruir os brinquedos do irmão mais velho. Ouvir "Oh, ele é apenas um bebê e não sabe o que está fazendo", deixará a criança ainda mais

frustrada. Uma vez que a criança não tem maturidade para tolerar aquela criatura chata de mãos sujas, seu primeiro instinto pode ser revidar fisicamente.

Defina um lugar especial para o seu filho mais velho. Você diz constantemente ao seu filho mais velho para "ser gentil" e compartilhar, mas então ele vai brincar com um boneco e encontra marcas de pequenos dentes nele. Ele pega um livro favorito e descobre que faltam páginas. Ele tenta colocar um CD para tocar, mas não pode, porque está coberto de baba. Respeito é uma via de mão dupla. Proteja o espaço e os pertences do seu filho mais velho, ajudando-o a criar um espaço sagrado, fora do alcance do bebê.

Liana, uma mãe extremamente calma e muito pragmática, compartilhou algumas excelentes sugestões: "Não se pode tornar uma casa realmente segura para um bebê com uma criança de 3 anos nela, porque elas adoram coisas pequenas. Assim, eu criei o 'lugar da Karen' – uma mesa exclusivamente para ela, onde ela podia montar quebra-cabeças, brincar com blocos ou outros brinquedos com partes pequenas. Eu dizia: 'Se você não quer que Jamie mexa em algo, leve para o seu lugar especial de criança grande'."

Ao visitar Liana e as meninas em um quarto de hotel, era fácil ver como Jamie, que estava começando a engatinhar, conseguia irritar a irmã. Jamie tentava agarrar qualquer coisa que Karen tivesse nas mãos. Ela não queria incomodar, estava apenas tentando copiar. Vendo Karen cada vez mais irritada – e, por experiências passadas, sabendo que sua paciência, como a de qualquer criança, ficava mais curta quando ela estava cansada –, Liana evitou possíveis problemas. Apontando para uma poltrona no canto, esta sábia mãe sugeriu: "Esta será a sua poltrona de criança grande." Karen compreendeu imediatamente que subir naquela poltrona a protegeria do ataque de Jamie. Alguns minutos depois, Jamie encaminhou-se para a poltrona, mas Liana a distraiu com uma colher e uma tigela plástica, para que ela não perturbasse a irmã mais velha.

Trate cada criança como um indivíduo. Muitas vezes é mais fácil manter a paz lidando com cada criança de forma justa e individual. Mesmo que você ame as duas, não é possível sentir o mesmo por elas, já que *são* diferentes. Uma delas consegue lhe tirar a paciência; a outra a faz rir. Uma é curiosa, a outra é tranquila. Cada uma tem diferentes talentos e vulnerabilidades e abordará a vida à sua própria maneira; cada uma precisa de sua própria atenção, espaço e pertences. Leve tudo isso em consideração quando seus filhos interagirem e reconheça também os *seus próprios* sentimentos. Se uma criança tem melhor capacidade de concentração ou segue ordens com mais facilidade, você até pode modificar as regras de acordo com as necessidades dela. Aplique a regra de Um/Dois/Três também aqui (páginas 254-257). Se o bebê terminar berrando sempre que o seu filho mais velho brincar com os blocos, pare de permitir que o mesmo drama ocorra em reprises sem fim. Dê ao seu filho um lugar especial para montar seus blocos e leve o bebê para outro lugar. Além disso, evite comparações ("Por que você não pode ser tão caprichoso quanto o seu irmão?"). Mesmo dicas sutis, tais como "Sua irmã está sentada à mesa", são prejudiciais. Além disso, se o seu filho não quiser cooperar, acredite, mencionar a irmã ou irmão terá o efeito oposto.

Claro que, mesmo com as melhores intenções, os conflitos ocorrem; você age rapidamente e até mesmo de forma um pouco injusta, e a disciplina vai para o espaço. O melhor que qualquer pai pode fazer é estar atento e voltar aos trilhos.

Tenha uma perspectiva de longo prazo. Quando você estiver cansada de ter de bancar o malabarista e o juiz, lembre-se de que os seus filhos não serão pequenos para sempre. Além disso, a concorrência não é de todo ruim. Ter um irmão pode revelar diferentes aspectos da personalidade de uma criança, e as diferenças também podem fazer com que ela valorize a sua singularidade. Por meio de relacionamentos com irmãos, as crianças aprendem a negociar e aumentam sua tolerância para os intercâmbios que vivenciarão mais tarde com amigos e colegas. Na

Os benefícios de ter irmãos

Na próxima vez em que o seu filho mais velho beliscar o bebê, ou o bebê derrubar o castelo de blocos de montar do seu filho, lembre-se de que estudos têm também boas notícias sobre ter irmãos.

- **Linguagem.** Mesmo quando seu filho mais velho envia um olhar carinhoso para o bebê, ele está ensinando o irmãozinho a conversar. Muitas vezes, as primeiras palavras de uma criança são o resultado direto dessas lições.

- **Inteligência.** Obviamente, os irmãos mais novos imitam e, assim, aprendem com os mais velhos. Mas o contrário também ocorre: o intelecto da criança cresce sempre que ajuda outra criança a resolver um problema, mesmo uma criança mais nova. Os irmãos também estimulam uns aos outros a explorarem e serem criativos.

- **Autoestima.** Ajudar um irmão ou irmã e ter alguém que elogia e ama você incondicionalmente aumenta a confiança.

- **Habilidades sociais.** Irmãos observam e servem como modelos uns para os outros. Com seu irmão ou irmã mais velho, o caçula aprenderá as regras de interação social, descobrirá como se comportar em diversas situações e como conseguir que um dos pais diga "sim".

- **Apoio emocional.** Os irmãos podem se ajudar mutuamente a enfrentar os problemas que surgirem em suas vidas. Um irmão mais velho pode ajudar o mais novo a se preparar para novas experiências e lhe mostrar como se faz as coisas; um irmão mais novo pode animar o mais velho a prosseguir. Ter uma irmã ou irmão também dá às crianças a prática de expressar sentimentos e desenvolver a confiança.

verdade, há uma série de benefícios em ter irmãos, tanto para o caçula quanto para o irmão mais velho (veja o quadro acima).

Em muitos dias você se sentirá como Liana: "Minha função era mantê-las afastadas durante o primeiro ano!" Às vezes, ela admite, os horários em que suas filhas estão acordadas ainda são exaustivos. "Se eu tiver algo mais para fazer além de vigiá-las, o desastre está feito." Mas também existem recompensas. Agora que Jamie está com 1 ano, já anda e está começando a falar, as meninas estão se divertindo mais, juntas. Além disso, Karen acredita que Liana está lá para *ela*, e que não perderá a mãe para a irmã caçula. Graças à sensibilidade e à imparcialidade de seus pais, todos eles conseguiram passar pelo primeiro ano, e Karen entende um pouco mais agora sobre o que significa fazer parte de uma família.

Conflitos do casal

Quanto maior a família, mais complexa a sua dinâmica. Como vimos no Capítulo Oito, os problemas das crianças, sejam eles agudos ou crônicos, podem causar atritos entre os pais. Mas o inverso também ocorre: quando os pais não trabalham em equipe ou quando os problemas mal resolvidos se acumulam, isso pode fazer com que o comportamento de uma criança saia do controle. A seguir, eu apresento pequenas amostras de tipos comuns de conflitos entre casais, por que são prejudiciais e o que você pode fazer para impedir que levem a problemas familiares mais intensos.

Guerras por causa das tarefas domésticas. Apesar de muitos homens hoje em dia passarem algum tempo com seus filhos e colaborarem nas tarefas domésticas, uma queixa muito comum ainda é que o pai se considera um "ajudante". Sem dúvida, as guerras por causa das tarefas domésticas prejudicam muitos relacionamentos modernos. A mulher pode apresentar desculpas para o seu companheiro ("Ele trabalha até tarde"), ou tentar manipulá-lo ("Eu finjo que estou dormindo nas manhãs de sábado, então *ele* tem que lidar com Christy"), mas ela ainda se sente ressentida. O homem pode protestar ("Se eu pudesse fazer mais, faria") ou ficar na defensiva ("Qual é o problema? Ela é ótima com nosso filho"), mas não faz muito para mudar.

O fato é que, se dois adultos vivem na mesma casa, é melhor para as crianças terem exemplos de *ambos* os pais. Suas personalidades e talentos diferentes enriquecem o potencial da criança. Além disso, no que se refere à disciplina, duas cabeças pensam muito melhor do que uma. A verdade é que, quando ambos os pais se envolvem com as tarefas diárias, há menos chance de a criança mostrar mau-comportamento apenas para um deles. Por exemplo, quando Mallory e Ivan, o casal que você conheceu no Capítulo Oito, começou a se revezar para fazer Neil, de 2 anos, dormir, o benefício foi duplo: Mallory conseguiu descansar e o contato real e pessoal ajudou Neil a se relacionar com seu pai de uma nova maneira. Não tão por acaso, Neil não tentou manipular tanto Ivan. Isso teve menos a ver com Ivan e mais a ver com o fato de que as crianças pequenas geralmente testam e reservam seus melhores truques para aquele com quem passam a maior parte do tempo.

Quando uma mulher me pergunta: "Como posso fazer com que meu marido participe mais?", eu peço para que ela preste atenção às suas próprias atitudes e comportamento. Às vezes, a mãe sabota inconscientemente o envolvimento do pai (veja o quadro da página 97). Eu também sugiro que ela se sente com o parceiro e lhe pergunte de que tarefas ele gosta mais. Certamente, é injusto a mulher ficar somente com as tarefas desagradáveis, mas é preciso ser realista. Com o tipo de homem que pensa que cuidar de um bebê significa colocá-lo na frente da TV enquanto ele assiste seu time jogar, fazer com que ele execute até mesmo suas tarefas favoritas já é um começo.

Como minha avó já dizia: "Pega-se mais moscas com mel que com vinagre." Se *você* é justa e generosa, com frequência incentiva a outra

Documente o bebê também

Charles, pai de duas meninas, uma de 4 anos e outra com 3 meses de idade, confessou recentemente: "Na primeira vez, Minnie e eu ficamos muito empolgados com a gravidez. Fomos a cursos, mantivemos um diário e tiramos fotos todos os meses. Quando Erin finalmente chegou, tiramos milhares de fotos apenas nos primeiros meses, e tínhamos um álbum lindo e grosso para provar isso, sem mencionar uma prateleira cheia de vídeos. Tenho vergonha de admitir que tirei apenas umas seis ou sete fotos de Hari, e elas estão soltas em uma gaveta."

Minnie e Charles mostram um comportamento típico de muitos casais. Eles vão à loucura, documentando todos os momentos da vida do seu primeiro filho. Quando o segundo chega, tudo já perdeu o sabor de novidade. Ou eles sentem medo de causar ciúme no filho mais velho, caso se concentrem demais no bebê. Mas o que acontece quando o Número Dois cresce e quer olhar suas fotos de bebê? Assim, para não desapontá-lo, certifique-se de que também capturará e preservará todos os seus momentos importantes.

pessoa a também ser justa e generosa. Jay leva Madeline ao parque todos os sábados à tarde, de modo que Gretel pode encontrar-se com amigos para almoçar, ir ao cinema ou fazer as unhas. No entanto, se o dia de Jay com Maddy coincide com uma partida de futebol que ele está louco para assistir, os dois chamam a babá ou Gretel esquece seus planos.

Não conte para a mamãe. Certo dia, Frank e Miriam estavam indo para casa com Zachary. Na longa e sinuosa entrada da garagem, Frank disse ao filho de 2 anos, "Ei, Zack. Quer dirigir para o papai?" Frank pôs o carro em ponto morto e, apesar dos protestos de Miriam, tirou Zack de sua cadeirinha e o colocou no seu colo. "Dirija para o papai", ele instruiu. Zack, naturalmente, ficou radiante.

Daí por diante, sempre que pai e filho estavam no carro sozinhos, Frank permitia que Zachary "dirigisse até em casa" (na entrada da garagem), alertando o pequeno: "Não conte para a mamãe." Certo dia, porém, Miriam viu o filho no colo do pai e ficou furiosa. "Eu lhe disse para não fazer isso", falou, criticando o marido. "É perigoso." Frank riu e insistiu que era uma diversão inocente – afinal, era "apenas a entrada da garagem."

Quer a questão envolva comida ("Não conte para a mamãe que lhe comprei este cupcake"), comportamento ("Não conte ao papai que deixei você experimentar meu batom")

Ainda é a mamãe

Não importa o quanto as mulheres já tenham quebrado as barreiras do preconceito e alcançado o sucesso em suas profissões, na maioria das casas, as mães ainda são as guardiãs da família. Certamente, hoje em dia, os pais já lidam mais com os filhos. Um em cada quatro passa 75% ou mais do seu tempo livre com os filhos, em um total de mais de 20 horas semanais. Ainda assim, os homens não estão necessariamente fazendo o trabalho pesado. Quando uma pesquisa perguntou a mais de 1.000 pais como as tarefas eram divididas, os entrevistados admitiram que era a mãe, não o pai, que:

- Leva a criança ao pediatra (70%)

- Fica em casa quando a criança está doente, embora ambos os pais trabalhem (51%)

- Normalmente dá banho nos filhos (73%)

- Faz a maior parte dos serviços domésticos (74%)

- Dá as refeições para os filhos (76%)

Fonte: Pesquisa on-line pela Primedia, americanbaby.com, junho de 2001.

ou um desvio da rotina normal ("Não conte para a mamãe que lemos quatro livrinhos esta noite, em vez de dois"), quando um dos pais subverte a autoridade do outro, isso ensina as crianças a mentir, agir furtivamente e desafiar as regras. E o outro pai é forçado a lidar com as consequências. É claro que algumas semanas depois das experiências veladas de Zack na "direção", quando Miriam tentou fazê-lo sentar na cadeirinha do banco traseiro, ele se recusou. Ele queria sentar-se no seu colo e "dirigir".

Minha recomendação nesses casos é, em primeiro lugar, ser sincero. *Nunca conspire com uma criança.* Em segundo lugar, negocie uma forma de lidar com suas diferenças. As crianças podem aprender que os pais têm expectativas e padrões diferentes – um deles compra alimentos não nutritivos, mas o outro não; um deles lê dois livros, o outro lê quatro. A questão aqui não são as regras, mas o engano e a mensagem que isto envia. Se o pai pode minar a disciplina definida pela mamãe, por que não o filho? Esta espécie de dinâmica ensina crianças pequenas a manipularem e prepara o terreno para o comportamento de "dividir para conquistar" que vemos em crianças mais velhas, especialmente em adolescentes.

(Por falar nisso, quando a segurança está em risco, não há como negociar. Frank não estava apenas desobedecendo as regras ou padrões de Miriam, pois por lei as crianças não podem sentar-se no banco da frente. Ao permitir que Zack sentasse no seu colo, Frank estava, na verdade, violando a lei. O fato de estar "apenas na entrada da garagem" é irrelevante. Uma criança de 2 anos não sabe a diferença entre uma entrada de garagem e uma via expressa.)

Meu jeito é melhor. "Quer dizer que você deixa o Jordy ficar sentado no canto durante a aula inteira?", Gor-

---

Evitando guerras por causa das tarefas domésticas

- Seja justa.
- Faça acordos razoáveis.
- Sempre que possível, cada parceiro deve fazer o que mais gosta e/ou faz melhor.
- Reservem tempo para vocês dois.
- Contratem uma babá ou peçam para a vovó ou um amigo ficar com seu filho.

Mais Segredos da Encantadora de Bebês

don explodiu com a esposa, Deanna. "Isto é ridículo – você o superprotege. Na próxima vez, eu vou levá-lo." Gordon, um ex-jogador de futebol americano e atual diretor de uma academia de ginástica, vinha de uma família de atletas. Durante a gravidez de Deanna, ele havia aguardado ansiosamente a chegada de seu "pequeno *quarterback*". Quando Jordy nasceu, algumas semanas antes do tempo, Gordon sentiu-se chocado ao perceber que a imagem que carregara por nove meses não se assemelhava em nada com a criança frágil que tinha medo de ruídos e luzes fortes. Mesmo quando Jordy ficou mais forte e se tornou um menino robusto, ele chorava sempre que o pai o jogava no ar ou tentava brincar de um modo mais bruto do que Deanna fazia. Gordon acusava constantemente a esposa de transformar o filho "em um maricas". Agora, ao ouvir que Jordy, 18 meses de idade, relutava em participar de uma aula de recreação para crianças, Gordon tinha certeza de que isso era culpa de Deanna.

A situação de Deanna e Gordon não é única; os pais muitas vezes brigam feio pelo que acham "certo". Eles tipicamente discordam sobre *boas maneiras* ("Por que você deixa ela esmagar a comida dessa forma?"), *disciplina* ("Por que você o deixa subir no sofá com sapatos? *Eu* nunca permito isso") ou *problemas com sono* ("Deixe-o chorar até cansar" *versus* "Não suporto ouvi-lo chorando assim").

Em vez de acertarem seus problemas um com o outro, eles discutem na presença da criança, acusando um ao outro de "proteger" o filho ou de ser rígido ou permissivo demais. Na verdade, quando um dos pais pende para um extremo, o outro tende para o extremo oposto. Esse antagonismo é extremamente prejudicial para a criança. Mesmo se não entende as palavras, a criança ainda assim sente a tensão.

Eu peço que esses pais comecem a conversar um com o outro. Não é uma questão de *quem* está certo, mas do que funciona melhor para o *filho que têm*. Interessante notar: cada lado da discussão geralmente tem algum mérito, mas cada um dos pais está ocupado demais sendo "certo" para ouvir a outra pessoa. Se, pelo contrário, os dois parassem e realmente escutassem, poderiam aprender um com o outro e, talvez, esboçar um plano que incorporasse *ambos* os modos de pensar.

Tentei fazer com que Gordon e Deanna vissem Jordy com olhos imparciais e, ao mesmo tempo, avaliassem seus próprios interesses. "Pressioná-lo não o fará mudar sua personalidade", eu disse a Gordon. "Além disso, ouvir a discussão entre os pais pode perturbá-lo e torná-lo ainda mais medroso e relutante em sair do lado da mãe." Deanna também precisava avaliar honestamente o seu comportamento. Será que ela não estaria *supercompensando* o enfoque machista do marido? É importante conhecer seu filho e permitir que ele avance em um ritmo confortável, mas talvez Gordon também tivesse razão em algo: ela precisava incentivar Jordy um pouco mais, mesmo quando ele se sentava no canto. Para seu crédito, Deanna e Gordon conseguiram atender ao meu pedido para escutarem. Eles pararam de discutir na frente do filho. Eles montaram uma estratégia juntos. E, como uma equipe, ambos decidiram que provavelmente seria uma boa ideia Gordon levar Jordy à aula de recreação – mas para animá-lo, não para "corrigi-lo". Levou mais de seis semanas, mas finalmente Jordy se juntou aos outros. Nós nunca saberemos se foi a estratégia dos pais ou o fato de que o menino finalmente estava pronto para isso. Entretanto, se os adultos não tivessem começado a trabalhar juntos, suspeito que a aula de recreação teria sido o menor dos seus problemas.

Mamãe mártir/papai malvado. Charmane, ex-executiva de televisão, é mãe em tempo integral desde o nascimento de Tamika, catorze meses atrás. Seu marido, Eddie, executivo de uma gravadora, trabalha muito, e Tamika geralmente já está na cama quando ele chega em casa. Charmane sente-se magoada por ter de fazer tudo pela filha, mas ela também protege seu território exclusivo. Nos fins de semana, ela insiste que Eddie "se envolva mais", mas critica tudo o que ele faz: "Não, Eddie, Tamika não gosta quando você faz isso... Ela gosta de brincar com o caminhão de bombeiros depois do café da manhã... Por que você vestiu *isso* nela? ... Não se esqueça de levar o ursinho dela, se forem ao parque... Leve um lanche... não, não biscoitos; leve uma fruta, que é mais saudável." E ela prossegue com suas orientações. É o suficiente para fazer o pai mais amoroso dizer: "Até logo, ela é toda sua hoje."

Em vez de dizer a Eddie como se sente irritada e com raiva durante a semana, Charmane deseja secretamente que ele a compense por isso. No entanto, ela teima em não abdicar do controle. Ela quer que Eddie participe, mas também deseja dizer-lhe o que e como fazer as coisas. Além disso, bancar a mártir é cansativo, de modo que, mesmo quando Eddie passa tempo com Tamika, Charmane nunca relaxa ou repõe suas energias.

A pessoa que mais sofre, naturalmente, é a pequena Tamika, que chora ou empurra Eddie quando ele tenta brincar com ela – este é seu modo não verbal de dizer: "Eu quero brincar com a mamãe, não com você." É claro que ela está em uma idade em que muitas crianças preferem a mãe. Não é só o papai – Tamika não se aproxima de mais ninguém se Charmane está no mesmo cômodo. No entanto, quando Charmane sai, Tamika choraminga só um pouquinho e depois fica bem, o que me diz que seu problema é menos ansiedade de separação que o fato de sua mãe relutar em se separar dela. Além disso, Tamika *ouve* sua mãe monitorando e repreendendo seu pai. Ela pode não entender as palavras, ou exatamente o que a mãe quer dizer, mas a sensação por trás da enxurrada de críticas é clara demais. Se isso continuar, Tamika se tornará ainda mais relutante em se aproximar do pai. Mamãe, a mártir, terá conseguido pintar o papai como o malvado.

Os sentimentos de ambos os pais precisam ser expressos e respeitados. Charmane precisa admitir seu ressentimento e estar disposta a abrir mão do controle. Eddie precisa dizer como as críticas que recebe da esposa o fazem se sentir. Ele também precisa assumir a responsabilidade por não estar disponível por mais tempo. Quando um pai diz: "Eu tenho que ir trabalhar", ele está fazendo uma escolha. Se Eddie realmente deseja se envolver na vida de sua filha, talvez tenha de fazer escolhas diferentes, que lhe deem mais tempo livre, e Charmane precisa dar espaço para ele em casa.

"Em vez de simplesmente insistir que Tamika não quer brincar com Eddie", eu disse a Charmane, "você pode tentar resolver o problema. Descubra maneiras de fazê-la se sentir mais confortável com o pai.

Elogie-o mais e critique menos. Incentive sua filha e o ajude a aumentar gradualmente o tempo que passa com ela".

Eddie também teve de mudar sua abordagem com Tamika. Uma das queixas de Charmane era que ele às vezes era "bruto demais" com a menina. Homens tendem a brincar com as crianças de uma forma mais rude. Tamika não estava acostumada a essas brincadeiras e suas lágrimas me disseram que ela não gostava nada disso. "Talvez ela mude, quando ficar um pouquinho maior, ou talvez não mude", expliquei a Eddie. "De qualquer modo, por enquanto você precisa respeitar o que ela está lhe dizendo. Se ela chorar e pedir a mãe quando você jogá-la no ar, isso lhe dirá que ela não está gostando da brincadeira. Então mude o que você estiver fazendo."

Eu sugeri que não é necessariamente uma questão de Tamika preferir a mãe. Em vez disso, a menina gosta do jeito que a mãe brinca com ela. "Talvez ela preferisse mexer no seu pianinho, e associa este tipo de atividade com Charmane, não com você. Comece a fazê-la se sentir confortável e a fazer coisas de que ela gosta, e então talvez você possa ampliar os limites."

Assuntos mal resolvidos. Problemas do passado podem contaminar um relacionamento e até mesmo sufocá-lo. Ted, um carpinteiro que projeta e constrói móveis personalizados, teve um caso extraconjugal antes do nascimento da filha, Sasha. Sua esposa, Norma, vice-presidente de uma grande empresa, descobriu o caso na mesma época em que soube que estava grávida. Eles se reconciliaram pelo bem da filha que iria nascer e, externamente, pareciam uma família muito feliz depois que o bebê nasceu. Sasha era saudável, Norma uma ótima mãe e Ted era um pai dedicado. Depois de um ano, os pais começaram a falar sobre ter outro bebê. Contudo, quando Norma desmamou Sasha, ela se viu imediatamente tomada pela sensação de perda. Seu obstetra garantiu a ela que muitas mulheres tinham uma reação emocional intensa quando paravam de amamentar, mas Norma sabia que seus sentimentos eram mais profundos. Ela ainda estava com raiva do caso que o marido teve. Enquanto isso, Ted já havia superado tudo. Ele nunca havia imaginado o quanto adoraria ser pai, e agora queria outro filho.

Ted conseguira deixar o passado para trás, mas Norma não. Ela insistiu para que fizessem terapia de casais, na qual eles reviveram o trauma. Norma, agora menos concentrada em Sasha, ficava cada vez mais furiosa à medida que as semanas passavam. "Quando você vai deixar disso?", perguntava Ted. "Temos uma filha linda agora. Nossas vidas voltaram ao normal."

Infelizmente, em vez de lidar com a dor do caso de Ted *antes* de terem filhos, Norma mergulhou na gravidez e nos cuidados de Sasha, no primeiro ano. Agora, os dois estavam em lados diferentes, desligando-se cada vez mais um do outro. Ela queria consertar as coisas; ele queria um novo bebê para salvar o casamento.

Norma e Ted separaram-se quando Sasha estava com 3 anos. Ela não conseguiu superar a raiva, e ele cansou-se de esperar e de se sentir culpado. Norma tinha razão sobre uma coisa: ter outro bebê não teria resolvido nada. Ela aprendeu tarde demais que é preciso *viver* os problemas, em vez de contorná-los.

Em meu primeiro livro, mencionei Chloe, que tivera um trabalho de parto de 20 horas, porque sua primeira filha, Isabella, ficara presa no canal do parto. Foi um parto terrível e Chloe ainda falava nisso *cinco meses depois*. Eu havia sugerido, então, que ela expressasse seus sentimentos, até mesmo consultando um profissional,

---

Prevenção de problemas

- Expresse os ressentimentos, em vez de deixar que eles a envenenem – mas não discuta sobre eles na frente do seu filho.

- Tentem resolver os problemas *juntos;* façam um plano para lidar com problemas relacionados ao sono, refeições e saídas de casa. Às vezes, vocês terão de concordar quanto ao direito de discordar.

- Crianças pequenas se saem melhor com padrões consistentes, mas conseguem lidar com diferenças, desde que vocês sejam claros sobre elas: "Você pode ler três livros com o pai, mas quando a mãe colocar você para dormir, ela vai ler dois livros."

- Tentem não polarizar suas posições, indo a um extremo por acharem que seu parceiro está no outro.

- Escutem o que dizem ao seu filho. Quando o pai diz "Mamãe não gosta quando você coloca os pés no sofá", isso diz à criança que ele discorda da mãe e sutilmente enfraquece as regras dela.

- Não leve as reações do seu filho para o lado pessoal – as crianças se comportam de maneira diferente com cada um dos pais.

- Se as brigas se tornarem constantes, busque ajuda profissional.

em vez de deixar que as emoções a dominassem. Agora Isabella tem quase 3 anos. Acabou que Chloe culpou Seth, mas não abordou o assunto com ele na época. Ela se prendeu, não apenas ao horror do parto, mas também à crença de que Seth não a ajudara o bastante. Ela se sentia abandonada por ele. Os dois falavam continuamente sobre a situação – como o médico havia desaparecido, como o efeito da anestesia havia passado rápido demais, sobre a sensação de desamparo que ele sentiu e sobre a raiva dela. Chloe ainda assim não conseguia superar. Durante meses, Seth tentou ser compreensivo, mas Chloe se tornou mais estridente, criticando com frequência as habilidades dele como pai.

Seth tornou-se cada vez mais frustrado. Em determinado momento, quando ele sugeriu que "seguissem em frente" tendo outro filho, ela o atacou novamente. "Depois de tudo o que lhe contei", ela gritou, acusadora, "você ainda não faz ideia do que eu passei". No fim das contas, Seth saiu de casa.

A moral desta história, assim como da história de Norma e Ted, é a mesma: quando você estiver se prendendo a emoções ruins, precisa expressá-las e provavelmente buscar ajuda profissional. Será que o casamento de Chloe e Seth poderia ter sido salvo se Chloe tivesse ido à terapia desde o início, ou se um bom terapeuta de casais tivesse ajudado os dois a revelarem as verdadeiras razões de sua insatisfação? Talvez sim, talvez não. O que eu sei é que eles teriam mais chances, se não tivessem deixado o rancor crescer.*

Existem muitas variações dos temas acima, mas os detalhes não são tão importantes quanto o fato de que os conflitos do casal, independentemente da forma que tomem, são perigosos para o bem-estar das crianças.

---

* Infelizmente, quase um em cada dois casamentos termina em divórcio, e a maioria dos casais que se separa tem filhos com menos de 5 anos de idade. Mesmo que vocês residam em casas diferentes, é crucial que permaneçam na vida do(s) seu(s) filho(s) e se comprometam a dividir os cuidados dele(s). Não é fácil, mas é possível cooperar com o ex-cônjuge, pelo bem das crianças. Busque o auxílio de um terapeuta e consulte boas fontes de informação. Uma dessas é o livro *Families Apart: Ten Keys to Successful Coparenting*, de minha coautora, Melinda Blau (Perigee Books).

Se você se encontrar em qualquer uma dessas situações, tome cuidado. Cada disputa exige a solução criativa dos problemas; no quadro da página 352, eu apresento alguns pontos importantes que devem ser mantidos em mente.

Tempo para vocês/tempo para os seus relacionamentos

Obviamente, um dos melhores modos de se prevenir contra os conflitos de casal é reabastecer sua própria energia e proteger seus relacionamentos adultos – não apenas seu casamento, mas também suas amizades.

Embora você esteja criando um ou mais filhos, também é preciso se cuidar e manter seu *status* como adulto – alguém com ligações com o mundo dos adultos. As sugestões a seguir são uma questão de bom-senso, mas na correria do cotidiano familiar, muitas vezes as esquecemos.

Faça planos específicos para dedicar tempo a você e a outros adultos. Não basta dizer "Preciso de um tempo para mim" ou "Precisamos passar algum tempo juntos". É preciso marcar esse tempo. Idealmente, você precisará ter uma rotina estruturada para começar (como poderia não ter, depois de ler este livro?). Anote o tempo reservado para você mesma, assim como para os seus relacionamentos. Marque encontros regulares fora de

---

E-mail: Criando um tempo para o casal

Meu marido e eu temos muita dificuldade para encontrar tempo um para o outro, já que sou mãe em tempo integral, com horário de dormir parecido com o do nosso filho – por volta das 21h30 –, e Mike (meu marido) trabalha cinco dias por semana, das 16h às 2h. Assim, nós criamos um "diário do amor". Nós escrevemos pequenos bilhetes um para o outro, sempre que nos lembramos ou quando temos tempo. É divertido encontrar o diário do amor no lado de cada um da cama, quando há uma nova anotação. O bilhetinho pode ser de amor; pode ser contando sobre algo importante do nosso dia em casa ou do trabalho; pode ser qualquer coisa que queiramos. Ele serve como um pequeno lembrete de que *somos* casados e que nos amamos e nos preocupamos um com o outro.

Quando três se tornam quatro: o aumento da família

casa com o seu companheiro; planeje almoços e jantares com amigos – e não deixe de lado aqueles amigos que não têm filhos. Se você tem dificuldade para fazer planos com outros adultos, pergunte-se: *O que me impede?* Alguns pais acham que são "maus" se deixam os filhos; outros adoram o papel de mártir. Lembre-se de que *não* reservar tempo para reabastecer sua energia pode ter resultados desastrosos. Em comparação, uma pessoa descansada, satisfeita e que se cuida está menos propensa a gritar com os filhos ou a despejar suas frustrações em um parceiro.

Quando for descansar, descanse mesmo. Quando você sair à noite com seu parceiro, *não* fale sobre os filhos. Quando for almoçar com suas amigas, discuta sobre os acontecimentos mundiais, sobre as tendências da moda ou sobre como o novo instrutor de ioga é atraente, mas não troque figurinhas sobre as crianças. Não me entendam mal, queridas leitoras. Sou totalmente a favor de que os pais discutam o que acontece nas vidas dos seus filhos e resolvam problemas juntos, e acho ótimo compartilhar estratégias com outros pais, mas você precisa descansar de vez em quando.

Encontre maneiras de tirar breves folgas. Você não precisa esperar por aquela "grande escapada" para ter um pouquinho de tempo para descansar. Dê uma volta no quarteirão, sozinha ou com seu parceiro. Coloque seu filho no cercadinho de modo que você possa fazer ginástica ou ler uma revista. Tire uma soneca para renovar-se. Se o seu parceiro estiver em casa e você se sentir inclinada a isso, dê e receba um abraço e beijo extras. Levante-se quinze minutos mais cedo para meditar, escrever um diário ou rever os afazeres do dia com o seu parceiro.

Exercite-se. Faça isso sozinha, com seu companheiro ou com amigos. Encontre uma companhia para caminhadas pela vizinhança. Vá a uma academia. Leve seu filho com você, se não conseguir encontrar uma babá. O importante é fazer com que o seu sangue flua e sentir o oxigênio correndo por seus pulmões – o ideal é pelo menos 30 minutos de exercícios por dia.

Mime-se. Não quero dizer para tirar um dia em um *spa*, querida, mas se *puder*, melhor ainda. Apenas garanta que, uma vez por dia, você tirará um tempo para respirar mais profundamente, passar uma loção perfumada em todo o corpo, alongar-se ou aproveitar a delícia de uma banheira quente. Mesmo cinco minutos de cuidados com você mesma já são melhor que nada.

Mantenha a chama acesa. Continue sempre namorando seu parceiro. Arranje tempo para o romance e para o sexo. Façam coisas agradáveis e surpreendam um ao outro (veja o quadro da página 354, para a sugestão inovadora de um casal). Nutram também suas paixões e adotem novos interesses. À medida que seus filhos crescerem, não se permitam parar de crescer. Façam cursos. Encontrem um novo passatempo. Visitem museus, galerias e campus de universidades, lugares onde vocês provavelmente conhecerão pessoas interessantes.

Crie um sistema de apoio para pais. A paternidade e a maternidade podem ser experiências muito solitárias. Por isso, é importante que os pais se tornem parte de uma comunidade mais ampla. Visitem um centro comunitário local para ver o que ele pode oferecer às famílias das redondezas. Inscrevam-se em aulas para pais e filhos, ou iniciem um grupo de brincadeiras. Estabeleçam uma rede; encontrem outras famílias com filhos de idades semelhantes.

Amplie sua definição de "família". Certifique-se de que sua vida social não se restringe aos pequenos furacões de meio metro de altura com mãozinhas sempre grudentas. Além de sair ocasionalmente, é importante também convidar pessoas para *irem* à sua casa. Incentive os avós e outros parentes a fazerem parte da sua vida. Marque jantares regulares e festas com seus parentes. Inclua também os amigos em suas reuniões familiares. É maravilhoso quando as crianças crescem relacionando-se com diferentes adultos.

DICA: Todos os pais, e não apenas as famílias com pais solteiros, deveriam procurar outros adultos para passarem tempo com seus filhos. Quanto mais relações com adultos uma criança tiver, melhor equipada ela estará para enfrentar as muitas personalidades diferentes que encontrará no mundo.

Não se esqueça de pedir ajuda. Problemas físicos e emocionais graves podem se desenvolver em famílias nas quais um dos adultos, ou ambos, estão sobrecarregados. Informe o seu companheiro se você estiver mais cansada do que pode suportar. Se puder, contrate alguém, mesmo que seja em turno parcial. Se você participa de um grupo de brincadeiras e se sente confortável com o estilo de outra mãe, sugira revezarem-se cuidando das crianças.

O autocuidado é a chave para o malabarismo diário. Caso contrário, começamos a sentir que tudo é demais para nós. Brigamos com nossos parceiros e gritamos com nossos filhos. Os ressentimentos e frustrações se acumulam. A criação de filhos é um processo difícil e que passa por várias mudanças. "Você tem que ser pau para toda obra", como diz minha avó e, para a maioria de nós, atender às nossas próprias necessidades geralmente é a última coisa na lista. Apenas um mártir ressentido continua sempre em frente até cair de vez ou explodir. Pedir ajuda não significa admitir o fracasso – é sinal de sabedoria dos pais.

EPÍLOGO

Algumas considerações finais

> Lembramos com estima dos nossos professores brilhantes, mas com gratidão daqueles que tocaram nossos corações. O currículo é a matéria-prima, mas é o calor o elemento vital para a planta em crescimento e para a alma da criança.
>
> — Carl Jung

Ser um bom pai ou mãe é gratificante e autoafirmador, mas também é um trabalho árduo, mais difícil ainda com uma criança pequena à nossa volta. A cada dia, vemos mudanças de tirar o fôlego, e há muito mais em jogo do que naqueles primeiros dias em que amamentar ou trocar a fralda era o bastante para manter a criança feliz. Agora, os problemas são mais complexos. Será que ele está andando direito? Falando o bastante? Será que terá amigos? As pessoas gostarão dele? Sentirá medo no seu primeiro dia na escolinha? E como posso fazer tudo isso acontecer... *agora?*

Este livro tratou sobre tudo o que você pode fazer para ajudar seu filho a atravessar essa difícil etapa da vida. Contudo, eu concluo salientando também o que você *não deve* fazer. Você pode incentivar e ensinar, mas não pode forçar. Pode interferir para evitar ou resolver problemas, mas não pode "salvar" seu filho. Você pode, e deve, estar no comando, mas não pode controlar quem o seu filho é. Não importa o quanto esteja ansiosa para que ele alcance o próximo patamar do desenvolvimento ou supere uma fase difícil; ele vai andar, falar, fazer amigos e se desenvolver de maneiras que nem mesmo você pode imaginar... Mas no ritmo dele, não no seu.

Meu avô, a quem eu admirava por sua tolerância e compreensão, disse certa vez que uma família era como um belo jardim, e as crianças eram as suas flores. Um jardim precisa de cuidado carinhoso, ternura e paciência. Raízes fortes, solo rico, bom planejamento e posicionamento adequado também são essenciais. Depois de plantar as sementes, você

Um último lembrete

Enquanto o seu filho cresce, tenha em mente os temas deste livro – a essência do encantamento de bebês. Eles se aplicam tanto às crianças pequenas como aos adolescentes.

- O seu filho é um indivíduo – conheça-o por quem ele é.

- Reserve tempo para observar, ouvir e falar *com* seu filho, não *para* ele.

- Dar ao seu filho o respeito que ele merece vai inspirá-lo a também respeitar os outros.

- Seu filho precisa de uma rotina estruturada, para dar previsibilidade e segurança à sua vida.

- Seja uma mãe equilibrada, que impõe limites, mas dá amor.

deve esperar e observar, enquanto os brotos tomam forma por conta própria. Você não pode cutucá-los para que brotem mais depressa.

Ainda assim, o jardim precisa de atenção constante. É preciso continuar alimentando o solo, regando as plantas e nutrindo tudo com amor. Somente cuidando das flores todos os dias você as ajudará a florescer com todo seu potencial. Se você percebe que ervas daninhas atrapalham seu crescimento ou insetos se alimentam das suas folhas, você toma providências imediatas. Certamente, as famílias precisam ser preservadas da mesma maneira que um jardim, e as crianças precisam ser cuidadas pelo menos com tanto zelo quanto rosas raras ou orquídeas premiadas.

A analogia do meu avô ainda é tão verdadeira hoje quanto dez anos atrás, quando minhas filhas eram pequenas. Ele estava tentando me dizer, naquela época, que eu tinha de estar atenta, mas que também deveria ter paciência – e o mesmo vale para você. Encoraje seu filho a seguir em frente, ame-o incondicionalmente, ajude-o a se preparar para a vida dando-lhe todas as ferramentas de que ele precisará para prosseguir sem você. E quando ele estiver pronto, o mundo e tudo o que há nele estarão o aguardando.